Pamphlets of the French Revolution

Vol. 2

A Bibliography of the Frank E. Melvin Collection of Pamphlets of the French Revolution In the University of Kansas Libraries

by

AMBROSE SARICKS

VOLUME 2

UNIVERSITY OF KANSAS LIBRARIES
1960

University of Kansas Publications
Library Series Number 10

Two volumes, paper. Price: the set, $7.50

Library of Congress
Catalog Card Number 60-63355

Printed by the University of Kansas Press
Lawrence, Kansas

University of Kansas Publications

Library Series

UNIVERSITY OF KANSAS PUBLICATIONS
Library Series

Editor, ROBERT L. QUINSEY

The Library Series and other University of Kansas Publications are offered to learned societies, colleges and universities and other institutions in exchange for similar publications. All communications regarding exchange should be addressed to the Exchange Librarian, University of Kansas Libraries, Lawrence, Kansas. Communications regarding sales, reviews, and forthcoming publications should be addressed to the Editor, Office of the Director of Libraries, University of Kansas, Lawrence, Kansas.

4220. [NICOLAI, Aymard-Charles-Marie de]. Discours adressé a M. Lambert, conseiller d'état, controleur général des finances, par M. le premier président de la Chambre des comptes. (19 septembre 1787). n.p., [1787]. 15pp.
        Also contains Lambert's response.

4221. -------- Discours prononcés par M. de Nicolaï...et par M. de Barentin...en présence de Monsieur, & de Monseigneur de comte d'Artois, sur l'enregistrement de la déclaration du timbre & la subvention territoriale; auxquels on a joint l'arrêté du Châtelet de Paris, du 21 août 1787, & les lettres-patentes du roi, qui transferent en la ville de Troyes le siege du Parlement. n.p., 1787. 24pp.

4222. -------- Monsieur, frere du Roi, étant venu, le 17 août 1787, présenter à enregistrer à la Chambre des comptes l'edit pour la subvention territoriale, & la déclaration sur le timbre, M. le premier président lui a dit:... . n.p., [1787]. 8pp.

        -------- See also nos. 5366, 5373.

4223. NIOCHE, [Pierre-Claude]. Opinion...sur ces deux questions: Louis XVI peut-il être jugé? Le sera-t-il par la Convention nationale?... Paris: Imp. Nat., [1792?]. 10pp.

4224. -------- Opinion...sur la question de savoir si le jugement de Louis Capet doit être renvoyé à la ratification des assem-blées primaires... . [Paris]: Imp. Nat., [1793?]. 14pp.

4225. -------- Rapport...sur les malheureux événemens arrivés à Lyon le 29 mai 1793... . (Juin 1793). [Paris]: Imp. Nat., [1793]. 39pp.

4226. NOAILLES, [Louis-Marie, vicomte de]. Exposé général du tra-vail du comité militaire, et rapport sur le nombre des troupes, leur dépense, leur solde et appointemens... . (Comité mili-taire, 13 juillet 1790). Paris: Imp. Nat., [1790]. 20pp.

4227. -------- Motion concernant la constitution de l'armée... . (13 août 1789). Versailles: Baudouin, [1789]. 30pp.

4228. -------- Opinion...sur les mesures définitives prises con-tre les ennemis extérieurs, & sur les dispositions des puis-sances étrangères, relatives à la France... . Paris: Imp. Nat., [1791]. 20pp.

4229. -------- Projet de décret sur les hopitaux militaires... . (Comité militaire, 25 juillet 1791). [Paris: Imp. Nat., 1791]. 22pp. & table.

4230. -------- Projet de rapport sur les hopitaux militaires... . (25 juillet 1791). Paris: Imp. Nat., [1791]. 24pp.

4231. -------- Troisième rapport du comité militaire... . (1 fév. 1790). Paris: Imp. Nat., 1790. 20pp.

4232. NOBLET, [Jean-Baptiste-Nicolas]. Discours prononcé...16 floréal an 7. (Conseil des anciens). Paris: Imp. Nat., [1799]. 3pp.

4233. NOEL, abbé. Epitre d'un vieillard protestant, a un françois refugié en Allemagne, au sujet de l'edit en faveur des non-catholiques, donné à Versailles au mois de novembre 1788... . [Paris]: Lagrange, [1788?]. 14pp.

4234. NOGARET, [François-Félix]. Aux mânes des ministres français assassinés près Rastadt. Hymne funèbre... . n.p., [1799]. 3pp.

4235. -------- Ode a la nation... . Versailles: Imp. Cosson, [1789?]. 8pp.

4236. NOISSETTE, Gaspard. Discours prononcé a la barre de l'Assemblée nationale, a la séance du 23 juin 1792...par Gaspard Noissette et Claude Champy, députés de la commune de Strasbourg. [Paris]: Imp. de Du Pont, [1792]. 20pp.

4237. NOMOPHILE, J. Bibliothèque choisie des Jacobins, ou Catalogue des principaux ouvrages publiés par cette société. [Paris]: Imp. philantropique, [1794?]. 8pp.

4238. [NORMAND]. Les Premiers efforts du schisme dans la Touraine, repoussés par la voix de la vérité, ou Réponse a la lettre circulaire du 22 mars, de M. Suzor, curé d'Ecueillé, diocèse de Tours, élu évêque d'Indre et de Loire, à MM. les curés de Touraine... . Paris: Artaud, 1791. 54pp.
    (Contains letter of Suzor; M & W, III, 25914.)

4239. NUGUE, [Antoine-Laurent]. Opinion...sur le second projet de la commission tendant au rapport de l'article IV de la loi du 15 thermidor an 4... . (Conseil des cinq-cents, 7 brumaire an 6). Paris: Imp. Nat., [1797]. 22pp.

4240. OBRENAN. Serment que doit prononcer M. Obrenan, curé de Maniquerville, diocèse de Rouen...30 janvier 1791... . Fécamp: Imp. de J.-B. Robert, [1791]. 1p.

4241. [OELSNER, Conrad-Engelbert]. Notice sur la vie de Siéyes, membre de la première Assemblée nationale et de la Convention; écrite à Paris, en messidor, deuxième année de l'ère républicaine. (vieux style, juin 1794.) En Suisse, & Paris: Maradan, an III [1794?]. 66pp.
    (Barbier III, 471f.)

4242. OFFROI. Le Contre-poison, ou Adresse aux amis de la vérité. [Paris]: Guilhemat & Arnulphe, [1790?]. 8pp.
    (Signed: Offroi, soldat-invalide.)

OLIVIER, [Gabriel-Raimond-Jean de Dieu François d']. See no. 5026.

4243. OLLIVIER, [A. L.]. Lois et autorités sur la novation, ou Réflexions nouvelles sur les obligations renouvellées.

OLLIVIER, [A. L.], continued.

[Paris]: Imp. du journal de P. Sablier, [1796?]. 8pp.
(Signed: Ollivier, homme de loi.)

4244. -------- Obligations renouvellées. Observations sur le rapport fait par Favart, au nom d'une commission spéciale, sur
les transactions entre particuliers, antérieures à la dépréciation du papier-monnoie. [Paris]: Imp. de J. P. Brasseur,
[1796?]. 8pp.
(Signed: Ollivier, homme de loi.)

4245. -------- Rentiers de l'état. Additions a faire au projet de
loi sur les transactions. [Paris]: l'auteur, [1796?]. 12pp.
(Signed: Ollivier, homme de loi.)

4246. -------- Transactions en assignats. Sommaire et solution
des principales difficultés qu'on a élevées relativement à la
loi à rendre sur cette matière. [Paris]: Imp. du journal
de P. Sablier, [1796?]. 23pp.

4247. OMNES-OMNIBUS. Discours prononcé à l'Hôtel de la Bourse,
dans l'Assemblée des jeunes gens de Nantes...le 28 janvier
1789. n.p., [1789]. 8pp.

4248. OPOIX, [Christophe]. Le Citoyen Opoix, député de Seine et
Marne, a ses collègues. [Paris]: Imp. Nat., [1793?]. 3pp.

4249. ORLEANS, [Louis-Philippe-Joseph, duc d']. [Correspondance
de Louis-Philippe-Joseph d'Orléans, avec Louis XVI, la Reine,
Montmorin, Liancourt, Biron, Lafayette, etc. etc; avec des
détails sur son exil à Villers-Cotterets, et sur la conduite
qu'il a tenue au 5 et 6 octobre, écrite par lui: suivie de
ses lettres à sa femme, à ses enfans, et de celles de madame
de Genlis, auxquelles on a joint un extrait du journal du
fils aîné de d'Orléans, écrit jour par jour par lui-même.
Publiée par L. C. R.]. [Paris: Lerouge, 1800]. 288pp.
Title page missing.

4250. -------- Exposé de la conduite de M. le duc d'Orléans, dans
la révolution de la France, rédigé par lui-même, à Londres.
n.p., [1791]. 23pp.

4251. -------- Mémoire a consulter et consultation pour M. Louis-
Philippe-Joseph d'Orléans. (29 oct. 1790). [Paris]: Imp.
de la veuve d'Houry, [1790]. 79pp.

-------- See also nos. 3000, 6151.

ORMESSON DE NOYSEAU, Anne-Louis-François de Paul Lefévre d'.
See nos. 5373, 6175.

4252. ORRY DE MAUPERTUY. Les Insectes. Traduction d'un manuscrit
anglois, composé par le secrétaire perpétuel du Musaeum
d'Oxfort. [Paris], 1789. 14pp.
(Signed: Orry de Maupertuy, avocat au Parlement.)

ORRY DE MAUPERTUY, continued.

4253. -------- Lettre a Monsieur le comte de Mirabeau, sur sa motion concernant la Caisse d'escompte. n.p., [1790?]. 43pp.
(Signed: L. A. O. D. M. A. A. P., auteur de la Banqueroute impossible; see M & W, III, 26089.)

4254. OSSELIN, [Charles-Nicolas]. Adresse individuelle des officiers municipaux de Paris a l'Assemblée nationale, relativement à la suspension provisoire du maire et du procureur de la commune, prononcée par le conseil-général du département; lue le 7 juillet 1792... . [Paris]: Imp. Nat., [1792]. 3pp.

4255. -------- Discours sur l'inviolabilité, et sur le mode proposé par le comité de législation, pour le jugement de Louis Capet... . Paris: G. F. Galletti, 1793. 38pp.

4256. -------- Quatrième discours contre le sursis proposé a l'exécution du jugement de Louis... . Paris: G. F. Galletti, 1793. 12pp.

4257. -------- Loi contre les émigrés... . (Comités de législation, des finances, diplomatique, et de la guerre). [Paris]: Imp. Nat., [1792]. 23pp.

4258. -------- Opinion...sur l'appel au peuple du jugement de Louis Capet... . Paris: G. F. Galletti, 1792 [sic, 1793?]. 14pp.

4259. OUDART, [C. P.]. Discours prononcé, à la barre de l'Assemblée nationale...au nom & en présence des membres du comité de recherches de la municipalité de Paris... . n.p., [1790]. 24pp.

4260. OUDOT, [Charles-François]. Opinion...concernant la suppression des droits censuels et casuels. [Paris]: Imp. Nat., [1792]. 7pp.

4261. -------- Opinion...sur le mode de constater les naissances, avec des réflexions sur nos vieilles institutions, sur la barbarie des préjugés qui flétrissent les enfans appelés batards, sur la conséquence de ces préjugés, et sur la nécessité et les moyens de les anéantir. (25 juin 1792). Paris: Imp. Nat., [1792]. 19pp.

4262. -------- Rapport et projet de décret...relativement a l'indemnité due aux gendarmes nationaux de service à la haute-cour-nationale séante à Orléans... . (18 mars 1792). [Paris]: Imp. Nat., [1792]. 4pp.

4263. -------- Opinion...sur le jugement de Louis XVI... . Mézieres: Imp. nat. du département, 1793. 3pp.

4264. -------- Supplément a la motion d'ordre...dans la discussion du procès de quatre députés prévenus... . (3 germinal an 3). Paris: Imp. Nat., [1795]. 6pp.

OUDOT, [Charles-François], continued.

4265. -------- Projets de résolution...au nom de la commission
chargée de l'examen de la question de savoir s'il n'est pas
avantageux de supprimer l'arbitrage forcé et les tribunaux
de famille. (Conseil des cinq-cents, 14 pluviôse an 4).
[Paris]: Imp. Nat., [1796]. 4pp.

4266. OUFFIERES, Signard d'. Observations soumises à nosseigneurs
de l'Assemblée nationale, au nom de la commune de Caen, par
ses députés extraordinaires. Caen: G. Le Roy, 1790. 15pp.
Argument for more favorable treatment of Caen in the
re-organization of local government (signed Signard
d'Ouffieres, ex-président, and Bougon Longrais, vice-
président).

4267. [OUTREPONT, Charles-Lambert d'?]. Lettre patriotique, a MM.
du comité de Gand, du 5 décembre 1789, interceptée et ré-
trouvée dans les papiers d'un royaliste. n.p., 1790. 35pp.
(Ms. notation attributes to Outrepont.)

4268. -------- Ni trop tot, ni trop tard, ou Réponse aux questions prétendues patriotiques. n.p., 1790. 15pp.
(Ms. notation attributes to Outrepont.)

4269. -------- Repentir d'un aristocrate belge, ou Lettre de
M. ..., a MM. les révérends curés de la Belgique-unie. n.p.,
1790. 8pp.
(Ms. notation attributes to Outrepont.)

4270. PAGANEL, [Pierre]. Opinion...sur le jugement du ci-devant
roi... . Agen: la veuve Noubel et fils ainé, 1792. 12pp.

4271. PAGES, François-[Xavier]. La France républicaine, ou le
Miroir de la Révolution française; poëme en dix chants... .
Paris: Imp. de J. Grand, 1793. 155pp.

4272. PALASNE DE CHAMPEAUX, Julien-François. Décret relatif aux
différens employés supprimés, précédé du rapport... . (Comités de finances, pensions, domaines, impositions, agriculture & commerce, 25 juillet 1791). Paris: Imp. Nat., 1791.
22pp.

4273. [PALISSOT, Charles]. La Critique de la tragédie de Charles
IX, comédie. Paris: Imp. de P. F. Didot, 1790. 35pp.
(M & W, III, 26340.)

4274. PALLOY, [Pierre-François]. Pétition...a l'Assemblée nationale, relative au cérémonial à observer pour la pose de la
première pierre du monument érigé à la liberté dans l'emplacement de la Bastille, le 14 juillet 1792, fête de la fédération, le premier juillet 1792... . [Paris]: Imp. Nat.,
[1792]. 4pp.

4275. PANCKOUCKE, [Charles-Joseph]. Lettre...a MM. le président
et électeurs de 1791. [Paris]: Imp. de Cl. Simon, 1791.
29pp.

4276. PANGE, [François de]. De la sanction royale. Paris: Barrois l'aîné, 1789. 43pp.

4277. [PARADIS DE RAYMONDIS, J. Z.]. Des prêtres, et des cultes: toute prédication doit être réduite à la prononciation du précepte: Aimez Dieu plus que tout, et le prochain comme vous mêmes... . [Paris]: Imp. de Marchant, [1796 or 1797]. 24pp.
    (Barbier, III, 1013ª.)

4278. [PARE, Jules-François]. Le Ministre de l'intérieur, aux citoyens officiers municipaux de toutes les communes de la république. (24 pluviôse an 2). Paris: Imp. nat. exéc. du Louvre, [1794]. 12pp.
    (M & W, III, 26492.)

4279. [PAREIN, Pierre-Mathieu]. L'Exterminateur des Parlements... . Paris: Imp. de la Cour du Parlement, 1789. 29pp.
    (M & W, III, 26495.)

4280. -------- Extrait du Charnier des innocens, ou Cri d'un plébéien immolé. Bordeaux: Imp. de P...P..., 1789. 20pp.
    (M & W, III, 26496.)

4281. -------- Supplement a l'extrait du Charnier des innocens. n.p., 1789. 22pp.
    (Signed, "Droiture", pseudonym of Parein; see M & W, III, p. 545.)

4282. -------- Le Massacre des innocents... . Bordeaux: Imp. de P...P..., 1789. 19pp.
    (M & W, III, 26497.)

4283. -------- Les Crimes des parlemens, ou les Horreurs des prisons judiciaires dévoilées... . n.p.: Imp. de J. B. Chemin, 1791. 51pp. & illustration.
    (M & W, III, 26194ª.)

4284. -------- La Prise de la Bastille, fait historique en trois actes, en prose, et mêlée d'ariettes. n.p.: Imp. de J. B. Chemin, 1791. 66pp. & portrait.

4285. PARIBELLI. Il ritorno di Buonaparte, ode saffica. n.p., [1798?]. 4pp.

4286. PARIS, [Pierre-Louis]. La Dixmerie, cantate demandée par la Société nationale des Neufs-Soeurs, et exécutée dans l'assemblée publique du 22 janvier 1792... . [Paris]: Imp. de la Société nationale des Neuf-Soeurs, [1792]. 8pp.

4287. PASQUIER. Réflexions d'un curé a un de ses confreres, au sujet des difficultés élevées relativement aux érections, suppressions, démarcations des évêchés, & à l'organisation civile du clergé, décrétées par l'Assemblée nationale. Auxerre: Imp. de Baillif, 1791. 16pp.
    (Signed: Pasquier, curé de Saint-Amatre d'Auxerre, le premier janvier 1791.)

PASTEUR. [Camille-Jordan]. See no. 4325.

4288. PASTORET, [Claude-Emmanuel-Joseph-Pierre, marquis de].
Adresse a l'armée française, présentée a l'Assemblée nationale...le 8 mai 1792... . (Comité militaire et d'instruction
publique). [Paris]: Imp. Nat., [1792]. 4pp.

4289. -------- Opinion...sur une loi contre les émigrans... .
(25 oct. 1791). [Paris]: Imp. Nat., [1791]. 16pp.

4290. -------- Opinion...sur les indemnités à accorder aux princes
allemands possessionnés en France. (1 mars 1792). Paris:
Imp. Nat., [1792]. 19pp.

4291. -------- Opinion...sur la manière de constater l'état civil
des citoyens... . (19 juin 1792). [Paris]: Imp. Nat.,
[1792]. 23pp.
     (Bound with: titres ou articles que je propose de sub-
     stituer ou d'ajouter à ceux du comité de législation,
     [pp. 17-23].)

4292. -------- Opinion...sur la police de sureté générale... .
(28 juillet 1792). [Paris]: Imp. Nat., [1792]. 14pp.

4293. -------- Discours sur la liberté de la presse... . (Conseil
des cinq-cents, 23 ventôse an 4). [Paris]: Imp. Nat.,
[1796]. 15pp.

4294. -------- Discours...sur la liberté des cultes & de leurs
ministres... . (Conseil des cinq-cents, 26 messidor an 5).
Paris: Imp. Nat., [1797]. 20pp.

4295. -------- Opinion...sur la question intentionnelle dans les
jugemens criminels. (Conseil des cinq-cents, 16 vendémiaire
an 5). Paris: Imp. Nat., [1796]. 19pp.

4296. -------- Réponse...a l'Institut national des sciences et
des arts... . (Conseil des cinq-cents, 1 jour comp. an 4).
Paris: Imp. Nat., [1796]. 3pp.

4297. PASTORET, [F.]. Discours prononcé à Montauban le 14 juillet
dans le temple de l'être suprême... . Montauban, [1794?].
8pp.

4298. -------- Discours prononcé à Montauban, dans le temple de
la raison, le second décadi de nivôse, l'an 2... . Montauban: Fontanel, [1794]. 12pp.

4299. -------- Ode sur l'inauguration du buste de J. J. Rousseau
dans la Société populaire de Montauban. Montauban: Fontanel,
[1795]. 8pp.

4300. PAWLET, [Fleury Paulet, dit le comte de]. Pétition...dont
l'objet est de démontrer à l'Assemblée nationale que le roi
n'a jamais cessé de désirer le bonheur des français; qu'on
en trouve une preuve bien frappante dans sa déclaration du
23 juin 1789, qui meditée et prise pour guide... . [Paris]:
Imp. de Girouard, [1792]. 16pp.

4301. PAYAN, [Claude-François]. Adresse de la municipalité de Paris, a la Convention nationale, dans la séance du 27 floréal [an 2]... . [Paris]: Imp. de la Commis. d'Instruction publique, [1794]. 8pp.

4302. -------- Commission de l'Instruction publique. Architecture rurale... . [Paris]: Imp. de la Commiss. de l'Instr. pub., [1794]. 10pp.

4303. -------- La Commission d'Instruction publique aux artistes. [Paris]: Imp. de la Commis. de l'Instruction publique, [1794?]. 10pp.

4304. -------- Commission d'Instruction publique. Spectacles... . n.p., [1794]. 7pp.

4305. PAINE, Thomas. Opinion...concernant le jugement de Louis XVI, précédée de sa lettre d'envoi au président de la Convention... . Paris: Imp. Nat., 1792. 8pp.

4306. -------- Opinion...sur l'affaire de Louis Capet... . [Paris]: Imp. Nat., [1793?]. 10pp.

4307. PEIN, T. Projet d'un discours qui devoit être lu à l'assemblée de l'un des quartiers de la commune de Dijon. [Dijon]: Imp. de P. Causse, [1790?]. 8pp.

4308. PELERIN DE LA BUXIERE. Réflexions sur l'inutilité & le danger des états-provinciaux, ou les assemblées provinciales... . Versailles: Baudouin, [1789]. 7pp.

4309. PELIGOT, André. Représentation très-modeste a l'Assemblée nationale, sur la nullité de ses décrets et de la sanction royale...pour faire suite à l'apologie de M. Necker, par M. Cerutti. Paris: L'auteur, [1790]. 32pp.

4310. [PELLERIN, Joseph-Michel]. Discours d'un citoyen, pour être prononcé à l'assemblée de la commune, le 15 décembre 1788. A mes concitoyens nantais. n.p., [1788]. 16pp.
        (Barbier I, 1004f.)

4311. -------- Opinion...sur le projet d'une nouvelle division du royaume. Paris: Baudouin, [1789]. 12pp.

4312. PELLETIER, [H. F.]. Système sur la formation de l'assemblée des Etats-généraux en France; sur la formation des états provinciaux et de toute autre assemblée nationale. Paris: Barrois, 1789. 24pp.

4313. -------- Le Voeu de la France... . Paris: Imp. de Martin, 1790. 23pp.

4314. PELLISSIER, [Denis-Marie]. Opinion...sur le jugement de Louis XVI... . Paris: Imp. Nat., [1792?]. 15pp.

4315. [PELTIER, Jean-Gabriel]. Domine, salvum fac regem. Sur les bords du Gange, (21 octobre) 1789. 31pp.

[PELTIER, Jean-Gabriel], continued.

(M & W, III, 26722; see no. 1292 for reply.)

4316. -------- Pange lingus, suite du Domine salvum fac regem.
Sur les bords du Gange, (7 novembre) 1789. 22pp.
(M & W, III, 26725.)

4317. -------- Le Cri de la douleur. Le Mercredi 20 juin 1792.
n.p., [1792]. 15pp.

4318. -------- Sauvez-nous ou sauvez-vous, adresse a MM. les députés à l'Assemblée nationale, et à MM. les députés bretons en
particulier... . Troisième édition, augmentée. Paris, 1789.
40pp.
(M & W, III, 26727.)

4319. PEMARTIN, Joseph. Opinion...sur l'affaire de Louis Capet... .
[Paris]: Imp. Nat., [1793?]. 6pp.

4320. -------- Raisons de mon opinion, prononcées...des 16 et 17
janvier 1763 [sic]...sur l'affaire de Louis XVI... . [Paris]:
Imp. Nat., [1793]. 2pp.

4321. PENIERES [-DELZORS], Jean-Augustin. Opinion...sur le jugement de Louis XVI... . [Paris]: Imp. Nat., [1792?]. 3pp.

4322. -------- Plan et projet de constitution pour la république
française, présentés a la Convention nationale...le 16 avril
1793... . [Paris: Imp. Nat., 1793]. 26pp.

4323. PEPIN, Silvain. Opinion...sur le procès de Louis Capet... .
[Paris]: Imp. Nat., [1792?]. 6pp.

4324. PEPIN-DEGROUHETTE, [Pierre-Athanase-Nicolas]. Observations
a l'Assemblée nationale, sur le projet de rapport de M. Vernier, relativement à la pétition des porteurs de quittances
d'actions des eaux de Paris. [Paris]: Imp. de Tremblay,
[1790]. 16pp.

4325. PERAC. (pseud.) Robespierre aux frères et amis. [Paris]:
Imp. de J. Gratiot, 1798?]. 24pp.
(Signed Pérac and bound with: Camille Jordan aux fils
légitimes de la monarchie et de l'église--pp. 16-24--
signed: Pasteur. See Barbier IV, 371^c, where date is
given as 1798.)

4326. PERARD, [Charles-François-Jean]. Opinion...sur le jugement
de Louis XVI... . n.p., [1793?]. 8pp.

4327. PERE, [Antoine-François]. Opinion...sur la résolution relative à l'action en rescision, pour cause de lésion, des ventes
faites pendant la dépréciation du papier-monnoie... . (Conseil des anciens, 9 floréal an 6). Paris: Imp. Nat., [1798].
18pp.

4328. -------- Réponse...sur la résolution relative à l'action en

PERE, [Antoine-François], continued.

rescision, pour cause de lésion, des ventes faites pendant la dépréciation du papier-monnoie... . (Conseil des anciens, 17 floréal an 6). [Paris]: Imp. Nat., [1798]. 8pp.

4329. PERES DE LAGESSE, Emmanuel. Discours prononcé sur la place de la liberté, a Bruxelles, le dix-sept germinal [an 3]...au sujet de la proclamation de la Convention nationale, sur les évènemens du 12 germinal. [Bruxelles?]: Imp. des Armées, [1795]. 7pp.

4330. -------- Discours prononcé...sur la nouvelle victoire de l'armée d'Italie... . (Conseil des cinq-cents, 6 pluviôse an 5). Paris: Imp. Nat., [1797]. 4pp.

4331. -------- Discours prononcé...après la lecture d'une pétition des républicains de Toulouse, dans laquelle, après avoir témoigné toute leur indignation contre les derniers crimes du gouvernement de Rome, ils demandent la déportation de tous les prêtres insoumis... . (Conseil des cinq-cents, 9 ventôse an 6). Paris: Imp. Nat., [1798]. 6pp.

4332. -------- Discours prononcé...après la lecture de la résolution du 17 fructidor qui déclare que le département de la Haute-Garonne et les départemens environnans, ont bien mérité de la patrie. (Conseil des anciens, 19 fructidor an 7). Paris: Imp. Nat., [1799]. 11pp.

4333. PERICO, Carlo. Les Grandes marionnettes républicaines, suivies de la fameuse lanterne magique, et de la grande scène du rentier, qui tire le diable par la queue. [Paris?]: Imp. de Van-der-meerch, [1799?]. 8pp.

4334. PERIER. Avis à la nation sur le veto agité a l'Assemblée nationale... . Paris: Imp. d'Emsly, 1789. 8pp.

4335. PERIER. Petition a l'Assemblée nationale pour les sieurs Périer. [Paris]: Imp. de Prault, 1790. 41pp.
       (Signed: Périer freres.)

4336. PERIGNON, [Pierre?]. Eloge de Philippe-Amable Duclos, jurisconsulte, prononcé à la séance du Conseil-général de l'Académie de législation, le...2 messidor an X. [Paris]: Patris, [1802]. 12pp.

4337. PERISSE DU LUC, [Jean-André]. Lettre...a M. Brissot de Warville...sur les assignats. (23 nov. 1790). n.p., [1790]. 11pp.

4338. -------- Rapports relatifs à des projets d'endossemens & de timbre, sur les assignats... . [17 avril 1791]. Paris: Imp. Nat., 1791. 31pp.

4339. [PERLET, Charles-Frédéric]. Suite du Journal de Perlet, Convention nationale, Corps administratifs et nouvelles politiques et littéraires de l'Europe. Vol. I--No. 52 (11-12-92).

[PERLET, Charles-Frédéric], continued.

Vol. II--No. 84 (12-14-92). Vol. III--Nos. 171 (3-11-93),
173 (3-13-93), 174 (3-14-93), 175 (3-15-93), 176 (3-16-93),
177 (3-17-93), 179 (3-19-93).

4340. PERREE-DUHAMEL, [Pierre-Nicolas-Jean]. Opinion...sur la résolution relative à la fourniture du papier pour le timbre... .
(Conseil des anciens, 28 fruct. an 6). Paris: Imp. Nat.,
[1798]. 6pp.

4341. PERRIER, le P. Copie de la lettre du P. Perrier, à M. D...,
citoyen de Riom. [Paris]: Imp. de J. B. N. Crapart, [1791].
20pp.
    Bound with: Réponse a la lettre du P. Perrier, par un
    théologien moderne. (pp. 3-20).

4342. PERRIN. Reflexions d'un citoyen sur l'adresse aux Etats-
généraux proposée par la Garde nationale de Rouen, lues à
l'assemblée de la seconde compagnie, 2ᵉ division, dite de
Cauchoise, le 19 janvier 1790. n.p., [1790]. 15pp.
    (Signed: Perrin, citoyen, avocat & sergent de la Garde-
    nationale de Rouen.)

4343. PERRIN, abbé. Discours prononcé en l'Assemblée électorale
de Lyon, le 28 février 1791, par le sieur Perrin, curé de
Saint-Just en bas, province de Forez. n.p., [1791]. 7pp.

4344. [PERROTIN] DE BARMOND, [Charles-François]. Discours...à
l'Assemblée nationale, le 18 août 1790. [Paris]: Imp. de
Vezard & le Normant, 1790. 15pp.

4345. PERSONNE, Jean-Baptiste. Opinion...dans l'affaire ou procès
de Louis... . [Paris]: Imp. Nat., [1793?]. 2pp.

4346. [PETION, Jérôme]. Avis aux François sur le salut de la patrie; troisieme édition. n.p., 1789. x, 272pp.
    (M & W, III, 26999.)

4347. -------- Opinion...sur l'appel au peuple. Paris: Baudouin,
1789. 23pp.

4348. -------- Petit mot d'un Marseillois, sur le Mémoire des
princes. n.p., [1788]. 8pp.
    (Garrett, 260, but not listed by M & W.)

4349. -------- Compte rendu...a ses concitoyens. [Paris]: Imp.
Nat., [1791?]. 28pp.

4350. -------- Discours de M. Pétion, maire de Paris, a l'Assemblée
nationale, prononcé le 29 mai 1792... . Paris: Imp. Nat.,
[1792]. 3pp.

4351. -------- Lettre de MM. les commissaires de l'Assemblée nationale a M. le président. Paris: Imp. Nat., [1791]. 2pp.
    (Signed at Ferté-sous-Jouarre, 23 June 1791, by P., la
    Tour-Maubourg, Barnave.)

[PETION, Jérôme], continued.

4352.   -------- Lettre du maire de Paris, a l'Assemblée nationale,
du 8 septembre 1792... . [Paris]: Imp. Nat., [1792]. 2pp.

4353.   -------- Lettre du maire de Paris, a l'Assemblée nationale
...du 20 septembre 1792... . [Paris]: Imp. Nat., [1792].
2pp.

4354.   -------- Lettre...aux Parisiens. [Paris]: Imp. d'Ant.-Jos.
Gorsas, [1793?]. 16pp.

4355.   -------- Régles générales de ma conduite. [Paris]: Imp. de
la municipalité, [1792]. 12pp.

4356.   -------- Réponse très-succinte de Jérome Pétion, au long
libelle de Maximilien Robespierre. [Paris]: Imp. d'Ant.-
Jos. Gorsas, 1793. 14pp.

4357.   -------- Discours sur les assignats... . Paris: Baudouin,
[1789?]. 21pp.

4358.   -------- Discours...sur l'établissement de caisses territoriales en France, suivie d'un projet de décret. (27 mars 1790).
Paris: Imp. Nat., 1790. 20pp.

4359.   -------- Discours sur la réunion d'Avignon a la France... .
(26 juin 1790). Paris: Imp. Nat., [1790]. 31pp.

4360.   -------- Discours sur les testamens en général, et sur l'in-
stitution d'héritier dans les pays de droit écrit en particulier... . Paris: Imp. Nat., [1791?]. 15pp.

4361.   -------- Discours sur l'affaire du roi... . [Paris]: Imp.
Nat., [1792?]. 8pp.

4362.   -------- Discours sur l'affaire du roi... . Agen: veuve Noubel & fils aîné, [1792?]. 8pp.

4363.   -------- Opinion...sur le roi... . [Paris]: Imp. Nat.,
[1792?]. 19pp.

-------- See also nos. 1314 and 4950.

4364.   [PETIOT, abbé]. Liberté de la presse. n.p., [1789]. 15pp.
(M & W, III, 27068.)

4365.   PETIT, Michel-Edme. Address aux français... . (30 juin
1793). n.p., [1793]. 14pp.

4366.   -------- Le Procès des 31 mai, 1er. et 2 juin, ou la Défense des 71 représentans du peuple... . [Paris]: Imp. de
J. B. Colas, [1795]. 33pp.

4367.   -------- Discours sur la revision du décret pour l'organisation des premières écoles, faite par le comité d'instruction
publique, et sur quelques nouveaux systêmes d'éducation... .

PETIT, Michel-Edme., continued.

(19 frimaire an 2). [Paris]: Imp. Nat., [1793]. 38pp.

4368. -------- Discours prononcé...sur les causes du 9 thermidor... . [28 fructidor an 2]. [Paris]: Imp. de J. B. Colas,
[1794]. 16pp.

4369. -------- Opinion...contre le projet des écoles primaires,
présenté par le comité d'instruction publique... . [Paris]:
Imp. Nat., [1792]. 14pp.

4370. -------- Opinion...sur le jugement de Louis Capet, dernier
roi des français... . [Paris]: Imp. Nat., [1792?]. 10pp.

4371. -------- Opinion...sur le jugement de Louis Capet, dernier
roi des français... . Paris: Imp. Nat., [1793]. 14pp.

4372. -------- Opinion sur l'éducation publique... . (1 oct. 1793).
Paris: Imp. Nat., [1793]. 50pp.

4373. -------- Rapport et projet de décret présentés...le 16 ventôse, l'an II...Ecole militaire. (Comité d'instruction publique). [Paris]: Imp. Nat., [1794]. 4pp.

-------- See also no. 1723.

4374. PETIT-JEAN, Claude-Lazare. Un mot, et quelques observations,
de la part...sur la fausseté des principes employés par ceux
des membres de la Convention, qui veulent renvoyer au peuple
à prononcer sur le sort de Louis Capet, ou à sanctionner le
jugement qu'elle prononcera... . [Paris]: Imp. Nat., [1793?].
7pp.

PEYRE. See nos. 3677, 3678.

4375. PEZOUS, Jean-Pierre. Opinion...sur le projet des comités de
constitution et d'aliénation, concernant les successions tes-
tamentaires. (13 mars 1791). [Paris]: Imp. Nat., [1791].
8pp.

4376. PHELINES, [Louis-Jacques de]. Rapport de M. de Phelines, commissaire de l'Assemblée nationale, envoyé dans les départemens
du Haut et du Bas-Rhin, prononcé dans la séance du 19 août
1791. [Paris]: Imp. Nat., [1791]. 4pp.

4377. PHELIPPES-TRONJOLLY, [François-Anne-Louis]. Phelippes, dit
Tronjolly, ex-président des Tribunaux criminel et révolutionnaire du département de la Loire inférieure, séant à Nantes.
n.p., [1793]. 3pp.
Dated: Nantes, le 5 Frimaire, l'an 2me.

4378. PHILIBERT, [Thomas]. Opinion sur la masse et la valeur des
assignats qui doivent rester dans la circulation...suivie d'un
projet de décret... . Paris: Imp. Nat., 1792. 29pp.

4379. -------- Rapport et projet de décret...sur le remboursement de

PHILIBERT, [Thomas], continued.

la dépense des troupes dont les communes du ci-devant pays
de Provence ont fait l'avance pendant l'année 1790... .
(Comité de liquidation, 18 juillet 1792). [Paris]: Imp.
Nat., [1792]. 15pp.

4380. PHILLIPPEAUX, [Pierre]. Philippeaux, représentant du peuple,
a ses collégues et a ses concitoyens, 6 nivôse, l'an II... .
Paris: Desenne, [1793?]. 44pp.

4381. -------- Réponse de Philippeaux a tous les défenseurs offi-
cieux des bourreaux de nos frères dans la Vendée, avec l'acte
solemnel d'accusation, fait à la séance du 18 nivôse, suivie
de trois lettres écrites à sa femme, de sa prison. Paris:
Imp. des femmes, an 3 [1794?]. 97pp.

4382. -------- Opinion...sur le jugement de Louis XVI... . [Paris]:
Imp. Nat., [1792?]. 14pp.

4383. PHILIPPES-DELLEVILLE, Jean-François. Motion d'ordre...10
août [1797]. (Conseil des cinq-cents). Paris: Imp. Nat.,
an V (1797). 3pp.

4384. PIAULT. [Discours prononcé à la maire du dixième arrondisse-
ment du canton de Paris, le 7 brumaire an IX, jour de la
célébration de la pompe funèbre du cit. Bethune-Charost...].
(pp. 3-19).
     Bound under title: Discours prononcés à la mairie du
     10e. arrondissement du canton de Paris, le 7 brumaire
     an IX, aux obsèques du cit. Béthune-Charost... . [Par-
     is]: Imp. de Gagnard, [1800]. 36pp. (Contains also
     Discours par...Moreau-Saint-Méry, par Drujon, & par
     Sicard.)

4385. PICHEGRU, [Jean-Charles]. Discours prononcé...dans...la
Convention nationale, du 15 germinal [an 3]... . Melun:
Imp. de Tarré & Lefevre-Compigny, [1795]. 4pp.

4386. PICQUE, [Jean-Pierre]. Au peuple, sur la constitution qui
va lui être présentée par la Convention nationale... . Paris:
Imp. du Cercle social, 1793. 42pp.

4387. -------- Opinion...sur les fêtes décadaires... . ([18?]
nivôse an 3). [Paris]: Imp. Nat., [1795?]. 8pp.

4388. PIERON, G. J. G. J. Piéron, au représentant Dauchez. [Bul-
letin des élections No. 9. Arras, le 26 germinal, an 5].
Arras: Bocquet, [1797]. 8pp.

4389. PIERRET, [Nicolas-Joseph]. Rapport...sur sa mission dans le
département de la Haute-Loire. (Vendémiaire an 4). Paris:
Imp. Nat., [1795]. 20pp.

4390. PILLAUT, [Jean-Pierre]. Projet de décret, relatif à ses ré-
formes qu'il convient de faire dans le décret du 17 mars 1791,
concernant les réunions & circonscriptions des paroisses de

PILLAUT, [Jean-Pierre], continued.

        la ville de Beauvais... . (Comité de division). Paris: Imp. Nat., [1792]. 3pp.

4391.   -------- Projet de décret sur le nombre et le placement des notaires publics du département d'Eure-et-Loire... . (Comité de division, juillet 1792). [Paris]: Imp. Nat., [1792]. 6pp.

4392.   -------- Projet de décret...sur le nombre et le placement des notaires publics du département de Seine et Oise... . (Comité de division, août 1792). Paris: Imp. Nat., [1792]. 6pp.

4393.   -------- Projet de décret concernant la paroisse de Champdeuil... . (Comité de division). [Paris]: Imp. Nat., [1792]. 2pp.

4394.   -------- Projet de décret...sur le nombre & placement des notaires à établir dans le département de Seine-&-Marne... . (Comité de division). Paris: Imp. Nat., 1792. 7pp.

4395.   -------- Projet de décret concernant la réunion et circonscription des paroisses de la ville de Laval, chef-lieu du département de la Mayenne... . (Comité de division). [Paris]: Imp. Nat., [1792]. 11pp.

4396.   PINET, [Jacques]. Opinion...sur le décret rendu...le 16 décembre 1792, contre la famille Bourbon Capet. [Paris]: Imp. Nat., [1792?]. 11pp.

4397.   [PINTEVILLE] DE CERNON, [Jean-Baptiste, baron de]. Plan de libération générale des finances... . Paris: Imp. Nat., 1790. 38pp.

4398.   PIQUERY DE WASRONVAL. Mémoire des députés extraordinaires de la ville de Maubeuge, en Hainault. Paris: Imp. Nat., [1790]. 7pp.
        Protest that Maubeuge had not been chosen as chef-lieu of a district or tribunal. Signed Piquery de Wasronval and Michel.

4399.   [PISANI DE LA GAUDE, Charles-François-Joseph]. Avis pastoral de Mgr. l'évêque de Vence, aux prêtres de son diocèse, sur les encensemens à l'office divin. (14 août 1790). n.p., [1790]. 14pp.

4400.   PISON DU GALLAND, [Alexis-François]. Déclaration des droits de l'homme et du citoyen... . Versailles: Baudouin, [1789]. 15pp.

4401.   -------- Opinion...sur l'organisation politique du royaume... . (10 nov. 1789). Paris: Imp. de l'Assem. nat., [1789]. 24pp.

4402.   -------- Rapport...sur le nombre, la répartition & le traitement des agens de l'administration forestière... . (Comités de domaines, marine, finances, aliénation, agriculture).

PISON DU GALLAND, [Alexis-François], continued.

Paris: Imp. Nat., [1791]. 8pp.

4403. PISTORIS. Discours sur l'égalité en droits, prononcé à Saint-
Hippolyte devant la Société des amis de la constitution. n.p.,
1792. 16pp.

4404. PISTOYE. Mémoire pour Mr. Pistoye, capitaine au corps royal
d'artillerie, en réponse aux calomnies du sieur Ricard, d'Al-
lauch. (30 juillet 1790). Aix: Pierre-Joseph Calmen, [1790].
15pp.

4405. PITHOU [DE LOINVILLE, Jean-Joseph]. Abrégé de la vie et des
travaux de M. de Mirabeau, suivi de son testament, de son oraison
funebre & de son épitaphe. par Pithou. Paris: Imp. J. P.
Roux & Co., 1791. 76pp.
        (Cat. Gen. des Livres Imp. v. 138, 315.) In Opuscules sur
        Mirabeau, I.

4406. [PITHOU DE VALLENVILLE]. Réflexions sur le jugement et la mort
de M. de Favras. n.p., [1790?]. 14pp.
        (Barbier IV, 158^f.)

4407. -------- Réflexions sur le jugement et la mort de M. de Favras. n.p., [1790?]. 15pp.
        Different edition of no. 4406.

4408. -------- Tableau de Paris, en vaudeville par l'auteur de la
Queue, en vaudeville. n.p., [1794?]. 8pp.
        (Barbier IV, 636^f-637^a.)

4409. PIUS VI, [Jean-Ange Braschi, pape]. Bref...a M. Thoumin Des-
vauspons, vicaire général du diocèse de Dol. Rome, le 4
février 1791. [Paris]: J. B. N. Crapart, [1791]. 8pp.

4410. -------- Bref du Pape Pie VI, a S.E.M. le cardinal de la
Rochefoucault, M. l'archevêque d'Aix, & les autres archevêques & évêques de l'Assemblée nationale de France, au sujet
de la Constitution civile du clergé, décrétée par l'Assemblée
nationale. (10 mars 1791). n.p., [1791]. 94pp.

4411. -------- Bref...a tous les cardinaux, archevêques, évêques,
au clergé, et au peuple de France. Rome, 1791. 24pp.
        Text in Latin and dated 13 April 1791.

4412. -------- [Bref...à tous les cardinaux, archevêques, évêques,
au clergé, et au peuple de France]. n.p., [1791]. 23pp.
        Text in Frènch. Title page missing. Dated: 13 April
        1791.

4413. -------- Bref du pape aux cardinaux, archevêques, évêques,
au clergé, et au peuple de France. Paris: Bureau de l'Ami
du Roi, 1791. 71pp.
        Contents: Letter to the archbishops dated 13 April
        1791 and Bref dated the same time.

PIUS VI, [Jean-Ange Braschi, pape], continued.

4414. -------- Bref du pape à l'archevêque d'Avignon, aux évêques de Carpentras, de Cavaillon et de Vaison et aux chapitres, au clergé et au peuple de la ville d'Avignon et du Comtat Venaissin. (23 avril 1791). Paris: Bureau de l'Ami du Roi, 1791. 79pp.

4415. -------- Bref...portant d'itératives monitions, particulière- ment aux évêques consécrateurs ou assistans; aux faux évêques consacrés et intrus, et à leurs vicaires; aux évêques qui ont prêté le serment civique; aux curés intrus; aux vicaires et à tous les autres prêtres délégués par les prêtres intrus dans le royaume de France... . (19 mars 1792). Paris: Imp. de Cra- part, 1792. 32 & 15 pp.

4416. -------- Traduction fidele et littérale du bref du pape, à monseigneur l'archevêque de Sens. (23 fevrier 1791). [Paris]: Bureau de l'Ami du Roi, [1791]. 19pp.

-------- See also nos. 1897 and 2202.

4417. PIUS VII, [Grégoire-Barnabé-Louis Chiaramonti, pape]. Lettre du pape à Mgr. l'archevêque de Narbonne, avec la réponse des evêques françois, réfugiés à Londres, &c. &c. (11 nov. 1801). Londres: Imp. de Cox, fils & Baylis, 1802. 15pp.

4418. -------- Traduction des bulles de sa sainteté Pie VII, la première contenant la ratification de la convention signée entre la république française et sa sainteté, relativement au culte catholique; la deuxième, qui donne au cardinal-légat le pouvoir d'instituer les archevêques et évêques de France; la troisième, qui établit la circonscription des diocèses; et la quatrième, qui nomme le cardinal Caprara légat du Saint Siége auprès du premier Consul de la république française et près du peuple français. Reims: Le Batard, [1801]. 17pp.

4419. PLAS DE TANE, [Antoine-René, comte de]. Protestation. (21 juin 1790). n.p., [1790]. 2pp.
      Against decree abolishing hereditary nobility.

4420. PLEVILLE-LE-PELLY, [Georges-René, comte]. Lettre...a MM. les maire & officiers municipaux de la ville de Marseille. (19 sept. 1790). n.p., [1790]. 7pp.

4421. POIGNOT, [Jean-Louis]. Opinion...sur le parti à prendre par l'Assemblée nationale, pour le rétablissement provisoire des finances. [Paris: Baudouin, 1789]. 22pp.

4422. POINTE, Noël. Discours...sur la discussion concernant le juge- ment de Louis Capet. [Paris]: Imp. Nat., [1793?]. 6pp.

4423. -------- Opinion...sur le jugement du ci-devant roi des fran- çais...le 30 novembre 1792... . [Paris]: Imp. Nat., [1792]. 6pp.

4424. POIRIER. Les Angoisses de la mort, ou Idées des horreurs des

POIRIER, continued.

        prisons d'Arras. n.p., [1794?]. 52pp.
          Signed also by Montgey.

4425. POITEVIN, [Jean François Anicet]. Projet de décret sur la circonscription des paroisses du district de Baugé, dans le département de Mayenne & Loire... . (Comité de division, 22
juillet 1792). [Paris]: Imp. Nat., [1792]. 3pp.

4426. -------- Projet de décret sur le nombre & le placement des notaires publics du département de la Vendée... . (Comité de
division, juillet 1792). [Paris]: Imp. Nat., [1792]. 6pp.

4427. POLVEREL, [Etienne de]. Développement des observations sur la
sanction royale, et sur le droit de veto. Paris: Imp. de
Grangé, [1790]. 16pp.

4428. -------- Observations sur la sanction royale, et sur le droit
de veto. [Paris]: Imp. de Grangé, [1790]. 15pp.

4429. PONCET-DELPECH, [Jean-Pierre]. Discours prononcé à Montauban
le 1 décadi de frimaire de l'an 2...le jour de la fête de la
raison... . Montauban: Fontanel, [1793]. 8pp.

4430. -------- Rapport...sur l'effet rétroactif du décret des 25
octobre & 14 novembre 1791, concernant les substitutions... .
(Conseil des cinq-cents, 27 brumaire an 7). Paris: Imp. Nat.,
[1798]. 19pp.

4431. PONCIN, [Placide-Antoine-Joseph]. Rapport du projet du canal
de navigation, présenté a l'Assemblée nationale par le sieur
Brullée... . (Comité d'agriculture et de commerce). Paris:
Imp. Nat., [1790]. 32pp.

4432. -------- Rapport...relatif au canal de Givors... . (Comité
d'agriculture et de commerce). Paris: Imp. Nat., 1791. 12pp.

4433. -------- Rapport...sur le canal souterrein, dit de la Picardie... . (Comité d'agriculture et de commerce). [Paris]:
Imp. Nat., [1791]. 16pp.

4434. PONS, Philippe-Laurent. Opinion...sur l'inviolabilité de
Louis Capet... . [Paris]: Imp. Nat., [1792?]. 2pp.

4435. -------- Motion d'ordre... . (Conseil des cinq-cents, 15
frimaire an 6). [Paris]: Imp. Nat., [1797]. 6pp.

4436. -------- Rapport et projet de résolution sur la suspension
de la loi du 12 floréal, concernant les pères et mères d'émigrés... . (Conseil des cinq-cents, nivôse an 4). [Paris]:
Imp. Nat., [1796?]. 23pp.

4437. PORCHER, [Gilles-Charles]. Opinion...sur cette question:
Quelle est la peine à infliger à Louis Capet?... [Paris]:
Imp. Nat., [1793?]. 3pp.

PORCHER, [Gilles-Charles], continued.

4438. -------- Opinion...sur cette question: Les enfans nés hors
mariage de pères & mères décédés avant le 4 juin 1793, ont-ils
été appelés, par la loi du 12 brumaire an 2, aux successions
de leurs aïeux & de leurs collatéraux, de la même manière que
les enfans dont les pères & mères vivoient à la même époque?
(Conseil des anciens, 2 ventôse an 6). Paris: Imp. Nat.,
[1798]. 18pp.

4439. -------- Opinion...sur la résolution relative à l'action en
rescision, pour cause de lésion, contre les ventes d'immeubles
faites pendant le cours du papier-monnoie. (Conseil des anciens, 15 floréal an 6). Paris: Imp. Nat., [1798]. 16pp.

4440. [PORTALIS, Jean-Etienne-Marie]. Il est tems de parler, ou
Mémoire pour la commune d'Arles. Paris: Imp. de Guffroy,
[1795?]. 43pp.
        (Barbier II, 886^d.)

4441. -------- Lettre des avocats au Parlement de Provence, a Mgr.
le garde des sceaux, sur les nouveaux édits transcrits par les
commissaires de sa majesté, dans les registres des cours souveraines du pays, le 8 mai 1788. n.p., [1788]. 43pp.
        (Barbier II, 1190^f.)

4442. -------- Opinion...sur les sociétés particulières s'occupant
de discussions politiques... . (Conseil des anciens, 7 thermidor an 5). Paris: Imp. Nat., [1797]. 14pp.

4443. -------- Rapport sur la résolution du 11 thermidor dernier,
relative à la haute cour de justice... . (Conseil des anciens,
19 thermidor an 4). [Paris]: Imp. Nat., [1796]. 19pp.

4444. -------- Rapport...au nom d'une commission composée des représentans Creuzé-Latouche, Regnier, Muraire, Picault & Portalis, sur la résolution du 30 pluviôse dernier, sur les délits de la presse... . (Conseil des anciens, 26 germinal an
5). Paris: Imp. Nat., [1797]. 40pp.

4445. -------- Rapport...au nom de la commission chargée d'examiner la résolution du 22 prairial dernier, relative au décret
du 3 brumaire an 4, & à la loi du 14 frimaire an 5... . (Conseil des anciens, 9 messidor an 5). Paris: Imp. Nat., [1797].
23pp.

4446. -------- Rapport...sur la résolution du 30 messidor, concernant des émigrés naufragés... . (Conseil des anciens, 15
thermidor an 5). [Paris]: Imp. Nat., [1797]. 11pp.

4447. -------- Rapport...sur la résolution du 29 prairial dernier,
relative au divorce... . (Conseil des anciens, 27 thermidor
an 5). Paris: Imp. Nat., [1797]. 40pp.

4448. -------- Convention entre le gouvernement français et le pape
Pie VII, avec les discours du citoyen Portalis, et les arti-
cles organiques de cultes. (15 germinal an 10). Paris: Imp.
Nat., [1802]. 102pp.

[PORTALIS, Jean-Etienne-Marie], continued.

4449.   -------- Discours prononcé...sur le premier projet de loi du
        Code civil, relatif à la publication, aux effets et à l'appli-
        cation des lois en général. (23 frimaire an 10). Paris: Imp.
        Nat., [1801]. 30pp.

4450.   PORTE, [Jean-Gilles-Denis]. Rapport...au nom d'une commis-
        sion spéciale, composée des représentans du peuple Jourdan...,
        Malibran, Porte, Laloy, Eschasseriaux, sur la pétition de la
        mère du général Marceau... . (Conseil des cinq-cents, 2 jour
        comp. an 5). Paris: Imp. Nat., [1797]. 4pp.

4451.   PORTIEZ, Louis. Opinion...sur cette question: Le Roi des
        français étoit-il jugeable?... [Paris]: Imp. Nat., [1792?].
        6pp.

4452.   -------- Vues sur la Belgique et la Hollande...précédés du
        compte qu'il rend de sa mission depuis le 26 brumaire jusqu'au
        26 germinal, an 3... . [Paris?, 1795]. 42pp.

4453.   -------- Rapport...au nom d'une commission spéciale, Pry-
        tanée français... . (Conseil des cinq-cents, 19 fructidor
        an 6). Paris: Imp. Nat., [1798]. 12pp.

4454.   POTTIER, [Charles-Albert]. Opinion...sur le jugement de Louis
        XVI... . [Paris]: Imp. Nat., [1793?]. 22pp.

4455.   POTTIER, [abbé Pierre-Claude]. Adresse aux vrais catholiques
        de France...troisième édition. Paris: Crapart, 1791. 48pp.

4456.   -------- L'Ecriture sainte arrachée a la prostitution consti-
        tutionnelle, ou Examen d'un ecrit intitulé: Réflexions d'un
        solitaire, tirées de l'ecriture-sainte, sur l'état actuel du
        clergé de France... . Paris: Imp. de Crapart, 1792. 72pp.

4457.   -------- Motifs de confiance, et regles de conduite pour le
        tems présent, ou Réponse d'un ami a son ami. Paris: Crapart,
        1791. 35pp.
             (Barbier III, 366^f.)

4458.   POTTIN DE VAUVINEUX, [Louis-Philippe]. Adresse...a l'Assem-
        blée nationale, du 18 mars 1792... . [Paris]: Imp. Nat.,
        [1792]. 3pp.

4459.   POUGEARD DU LIMBERT, [François, baron]. Rapport...sur la
        question de savoir si on ajouter a un supplément aux 400 mil-
        lions de domaines nationaux à vendre aux municipalités... .
        (Comité de l'aliénation, 22 mars 1791). [Paris]: Imp. Nat.,
        [1791]. 8pp.

4460.   -------- Rapport...sur la translation de ses fonctions admin-
        istratives au pouvoir exécutif... . (Comité de l'aliénation,
        2 sept. 1791). Paris: Imp. Nat., 1791. 11pp.

        POUGET, abbé. See no. 1498.

4461. POULLAIN DE GRANDPREY, Joseph-Clément. Opinion...sur le jugement de Louis XVI... . [Paris]: Imp. Nat., [1792?]. 4pp.

4462. -------- Opinion...sur cette question: Le Jugement qui sera
prononcé par la Convention nationale, contre Louis Capet, sera-
t-il soumis à la ratification du peuple?... Paris: Imp. Nat.,
[1793?]. 6pp.

4463. -------- Proposition faite...de dénoncer l'ex-ministre Schérer
au Directoire exécutif par un message... . (Conseil des cinq-
cents, 4 messidor an 7). Paris: Imp. Nat., [1799]. 2pp.

4464. [POULTIER D'ELMOTTE, François-Martin]. Aux Assemblées électorales. [Paris: Imp. du Journal de l'Ami des lois, 1795].
7pp.
        (Signed: L'Ami des lois; Poultier was editor of the
        journal bearing that title.)

4465. -------- François Poultier, député, aux ennemies des droits
du peuple. Seconde édition. Fructidor, an VII. [Paris?]:
Imp. d'Etienne Charles, [1799]. 29pp.

4466. -------- Constitution populaire, présentée a la nation française...et imprimée par ordre de la Convention nationale, le
1er. Avril 1793... . Paris: Imp. Nat., 1793. 58pp.

4467. -------- François Poultier...sur le supplice de Louis Capet... .
[Paris]: Imp. Nat., [1792?]. 10pp.

4468. -------- François Poultier, député du Nord, sur la constitution présentée par le comité de salut public... . Paris:
Imp. Nat., [1793?]. 6pp.

4469. -------- Opinion...sur le procès du ci-devant roi... . [Paris]:
Imp. Nat., [1792?]. 4pp.

4470. -------- Organisation du gouvernement de la république française, propre avant et après l'établissement de la constitution
démocratique... . (Pluviôse an 3). Paris: Imp. Nat., [1795].
8pp.

4471. -------- Rapport et projet de décret, sur la nécessité d'en-
courager la culture du chanvre et du lin... . (Nivôse an 3).
[Paris]: Imp. Nat., [1795]. 6pp.

4472. POUPINET. Ode sur la nouvelle coalition. n.p., [1798?]. 7pp.

4473. [PRADT, Dominique-Georges-Frédéric de Riom de Prolhiac de
Fourt de]. Constitution présentée a l'Assemblée nationale, en
forme de motions successives, par M. D. P. T. député à l'Assemblée nationale. Paris: Leclere, [1790]. 12pp.
        (Barbier I, 732f-733a.)

PRAIRE. See nos. 2652 and 3917.

4474. [PRELONG]. Les Saints fondus, ou Le Paradis à louer; Les An-
imaux offrant leurs services a l'homme fable imitée de Gay,

371

[PRELONG], continued.

en 1789; Aux reviseurs de la constitution monarchique; Vers
pour la première fédération; Couplets extraits d'une ancienne
chanson intitulée: Grands préparatifs et grandes actions de
nos émigrés et autres aristocrates à calotte à plumet à écri-
toire, etc; Triomphe de Voltaire. n.p., [1790?]. 16pp.
        (Collection of verse by the citizen Prélong according
        to notes on pp. 7, 8, and 11.)

4475. PRESSAVIN, [Jean-Baptiste]. Opinion...sur le procès du roi... .
        [Paris]: Imp. Nat., [1792?]. 10pp.

4476. -------- Projet de constitution... . Paris: Imp. Nat.,
        [1794?]. 27pp.

4477. [PREVOST, Nicolas]. Réponse à la queue de Robespierre. Par
        un Franc républicain. n.p.: Imp. de Republicaine, [1794?].
        8pp.
        (Signed: Marie et Prevost.)

4478. [PREVOST DE SAINT LUCIEN, Roch-Henri]. Moyen très simple de
        convoquer les Etats-généraux, sans qu'il en coute un sol au
        roi. Premiere partie. Seconde édition. Par M. P. D. S. L.,
        ancien avocat. n.p., [1789]. 20pp.
        (Quérard, III, 61^f.)

4479. -------- Moyen très-simple de convoquer les Etats-généraux,
        sans qu'il en coute un sol au roi. Seconde partie. Projet
        d'institution d'une fête nationale, & d'un ordre patriotique.
        n.p., [1789]. 20pp.
        (Quérard, III, 61^f.)

4480. -------- Moyen de libérer la nation de son énorme dette. [Ex-
        trait de la classe Commerce & Finances du Journal gratuit, du
        4 septemb. 1790...]. [Paris]: Imp. du Journal gratuit,
        [1790]. 4pp.

4481. PRIER. Mémoire justificatif, pour le sieur Prier, citoyen,
        détenu sans décret dans les prisons de Saint-Germain-en-Laye,
        sur l'accusation d'assassinat en tirant sur la Garde nation-
        ale... . [Paris]: Imp. de Guerbart, [1790?]. 19pp.

4482. PRIERE. Rapport du citoyen Priere, electeur et de la Société
        des Jacobins, envoyé par le ministre de la guerre, dans le
        département de l'Eure, du 26 juin 1793... . [Paris?]: Imp.
        de Guillaume et Pougin, [1793]. 8pp.

4483. PRIEUR, [Pierre-Louis]. Opinion...sur le jugement de Louis
        Capet... . [Paris]: Imp. Nat., [1793?]. 15pp.

4484. PRIEUR-DUVERNOIS, [Charles-Antoine]. Rapport...sur l'état du
        Camp de Chalons, le 19 septembre 1792... . [Paris]: Imp.
        Nat., [1792]. 8pp.

4485. -------- Mémoire sur l'Ecole centrale des travaux publics... .
        (Com. des onze, salut public, instruction publique, travaux

PRIEUR-DUVERNOIS, [Charles-Antoine], continued.

publics, messidor an 3). Paris: Imp. de la Rép., [1795].
29pp.

4486. -------- Rapport sur le salpêtre... . (Comité de salut public, 14 frimaire an 2). [Paris]: Imp. Nat., [1793]. 19pp.

4487. -------- Vocabulaire des mesures républicaines, contenant
l'indication de leurs valeurs et de leurs principaux usages.
[Paris]: Imp. Nat., [1795]. 7pp.

4488. -------- Rapport sur l'école polytechnique... . (Conseil des
cinq-cents 14 frimaire an 6). Paris: Imp. Nat., [1797].
35pp.

4489. PRIMAT, Claude-François-Marie. Ordonnance et instruction pas-
torale de M. l'archevêque de Toulouse, pour l'installation des
curés et desservans des paroisses de son diocèse... . (27
février 1803). Toulouse: M. J. Dalles, 1803. 16pp.

4490. PRIVAT, [Jean-François]. Demonville ou les Vendéens soumis,
drame en trois actes et en vers... . Perpignan: J. Alzine,
an VII (1798-99). 56pp.

4491. PROST, Claude-Charles. Discours...sur le jugement de Louis
XVI, prononcé...29 décembre 1792... . [Paris]: Imp. Nat.,
[1792]. 8pp.

4492. -------- Opinion...sur l'inviolabilité de Louis XVI... .
Agen: la veuve Noubel & fils aîné, [1792?]. 4pp.

4493. PROUST, Yves. Le Danger des préventions nationales, ou Court
exposé de la conduite d'Yves Proust, membre du comité révolutionnaire de Nantes... . Paris: Imp. de Guerin, [1794].
36pp.

4494. PROUVEUR, [Auguste-Antoine-Joseph]. Projets de décret sur
les poursuites & procédures contre les fabricateurs & dis-
tributeurs de faux assignats... . (Comités de législation
et des assignats & monnoies, [3 avril 1792]). [Paris]:
Imp. Nat., [1792]. 4pp.

4495. [PROYART, abbé Liéoin-Bonaventure]. Lettre a un magistrat
du Parlement de Paris, au sujet de l'édit sur l'état civil
des protestans. Avignon: Merande, 1787. 15pp.
(Bound with: Réponse a la lettre a un magistrat, a
M.... 14pp.; Barbier II, 1121^f.)

4496. PRUDHOMME, [Louis-Marie?]. Révolutions de Paris dédié à
la nation & au district des Petits-Augustins. Du 12 au 17
juillet 1789 (No. 1). [Paris, 1789]. 23pp.
Brief description of events of July 12, 13, 14, 15, 16,
17.

4497. -------- [Révolutions de Rouen. Extrait d'une lettre écrite
de cette ville, du vendredi 17 juillet 1789]. n.p., [1789].
7pp.

PRUDHOMME, [Louis-Marie?], continued.

Title page missing [?]. Subtitled: Relation de l'émeute
arrivée à Rouen, extraite d'une lettre écrite par une
citoyenne de cette même ville.

4498. PRUGNON, [Louis-Pierre-Joseph]. Discours prononcé...sur la
rééligibilité des membres de l'Assemblée nationale... .
[Paris]: Imp. Nat., [1791]. 11pp.

4499. -------- Opinion...sur le titre II du nouveau & dernier projet du comité de constitution concernant la cour de cassation
... . Paris: Imp. Nat., 1790. 29pp.

4500. -------- Opinion...sur la peine de mort, prononcée le 31
mai 1791... . [Paris]: Imp. Nat., [1791]. 15pp.

4501. -------- Rapport du comité chargé de l'emplacement des tribunaux et corps administratifs, fait...le 2 octobre 1790... .
Paris: Baudouin, [1790]. 12pp.

4502. -------- Rapport du comité de l'emplacement des tribunaux et
corps administratifs... . (4 février 1791). Paris: Imp.
Nat., 1791. 6pp.

4503. PRUNELLE [-LIERRE], Léonard-Joseph. Opinion...concernant le
jugement de Louis XVI... . [Paris]: Imp. Nat., [1792?].
15pp.

4504. -------- Suite de l'opinion...concernant le jugement de
Louis XVI... . [Paris]: Imp. Nat., [1793?]. 8pp.

4505. PUYSEGUR, [Armand-Marc-Jacques de Chastenet, marquis de]. Discours prononcé par M. de Puységur, colonel du régiment de
Strasbourg artillerie, à la barre de l'Assemblée nationale,
dans la séance du jeudi 10 juin 1790... . Paris: Baudouin,
[1790]. 4pp.

-------- See also nos. 1071 and 2336.

4506. PYRON DE CHABOULON. Réflexions sur plusieurs objets qui paroissent intéresser la nation, adressées a nosseigneurs des
Etats-généraux... . n.p., 1789. 36pp.

4507. QUATREMERE DE QUINCY, [Antoine-Chrysostome]. Extrait du premier rapport présenté au Directoire, dans le mois de mai 1791,
sur les mesures propres à transformer l'église dite de Sainte-
Geneviève, en Panthéon français... . Paris: Imp. de Ballard,
1792. 34pp.

4508. -------- Rapport fait au Directoire du département de Paris,
le 13 novembre 1792..., sur l'état actuel du Panthéon français; sur les changemens qui s'y sont opérés; sur les travaux
qui restent à entreprendre, ainsi que sur l'ordre administra-
tif établi pour leur direction et la comptabilité... . [Par-
is]: Imp. de Ballard, [1792]. 51pp.

4509.   -------- Opinion...sur les dénonciations faites contre M. Duport, ci-devant ministre de la justice... . (2 juin 1792). [Paris]: Imp. Nat., [1792]. 26pp.

4510.   -------- Rapport sur la pétition de M. de Rossel... . (Comité d'instruction publique, 25 avril 1792). [Paris]: Imp. Nat., [1792]. 7pp.

4511.   QUINETTE DE ROCHEMONT, [Nicolas-Marie]. Opinion...sur le décret d'accusation contre les chefs des conjurés rassemblés à Coblentz... . [Paris]: Imp. Nat., [1792]. 10pp.

4512.   -------- Opinion...sur le jugement de Louis Capet... . [Paris]: Imp. Nat., [1793?]. 8pp.

4513.   -------- Projet de décret sur le jugement de Louis XVI...adopté...6 décembre 1792... . [Paris]: Imp. Nat., [1792]. 6pp.

4514.   -------- Complément des décrets rendus...dans l'affaire de Louis Capet... . [Paris]: Imp. Nat., [1793?]. 4pp.

4515.   QUINEY, J. S. La Journée du dix aoust 1792, ou le Siege des Thuileries, drame historique, en trois actes et en prose, avec une pompe funèbre... . Paris: F. Benoist, an VI (1797-98). 52pp.
         Ms. signature of author.

4516.   QUIROT, [Jean-Baptiste]. Discours prononcé...sur la fête de la liberté et des événemens des 9 et 10 thermidor... . (Conseil des cinq-cents, 10 thermidor an 7). [Paris]: Imp. Nat., [1799]. 12pp.

4517.   -------- Discours prononcé...a l'occasion de l'anniversaire du 10 août... . (Conseil des cinq-cents, 23 thermidor an 7). Paris: Imp. Nat., [1799]. 8pp.

4518.   RABAUT[-DUPUIS, Pierre-Antoine]. Opinion...contre la résolution du 12 thermidor dernier, relative au remplacement des assesseurs des juges-de-paix... . (Conseil des anciens, 29 fructidor an 5). Paris: Imp. Nat., [1797]. 6pp.

4519.   RABAUT[-POMMIER], Jacques-Antoine. Opinion...sur cette question: La Convention nationale doit-elle renvoyer à la sanction du peuple, le jugement qu'elle prononcera sur Louis Capet? [Paris]: Imp. de Fiévée, [1793?]. 16pp.

4520.   -------- Suite de l'opinion...sur cette question: La Convention nationale doit-elle renvoyer à la sanction du peuple le jugement qu'elle prononcera sur Louis Capet... . [Paris]: P. L. Siret, [1793?]. 7pp.

4521.   [RABAUT DE SAINT-ETIENNE, Jean-Paul]. A la nation française. Sur les vices de son gouvernement; sur la nécessité d'établir une Constitution; et sur la composition des Etats-généraux. n.p., 1788. 96pp.
         (Barbier I, 5e.)

[RABAUT DE SAINT-ETIENNE, Jean-Paul], continued.

4522. -------- Considérations très-importantes sur les intérêts du
tiers-état, adressées au peuple des provinces par un propriétaire foncier. n.p., 1788. 72pp.

4523. -------- Question de droit public: Doit-on recueillir les
voix, dans les Etats-généraux, par ordres, ou par têtes de
délibérans? Par l'auteur des Considérations sur les intérets
du tiers-état. Languedoc, 1789. 77pp.
(Barbier III, 1151ᵃ.) Argues that first meeting must
be "by head."

4524. -------- Le Tiers-état entiérement, éclairé sur ses droits;
ou Supplément a l'avis important par le même auteur. Suivi
des principes de MM. Necker & de Fenelon sur l'administration;
& de la différence de trois mois en 1788, par le marquis de
Casaux. n.p., 1788. 52pp.
(Rabaut de Saint-Etienne was the author of Avis important sur le ministère et sur l'assemblée prochaine des
Etats-généraux.)

4525. -------- Idées sur les bases de toute constitution... .
Paris: Baudouin, 1789. 13pp.

4526. -------- Motion...au sujet du mémoire du premier ministre
des finances, & de l'adresse de la commune de Paris... . (7
mars 1790). Paris: Imp. Nat., [1790]. 8pp.

4527. -------- Motion...concernant une formation de petits assignats... . (16 avril 1790). Paris: Baudouin, [1790]. 27pp.

4528. -------- Opinion...sur la motion suivante de M. le comte de
Castellane: Nul homme ne peut être inquiété pour ses opin-
ions, ni troublé dans l'exercice de sa religion. Paris:
Baudouin, 1789. 15pp.

4529. -------- Opinion...sur la motion suivante de M. le vicomte
de Noailles... . Paris: Baudouin, 1789. 15pp.

4530. -------- Opinion...sur quelques points de la constitution.
[3 septembre 1789]. Paris: Baudouin, [1789]. 29pp.

4531. -------- Principes de toute constitution... . Paris: Baudouin 1789. 6pp.

4532. -------- Projet du préliminaire de la constitution françoise... . Versailles: Baudouin, 1789. 14pp.

4533. -------- Rapport sur l'organisation de la force publique... .
(Comité de constitution et comité militaire, 21 novembre
1790). Paris: Imp. Nat., [1790]. 23pp.

4534. -------- Réflexions sur la division nouvelle du royaume, et
sur les priviléges & les assemblées des provinces d'etats.
Paris: Baudouin, 1789. 22pp.

[RABAUT DE SAINT-ETIENNE, Jean-Paul], continued.

4535. -------- Nouvelles réflexions sur la nouvelle division du royaume...adressés a ses commettans. Paris: Imp. Nat., 1790. 16pp.

4536. -------- Opinion...concernant le procès de Louis XVI, prononcée le 28 décembre 1792... . Paris: Imp. Nat., [1792]. 11pp.

4537. -------- Précis tracé a la hate par le citoyen Rabaut-Saint-Etienne, chargé du rapport, au nom de la commission des douze, dont il étoit membre. n.p., [1793]. 16pp.

4538. -------- Projet d'éducation nationale...du 21 décembre 1792 ... . [Paris]: Imp. Nat., [1792]. 7pp.

-------- See also nos. 140, 955, 1224.

4539. RABY, Thomas. Aux honnêtes gens de la France entiere; a l'opinion publique, sur le véritable état de la question furtivement écartée par MM. Alex. Lameth, Barnave & Roussillot, à la séance du soir de l'Assemblée nationale du 5 septembre 1791. [Paris]: Imp. d'Ant.-J. Gorsas, [1791]. 4pp.
    Signed: Thomas Raby & Thomas Gorgy, citoyens actifs de la ville de Brest... .

4540. RAFFRON DE TROUILLET, Nicolas. Recherches sur l'origine des ornemens d'architecture... . Paris: Imp. du citoyen Brosselard, an II (1794?). 15pp.

4541. -------- Discours prononcé a la Convention nationale, dans la séance du 29 juillet 1793...de l'éducation nationale. [Paris]: Imp. Nat., [1793]. 4pp.

4542. -------- Discours sur la vente des biens des émigrés...dans la séance du 3 pluviôse, l'an 2... . [Paris]: Imp. Nat., [1794]. 8pp.

4543. -------- Observations...sur un point essentiel omis dans la constitution. [Paris?]: Imp. patriotique et républicaine, [1793?]. 7pp.

4544. -------- Opinion...sur l'éducation nationale... . (5 juillet 1793). [Paris]: Imp. Nat., [1793]. 4pp.

4545. -------- Sentiment...sur le jugement de Louis XVI... . (16 décembre 1792). [Paris]: Imp. Nat., [1792?]. 3pp.

4546. RAGUIN (frères). Adresse a l'Assemblée nationale, sur la construction d'une salle destinée à l'Assemblée; par Raguin freres, serruriers, gardes-nationales du premier bataillon de la premiere division. [Paris?]: Imp. de la Société typographique, [1789?]. 8pp.

4547. RALLIER, [Louis-Antoine-Esprit]. Recueil de chants moraux

RALLIER, [Louis-Antoine-Esprit], continued.

et patriotiques... . Paris: C. Pougens, an VII (1799?).
114pp.
(Cat. Gen. des Liv. Imp., 145, 1075.)

4548. -------- Opinion...sur la résolution du 8 frimaire an 6,
relative à la successibilité des enfans naturels dont les
père & mère étoient décédés avant la publication de la loi
du 4 juin 1793... . (Conseil des anciens, 2 ventôse an 6).
Paris: Imp. Nat., [1798]. 4pp.

4549. -------- Opinion...sur la résolution du 16 floréal an 6, relative à la loi du 12 brumaire an 2 sur les enfans nés hors du
mariage... . (Conseil des anciens, 11 thermidor an 6). Paris:
Imp. Nat., [1798]. 10pp.

4550. RAMEAU DE LA CEREE, Just. Essai d'un rite de célébration des
décadis, demi-quintidis et fêtes nationales, pour servir l'ap-
pendice à l'Apperçu philosophique & politique sur cette matière... . (Nivose an 3). [Paris]: Imp. Nat., [1795]. 8pp.

4551. -------- Et moi, non. Opinion...sur l'affaire du ci-devant
roi des français... . Paris: Imp. Nat., [1793?]. 10pp.

4552. RAMEL, [Jean-Pierre, général]. Journal de l'adjudant-génér-
al Ramel, commandant de la garde du Corps législatif de la
République française, l'un des déportés a la Guiane après le
18 fructidor; sur les faits relatifs à cette journée, sur le
transport, le séjour et l'évasion de quelques-uns des déportés...seconde édition... . Londres, 1799. 186pp.

4553. RAMEL, [Jean-Pierre]. Rapport et projet de décret, concernant
les pensionnaires du feu roi de Pologne, Stanislas I, duc de
Bar et de Lorraine... . (Comité de liquidation). Paris: Imp.
Nat., 1792. 22pp.

4554. -------- Rapport et projet de décret, sur les secours provisoires à accorder aux officiers d'état-major des places de
guerre, citadelles, &c. supprimés par la loi du 10 juillet
dernier... . (Comité de liquidation). [Paris]: Imp. Nat.,
[1792]. 6pp.

4555. -------- Rapport...sur la pétition du sieur Gaspard Cambis,
ancien militaire, âgé de 92 ans... . (Comité de liquidation).
[Paris]: Imp. Nat., [1792]. 6pp.

4556. -------- Rapport...sur le remboursement à faire du premier
cinquième des capitaux de l'emprunt fait à Gênes, en 1785... .
(Comité de liquidation, 4 fév. 1792). Paris: Imp. Nat.,
1792. 7pp.

4557. -------- Rapport et projet de décret, sur les mesures à
prendre concernant les pensions accordées ou à accorder,
présentés a l'Assemblée nationale...26 mars 1792... . [Paris]:
Imp. Nat., [1792]. 7pp.

RAMEL, [Jean-Pierre], continued.

4558. -------- Rapport et projet de décret...sur les Hollandois réfugiés en France... . (Comité de liquidation, juillet 1792). [Paris]: Imp. Nat., 1792. 32pp.

-------- See also no. 5973.

4559. RAMEL DE NOGARET, [Dominique-Vincent]. Ponts et chaussées. 2 août 1791. Opinion de M. Ramel-Nogaret... . Paris: Imp. Nat., 1791. 12pp.

4560. -------- Précis de l'opinion de M. Ramel-Nogaret...sur les impositions... . (23 sept. 1790). Paris: Imp. Nat., [1790]. 12pp.

4561. -------- Que doit faire la Convention nationale sur le procès de Louis Capet?... Paris: Imp. Nat., 1793. 7pp.

4562. RAMOND DE CARBONNIERES, [Louis-François-Elisabeth, baron]. Décret sur le traitement des prisonniers de guerre; précédé du rapport...par L. Ramond... . (Comités de législation, diplomatique, militaire, 4 mai 1792). [Paris]: Imp. Nat., [1792]. 7pp.

4563. -------- Opinion sur l'égalité de droits en matière de culte... . Paris: Imp. Nat., 1791. 19pp.

4564. -------- Encore un mot sur l'égalité de droits en matiere de culte, considérée comme moyen unique de prévenir les troubles religieux...12 novembre 1791... . [Paris]: Imp. Nat., [1791]. 7pp.

4565. -------- Opinion...sur le rapport du comité diplomatique concernant l'office de l'empereur, du 18 janvier 1792... . [Paris]: Imp. Nat., [1792]. 12pp.

4566. -------- Rapport sur l'état des relations de la France avec l'Espagne... . (Comité diplomatique, 27 mars 1792). Paris: Imp. Nat., 1792. 38pp.

4567. RANGEARD, [Jacques, abbé]. Priere à Dieu, pour être présentée au roi et a l'Assemblée nationale... . n.p., 1789. 7pp.

4568. RAOULT. Rapport sur les travaux des grands chemins, fait au directoire du district de la Rochelle, par le procureur-syndic, le premier octobre 1790. La Rochelle: P. L. Chauvet, 1790. 42pp.
        (Signed: Raoult, procureur-syndic du district de La Rochelle.)

4569. RATHSAMHAUSEN, [Christophe-Philippe, baron de]. Opinion... présentée a l'Assemblée nationale a l'appui de l'adresse et du mémoire des communautés protestantes des villes d'Alsace. Le 21 mai 1790. Paris: Imp. de la Société typographique, [1790]. 11pp.

4570. RAYNAL, [Guillaume-Thomas-François, abbé]. L'Abbé Raynal aux
états-généraux. Marseille, 1789. 64pp.

4571. -------- Lettre de M. Guillaume Thomas Raynal a S. M. Louis
XVI. n.p., [1789?]. 8pp.
(See reprint in no. 4570.)

4572. -------- Lettre...à l'Assemblée nationale. [Paris]: Imp.
de Fiévée, [1791]. 14pp.

4573. REAL, [Guillaume-André]. Projet de décret pour autoriser la
municipalité de Lyon à faire un emprunt de trois millions... .
(Comité des finances, 23 nov. 1792). [Paris]: Imp. Nat.,
[1792]. 4pp.

4574. -------- Projet de décret concernant les gagistes & pensionnaires de la ci-devant liste civile... . (Comité des finances). Paris: Imp. Nat., [1793]. 3pp.

4575. -------- Rapport et projet de décret, pour autoriser la municipalité de Paris, à lever une contribution extraordinaire de
quatre millions... . (Comité des finances, 7 février 1793).
[Paris]: Imp. Nat., [1793]. 8pp.

4576. REAL, [Pierre-François, comte]. Essai sur les journées des
treize et quatorze vendémiaire... . n.p.: Imp. de J. G.
Guyot, an IV (1795?). 93pp.

4577. REBECQUI, F. Trophime. Comptes rendus a l'Assemblée nationale,
par F.-Trophime Rebecqui & Romuald Bertin, commissaires nommés par l'administration du département des Bouches-du-Rhône,
pour l'organisation des districts de Vaucluse et de Louveze,
les 8 & 15 juin 1792... . Paris: Imp. Nat., 1792. 41pp.

4578. REBOUL, [Henri-Paul-Irénée]. Rapport...sur les moyens d'accélérer & de perfectionner la fabrication des monnoies de
bronze... . (Comité des assignats & monnoies, 15 mars 1792).
[Paris]: Imp. Nat., [1792]. 20pp.

4579. -------- Rapport sur la fabrication d'une monnoie de billon... .
(Comité de l'ordinaire des finances, de l'extraordinaire des
finances, des assignats & monnoies, [2 mai 1792]). [Paris]:
Imp. Nat., [1792]. 11pp.

4580. -------- Rapport fait au nom des trois comités de l'ordinaire,
de l'extraordinaire des finances, & des assignats & monnoies...
le 11 juin 1792... . [Paris]: Imp. Nat., [1792]. 6pp.

4581. RECICOURT, [Charles de]. De l'importance d'une première
école générale, pour l'éducation des jeunes gens destinés à
être employés dans le corps-royal du génie. [Paris]: Imp.
du Cercle social, [1789?]. 8pp.
(Signed: de Recicourt, cap. au corps du génie.)

4582. REGNAUD, L. E. Résumé pour les quatre-vingt-quatre prisonniers détenus à la tour de Caen depuis le 5 novembre [1791].
[Paris?]: Imp. de Demonville, [1791]. 16pp.

REGNAUD, L. E., continued.

(Signed p.9; with Procès verbal de la municipalité de
Caen; pp. 9-16.)

4583. REGNAUD, [Pierre-Etienne]. Adieux aux députés de la première législature, ou Réflexions sur leur départ. Paris:
Imp. de Jacques Girouard, 1791. 8pp.

4584. REGNAULD D'EPERCY, [Pierre-Ignace]. Projet de décret sur les
mines & minières... . (Comité d'agriculture & de commerce,
domaines, 27 mars 1791). Paris: Imp. Nat., 1791. 18pp.

4585. -------- Rapport des comités réunis de constitution, d'agriculture & de commerce, des finances, des impositions & des
domaines... . (30 janvier 1791). Paris: Imp. Nat., 1791.
53pp.
On mines.

4586. -------- Rapport...du projet du canal de navigation de Somme-
Voire à Chalettes par la rivière de Voire, et de Chalettes à
la Seine par l'Aube, présenté à l'Assemblée nationale par le
sieur Mourgue et compagnie... . (Comité d'agriculture & de
commerce). Paris: Imp. Nat., 1791. 23pp.

4587. -------- Rapport...sur la jonction du Rhône au Rhin... .
(Comité d'agriculture & de commerce, 2 sept. 1791). Paris:
Imp. Nat., 1791. 17pp.

4588. REGNAULT [DE BEAUCARON, Jacques-Edme]. Extrait de l'opinion
de J. E. Regnault...sur les prêtres non-assermentés. [Paris]:
Imp. Nat., [1792]. 4pp.

4589. -------- Rapport et projet de décret concernant la suppression, sans indemnité, des droits représentatifs des main-mortes
réelle et mixte, conservés par l'article IV du titre II du
décret du 28 mars 1790... . (Comité féodal, 2 mai 1792).
[Paris]: Imp. Nat., [1792]. 18pp.

4590. REGNAULT DE LA VIGNE, madame. Chanson sur la rentrée du parlement...sur l'air, des bonnes gens. n.p., [1787?]. 1p.

4591. REGNIER, [Claude-Ambroise]. Motion...sur l'ordre à suivre le
Conseil des anciens dans la vérification des pouvoirs des
citoyens élus membre du Corps législatif en l'an 6; suivie
des opinions de P. C. L. Baudin (des Ardennes), et de J. A.
Creuzé-Latouche, à l'appui de cette motion... . (Conseil des
anciens, 8 floréal an 6). Paris: Imp. Nat., [1798]. 27pp.

4592. -------- Opinion...sur la résolution relative aux ci-devant
nobles... . (Conseil des anciens, 9 frimaire an 6). Paris:
Imp. Nat., [1797]. 10pp.

4593. -------- Opinion...sur la résolution du 16 frimaire, qui déclare la guerre aux rois des Deux-Siciles & de Sardaigne... .
(Conseil des anciens, 16 frimaire an 7). [Paris]: Imp. Nat.,
[1798]. 3pp.

REGNIER, [Claude-Ambroise], continued.

4594. -------- Rapport...sur la résolution relative aux rentes viagères créées pendant la dépréciation du papier-monnoie... .
(Conseil des anciens, 13 pluviôse an 6). Paris: Imp. Nat.,
[1798]. 8pp.

4595. -------- Rapport...sur la résolution du 8 frimaire, relative
à la successibilité des enfans naturels dont les pères et mères
étoient décédés avant la publication du décret du 4 juin 1793
... . (Conseil des anciens, 21 pluviôse an 6). [Paris]:
Imp. Nat., [1798]. 16pp.

4596. -------- Rapport du grand-juge, ministre de la justice, au
premier consul, sur la conspiration qui vient d'être découverte,
communiqué en séance publique au corps-législatif et au tribunat. (27 pluviôse an 12). [Paris]: Imp. de Jusseraud, [1804].
8pp.
    The Cadoudal conspiracy; contains also Order général du
    général en chef (Murat) gouverneur de Paris.

4597. -------- Rapport du grand-juge ministre de la justice, au
gouvernement. (27 pluviôse an 12). Versailles: Ph.-D.
Pierres, [1804]. 7pp.
    Another edition of no. 4596 with printed signature of
    Regnier, but without Murat's order.

4598. REMOND-DE-SAINT-SAUVEUR. Lettre a un de MM. les députés a
l'assemblée nationale. Paris: Imp. Nat., [1790]. 4pp.

4599. RENOUARD, [Antoine-Auguste]. Le Cri de douleur, ou Nécessité
de réformer le tarif proposé par le comité des impositions,
pour les contributions indirectes. (13 février 1791). n.p.,
[1791]. 8pp.

4600. REVEILLON, [Jean-Baptiste]. Exposé justificatif pour le sieur
Réveillon, entrepreneur de la manufacture royale de papiers
peints... . n.p., 1789. 24pp.

4601. REY, [François-Xavier]. Opinion...sur le mode d'impot, prononcée...23 septembre [1790]... . Paris: Imp. Nat., 1790.
70pp.

4602. REYNAUD, C. A. B. Opinion...sur le jugement de Louis Capet... . [Paris]: Imp. Nat., [1792?]. 4pp.

4603. [RIBES, Raimond]. Grande dénonciation du duc d'Orléans et de
ses complices, faite a l'Assemblée nationale, par un député.
n.p., [1792]. 38pp.

4604. RIBET, [Bon-Jacques-Gabriel-Bernardin]. Opinion...sur le
jugement de Louis Capet, dernier roi des français... . [Pa-
ris]: Imp. Nat., [1792?]. 4pp.

RIBOT, M.-A. See no. 5155.

4605. RICARD, [Louis-Etienne]. Opinion...sur les questions de la

RICARD, [Louis-Etienne], continued.

permanence & de l'unité de l'Assemblée nationale, & sur celle
de la sanction royale. Versailles: Imp. de Ph.-D. Pierres,
[1789]. 8pp.
        In favor of suspensive veto.

4606.   RICARD [DE SEALT, Gabriel-Joseph-Xavier]. Opinion sur un projet de décret du comité de la marine, et nouveau projet de décret sur l'admission & l'avancement dans le corps de la marine
... . Paris: Imp. Nat., [1791]. 24pp.

4607.   RICHARD [D'UBERHERNN]. Adresse aux représentans de la nation
sur l'existence d'un corps d'état-major permanent, et sur les
dangers de la réunion de l'artillerie avec le génie... . n.p.,
1790. 15pp.

4608.   RICHER-SERIZY. Extrait du journal appelé L'Accusateur public.
Lettre écrite en 1796...a un grand seigneur (le duc de Chartres, aujourd'hui Louis Philippe Ier., roi des français)... .
n.p., [1832?]. 12pp.

4609.   -------- Mémoire à consulter pour Richer Serisy...appelant
du jugement prononcé contre lui par le jury spécial qui déclare qu'il y a lieu à accusation pour la conduite qu'il a
tenue le 13 vendémiaire. n.p., [1795?]. 8pp.

4610.   -------- Richer Serisy au Directoire. Rouen, an VI [1798].
48pp.

4611.   RICORD, Alexandre. Rapport d'Alexandre Ricord fils, et Pierre
Mainville...fait dans la séance du 23 au soir... . Paris:
G. F. Galletti, 1793. 22pp.

4612.   RICORD, [Jean-François]. Opinion...concernant le jugement de
Louis XVI... . [Paris]: Imp. Nat., [1792?]. 8pp.

4613.   -------- Opinion...sur le sort de Louis XVI... . [Paris]:
Imp. Nat., [1793?]. 8pp.

4614.   RINGARD, abbé. Discours...à l'assemblée nationale...le samedi 5 juin, à l'occasion de la procession de la Fête-Dieu,
où l'assemblée avoit assisté. n.p., [1790?]. 3pp.

RIOU. See no. 2829.

4615.   RIOU [DE KERSALAUN, François-Marie-Joseph, baron]. Opinion...
sur le vrai sens de la loi du 12 brumaire qui règle l'état
civil des enfans nés hors le mariage... . (Conseil des cinq-
cents, 28 pluviôse an 6). Paris: Imp. Nat., [1798]. 8pp.

4616.   -------- Rapport...au nom d'un commission spéciale, composée
des représentans Quirot, Leclerc...& Riou, sur les souffran-
ces des français prisonniers en Angleterre, & sur les moyens
de subvenir à leurs besoins... . (Conseil des cinq-cents, 5
pluviôse an 6). Paris: Imp. Nat., [1798]. 11pp.

4617. [RIOUFFE, Honoré-Jean, baron]. Mémoires d'un détenu pour servir a l'histoire de la tyrannie de Robespierre...seconde
édition... . Mezieres: Imp. de la veuve Trécourt, an III (1794).
136pp.
        (Barbier III, 187^f-188^a.)

4618. RIOULT. Pétition concernant le droit de patentes, présentée
a l'Assemblée nationale, le 25 juin 1792... . Paris: Imp.
Nat., [1792]. 4pp.
        (Signed: Rioult, sergent dans la garde nationale de
        Fatouville... .)

RIVAROL, Antoine, cte. de. See nos. 805 and 2040.

4619. RIVAUD, [François]. Les Conspirateurs démasqués, ou Causes
de l'arrestation de plusieurs députés de la Convention nationale... . Paris: veuve d'Ant.-Jos. Gorsas, an III (1794?).
39pp.

4620. -------- Opinion...sur le jugement de Louis XVI... . [Paris]:
Imp. de Cerioux, [1793?]. 15pp.

4621. RIVERIEULX. Adresse...a l'Assemblée nationale, séance du 21
août 1790. [Paris]: Imp. Nat., [1790]. 2pp.
        Speaker was colonel of regiment of Metz.

4622. RIVOALLAN, [Jean-Marie]. Rapport et projet de décret...con-
cernant l'erreur de cent quarante trois mille deux cents livres
à relever dans la liquidation, faite le 27 septembre 1791, de
l'office militaire de M. de Salm-Salm, prince allemand, ci-
devant propriétaire du régiment de son nom. (Comité de liquidation, 14 janvier 1792). [Paris]: Imp. Nat., [1792]. 4pp.

4623. -------- Rapport...sur la fixation des bases de la liquidation des charges & offices des secrétaires-généraux, prévôts, lieutenans de prévôts, greffiers, exempts, fourriers,
trompettes, médecins, chirurgiens, apothicaires, aumôniers,
chapelains, attachés aux états majors de la cavalerie, dragons, des officiers composant la prévôte générale des bandes,
& du ci-devant régiment des gardes-françaises. (Comité de
liquidation). [Paris]: Imp. Nat., [1792]. 6pp.

4624. ROBERT, François. Rapport sur les subsistances, fait au directoire de département de la Côte-d'Or... . (19 sept. 1793).
Dijon: Imp. de P. Causse, [1793]. 14pp.

4625. ROBERT, [Pierre-François-Joseph]. Opinion...concernant le
jugement de Louis XVI...13 novembre 1792... . [Paris]: Imp.
Nat., [1792]. 12pp.

4626. -------- Suite de l'opinion...sur le jugement et les crimes
du ci-devant roi... . [Paris]: Imp. Nat., [1792?]. 10pp.

4627. -------- 3e. Opinion...sur le jugement de Louis Capet... .
Paris: R. Vatar, [1793?]. 37pp.

4628. ROBERTIN, dit de l'Ain. Premier interrogatoire de Schérer,

ROBERTIN, dit de l'Ain, continued.

precédé des pièces a conviction... . [Paris]: Denis, [1799?].
8pp.

4629. ROBESPIERRE, [Augustin-Bon-Joseph]. Opinion...sur le procès
de Louis XVI... . [Paris]: Imp. Nat., [1792?]. 6pp.

4630. ROBESPIERRE, Maximilien-Marie-Isidore. Discours...prononcé
...7 prairéal, an deuxième... . n.p., [1794]. 8pp.
Plea for energy "to extinguish all the monsters of the
universe conjured up against you."

4631. -------- Discours...prononcé...8 thermidor an 2...trouvé
parmi ses papiers par la commission chargée de les examiner
... . Paris: Imp. Nat., an II (1794). 44pp.

4632. -------- Rapport...sur la situation politique de la république... . (Comité de salut public, 27 brumaire an 2). Paris:
Imp. Nat., [1793]. 19pp.

4633. -------- Rapport...fait au nom du comité de salut public,
le...15 frimaire, l'an second... . Commune-Affranchie: Imp.
répub., [1793]. 8pp.
Reply to manifestos of monarchs allied against France.

4634. -------- Rapport sur les principes du gouvernement révolutionnaire... . (Comité de salut public, 5 nivôse an 2).
[Paris]: Imp. des Admin. nat., [1793]. 8pp.

4635. -------- Rapport sur les principes de morale politique qui
doivent guider la Convention nationale dans l'administration
intérieure de la république... . (Comité de salut public, 18
pluviôse an 2). [Paris]: Imp. Nat., [1794]. 31pp.

4636. -------- Rapport...sur les rapports des idées religieuses et
morales avec les principes républicains, et sur les fêtes nationales... . (Comité de salut public, 18 floréal an 2).
n.p.: Imp. de Charpentier, [1794]. 24pp.

4637. ROBIN, [Louis-Antoine-Joseph]. Rapport...du projet du canal
de navigation de Sommevoire à Chalette par la rivière de Voire,
& de Chalette à la Seine par l'Aube... . (Comité d'agriculture, 15 février 1792). [Paris]: Imp. Nat., [1792]. 28pp.

4638. ROCHAMBEAU, [Jean-Baptiste-Donatien de Vimeur, maréchal comte
de]. Lettre de M. Rochambeau, commandant-général de l'armée
du nord, a l'Assemblée nationale... . (Valenciennes, le 8 mai
1792). [Paris]: Imp. Nat., [1792]. 4pp.

4639. ROEDERER, [comte Pierre-Louis]. Lettre du procureur-général-
syndic du département de Paris, au ministre de l'intérieur, lue
à la séance du 25 juin 1792... . [Paris]: Imp. Nat., [1792].
2pp.

4640. -------- Mémoire lu par M. Roederer, procureur-général-syndic du département de Paris, au nom de l'administration de ce

ROEDERER, [comte Pierre-Louis], continued.

département, a la barre de l'Assemblée nationale...4 avril 1792... . [Paris]: Imp. Nat., [1792]. 30pp.

4641. ROGER [DE NISMES]. Discours sur l'excellence du culte de raison, prononcé, le second décadi de ventôse, dans le temple national de la commune de Nîmes... . Nismes: J. B. Guibert, an II (1794). 20pp.

4642. ROGNIAT, [Jean-Baptiste]. Réflexions et projet de décret sur la sûreté générale de l'état... . [Paris]: Imp. Nat., [1792]. 12pp.

4643. [ROHAN]-GUEMENE, [Henri-Louis-Marie, prince de]. Requete du prince de Guémené, au roi. n.p., [1787?]. 4pp.

4644. ROLAND DE LA PLATIERE, [Jean-Marie]. Compte moral du ministre de l'intérieur. Agen: veuve Noubel, [1792?]. 15pp.

4645. -------- Compte rendu a l'Assemblée nationale...le 20 août 1792... . Paris: Imp. Nat., [1792]. 6pp.

4646. -------- Compte rendu le 23 septembre 1792, par le ministre de l'intérieur,... . [Paris]: Imp. Nat., [1792]. 16pp.

4647. -------- Le Ministre de l'intérieur aux Parisiens. Paris: Imp. nat. du Louvre, 1792. 8pp.

4648. -------- Lettre écrite au roi, par le ministre de l'intérieur, le 10 juin 1792... . Paris: Imp. du Cercle social, 1792. 14pp.

4649. -------- Lettre...a l'Assemblée nationale... . (3 sept. 1792). [Paris]: Imp. Nat., [1792]. 8pp.

4650. -------- Lettre...à l'Assemblée nationale, du 17 septembre 1792... . [Paris]: Imp. Nat., [1792]. 3pp.

4651. -------- Lettre du ministre de l'intérieur a la Convention nationale, du 30 septembre 1792... . Paris: Imp. du Cercle social, [1792]. 8pp.

4652. -------- Lettres et pièces intéressantes, pour servir a l'histoire du ministère de Roland, Servan et Clavière. Paris: Imp. du Cercle social, 1792. 143pp.

-------- See also nos. 2281 and 3080.

4653. ROLLIN [DE LA FARGE, Antoine]. Rapport...sur la célébration de la fête du 1er. vendémiaire, anniversaire de la fondation de la république... . (Conseil des cinq-cents, 26 thermidor an 6). Paris: Imp. Nat., [1798]. 7pp.

4654. ROMAN-TRIBUTIIS. Discours de M. Roman-Tributiis, assesseur d'Aix...lors de la présentation par les communes de Provence, à M. de La Tour, intendant & premier président, de la médaille décernée à ce magistrat, par leur assemblée du mois de mai, 1788. Aix: Imp. de Gibelin-David & Emeric-David, 1789. 3pp.

4655. -------- Discours prononcé par M. Roman-Tributiis, assesseur d'Aix...dans l'assemblée des états de 1789, & dans la séance du...28 janvier. n.p., [1789?]. 31pp.

4656. ROMME, [Gilbert?]. Détail des circonstances relatives a l'inauguration du monument placé le 20 juin 1790 dans le jeu de paume de Versailles, par une société de patriotes. Paris: Imp. des Révolutions de Paris, 1790. 26pp.
 (Signed: G. Romme, président de la société du serment du jeu de paume; Joseph et Coquéau, secrétaires.)

4657. [RONDONNEAU DE LA MOTHE]. Motifs et résultats des assemblées nationales tenues depuis Pharamond jusqu'à Louis XIII; avec un précis des harangues prononcées dans les Etats généraux & les Assemblées des notables, par ordre de date. Extrait des meilleurs auteurs. Paris: Imp. polytype, 1787. 105pp.
 (Barbier III, 367e.)

4658. RONSIN, [Charles-Philippe]. Discours prononcé...le...18 août 1792...à la section du Théâtre françois, dite de Marseille, à l'occasion de la cérémonie funèbre ordonnée en l'honneur de nos frères d'armes morts à la journée du 10, pour la défense de la liberté et de l'égalité. Paris: Imp. de Pougin, [1792]. 12pp.

4659. -------- Grand discours fait...à l'occasion de la cérémonie funèbre, faite le 26 août 1792, au jardin des Tuileries, ordonnée en l'honneur de nos frères d'armes morts à la journée du 10, pour la défense de la liberté et de l'égalité. [Paris]: Imp. de Pougin, [1792]. 8pp.
 (Slightly different edition of no. 4658.)

ROQUE-DOURDAN, marquis de la. See no. 3818.

4660. ROQUES. Mémoire par M. Roques, curé de Léribosc, officier municipal de la commune de l'Honor-de-Cos, & dont il a lui-même fait lecture devant la société des amis de la constitution de Montauban, le 17 février 1791...après y avoir été présenté par M. Calmels, ecclésiastique, excellent patriote, & placé à côté de M. le président par une seule & même voix. Montauban: Imp. de la Société des amis de la constitution, [1791]. 16pp.

4661. [ROSE...]. Mémoire pour la ville de Tonnerre. n.p., [1790?]. 16pp.
 Signed Rose and Le Prince, deputies. An attack on the "sieur Cherest" for arbitrary actions in raising armed forces against the best interests of the town and its citizens. Cherest had already presented his arguments to the National Assembly.

4662. [ROSSEL, M. de]. Discours prononcé a l'Assemblée nationale,

[ROSSEL, M. de], continued.

au nom de toutes les troupes de ligne de France, dans la séance
du 13 juillet soir; Réponse du Président [de Bonnay]. [Paris]:
Imp. Nat., [1790]. 3pp.

4663. ROSSI [Augustin-Joseph-Louis-Philippe de]. Les Voleurs, les
mendians, les salariés, texte de M. Mirabeau, commentaire de M.
de Rossi. Paris: Belin, 1789. 22pp.
    In Opuscules sur Mirabeau, I.

4664. ROUGEMONT. Dialogue, entre un sans-culotte, Marie-Antoinette,
Elisabeth sa soeur, et l'ombre de Louis Capet. [Paris]: Imp.
de Feret, [1793?]. 8pp.

4665. ROUGIER DE LA BERGERIE, [Jean-Baptiste, baron]. Instruction
sur la libre circulation des grains dans l'intérieur du royaume
... . (Comité de commerce, 13 fév. 1792). Paris: Imp. Nat.,
[1792]. 6pp.

4666. ROUILLIER. Considérations sur la nature et les diverses espèces de gouvernemens respectifs des cantons suisses, sur les
raisons de la conduite tenue par ces cantons à l'égard de la
France, depuis le commencement de la révolution; mesures à
adopter à l'égard des régimens suisses au service de la nation. [Paris]: Imp. de Mayer, [1792]. 28pp.
    (Signed: Rouillier. Koly.)

4667. ROUJOUX, [Louis-Julien, baron de]. Discours prononcé...après
la lecture du message du Directoire exécutif qui annonce les
nouvelles victoires de l'armée d'Italie, et son entrée à Naples... . (Conseil des anciens, 19 pluviôse an 7). Paris:
Imp. Nat., [1799]. 3pp.

4668. ROUSSEAU, [Charles-Gabriel-Jean]. Motion d'ordre...sur le
changement qu'il propose des art. XXX et XXXI du réglement du
Corps législatif... . (2 frimaire an 9). Paris: Imp. Nat.,
[1800]. 8pp.

4669. ROUSSEAU, [comte Jean]. Opinion...contre le projet de mobili-
sation des deux tiers de la dette publique... . (Conseil des
anciens, 9 vendémiaire an 6). [Paris]: Imp. Nat., [1797].
26pp.

4670. ROUSSEAU, [L. C. T.]. Epitre au nouveau senat. Paris: Jo-
hanneau, etal. [1797?]. 16pp.
    In verse.

4671. ROUSSEAU, [Thomas]. Précis historique sur l'édit de Nantes
et sa révocation; suivi d'un discours en vers, relatif à cet
événement... . Londres, 1788. 41pp.

4672. ROUSSEL, [Claude-Jean]. Opinion...sur le jugement du roi... .
[Paris]: Imp. Nat., [1793?]. 14pp.

4673. ROUSSELET, [Pierre]. Sabbats des anarchistes ou l'Espion du
manége... . [Paris]: Imp. de l'auteur, [1796?]. 8pp.

388

ROUSSELET, [Pierre], continued.

4674. -------- Sabbats des anarchists ou les Jacobins au deses-
poir... . [Paris: Imp. de l'auteur, 1796?]. 8pp.

4675. ROUX, [Charles-Benoît]. [Discours prononcé...au club des amis
de la constitution...] n.p., [1791]. 4pp.
Bound with: Lettre du Roi, sur le départ de ses tantes
écrite de sa main, à l'Assemblée nationale, le 20 février 1791; and la réponse de M. Laidet, président [du
club des amis de la constitution].

4676. -------- [Réponse...à la municipalité [de Marseille]. Marseille: J. Mossy, 1791. 4pp.
Dated 9 mars 1791; bound with Lettre de MM. les maire et
officiers municipaux de Marseille à M. Roux, curé d'Ey-
ragues. élu evêque du département des Bouches du Rhône... .

4677. ROUX, [Louis]. Opinion...sur le jugement de Louis Capet, imprimé...le 12 janvier [1793]... [Paris]: Imp. de Calixte Vo-
land, [1793]. 8pp.

4678. ROUY, [aîné]. Les Anciens et nouveaux Jacobins traités comme
ils le méritent... . [Paris?]: Imp. de Glisau, [1799]. 8pp.
After coup of 30 prairial.

4679. ROUZET, [Jacques-Marie]. Projet de constitution française...
le 18 avril 1793... . [Paris]: Imp. Nat., [1793]. 60pp.

4680. ROUZET, [Jean-Marie]. Avis définitif...dans le jugement de
Louis XVI...27 décembre 1792... . [Paris]: Imp. Nat.,
[1792?]. 11pp.

4681. -------- Opinion...concernant le jugement de Louis XVI...15
novembre 1792... . [Paris]: Imp. Nat., [1792]. 12pp.

4682. -------- Suite d'opinion...concernant le jugement de Louis
XVI, remise sur le bureau le premier décembre [1792]... .
[Paris]: Imp. Nat., 1792. 7pp.

4683. ROVERE, [Joseph-Stanislas]. Discours...à l'Assemblée nationale, dans sa séance du 9 septembre 1791. [Paris]: Imp. de
LeHodey, [1791]. 6pp.

4684. -------- Imposture de sieur Mulot dévoilée. Paris: Imp.
Nat., 1791. 7pp.

4685. -------- Rapport des commissaires envoyés dans le département
de l'Yonne... [6 nov. 1792] [Paris]: Imp. Nat., [1792]. 7pp.

4686. -------- Rapport sur la conspiration du 29 germinal...(Comité de sûreté générale, floreal an 3.) Paris: Imp. de la
république, [1795]. 7pp.

-------- See also no. 2720.

4687. ROY, [Denis]. Opinion...sur le sort du dernier roi des

ROY, [Denis], continued.

français... . [Paris]: Imp. Nat., [1793?]. 6pp.

4688. ROYER, [Jean-Baptiste], ed.. Principes de Mably, sur la
nécessité de la religion et d'un culte public... . Paris:
Imp. de Pain, an III (1795?). 71pp.
    Extract from Mably's De la législation, pp. 4-70; in-
troduction and conclusion by Royer.

4689. -------- Discours sur les biens du clergé,...(14 avril
1790.) Paris: Imp. Nat., 1790. 19pp.

4690. RUDEL, Claude-Antoine. Opinion...sur le jugement de Louis Capet... . [Paris]: Imp. Nat., [1792?]. 6pp.

4691. RUELLE. Constitution française... . Paris: l'auteur, 1814.
64pp.

4692. RUINE, [Jérôme]. (Pseud.?) Avis d'un pauvre diable, a ses
camarades. Nantes: Imp. d'A.-J. Malassis, [1790?]. 8pp.

4693. RUTLIDGE, [James]. Dénonciation sommaire, faite au comité
des recherches de l'Assemblée nationale contre M. Necker, ses
complices, fauteurs et adhérens... Paris: Rozé, 1790. 64pp.

4694. -------- Vie privée et ministerielle de M. Necker... . Ge-
neve: Pellet, 1790. 80pp. & portrait.
    (Cat. Gen. Liv. Impr, v. 159, p. 402, states "par Rut-
lidge d'après Barbier," but not found in Barbier.)

4695. RUTTEAU. Fin des moyens de défenses du citoyen Rutteau,
lieutenant-colonel-commandant le premier corps des hussards
de la liberté, avec sa justification rendue par le comité
de sûreté générale,..du 4 juillet 1793... n.p.: Plassan,
1793. 16pp.

4696. SACAU. A la louange du vaisseau Le Vengeur. Chanson patriotique, air: mourir pour la patrie. Pamiers: Imp. du
sans-culotisme, an II (1794). 4pp.
    (Signed: Citoyen Sacau, homme de lettres.)

4697. SACKVILLE, [John Frederick, duke of Dorset]. Lettre de M.
l'ambassadeur d'Angleterre à M. le comte de Montmorin. (Paris,
ce 26 juillet 1789.) n.p., [1789]. 3pp.
    Bound with: Réponse de M. le duc de Liancourt, prési-
dent de l'Assemblée nationale, à M. le comte de Montmorin. Versailles, le 27 juillet 1789. (p. 3).

4698. -------- Lettre de M. l'ambassadeur d'Angleterre à M. le
comte de Montmorin. n.p., [1789]. 4pp.
    Bound with: Réponse de M. le duc de Liancourt, prési-
dent de l'Assemblée nationale, à M. le comte de Montmorin. pp. 3-4. Dated: 26 & 27 juillet 1789; different edition of no. 4697.

4699. -------- Lettre de M. le duc de Dorset, ambassadeur d'Angleterre,

SACKVILLE, [John Frederick, duke of Dorset], continued.

     à M. le comte de Montmorin, ministre et secrétaire d'état
au departement des affaires etrangères. (3 août 1789)
Paris: Baudouin, 1789. 4pp.
     Bound with: Lettre de M. le comte de Montmorin à M. le
     Chapelier...and Lettre des ministres nommés par le roi,
     à M. le Chapelier,..

-------- See also nos. 4101 and 4102.

4700. SACROGORGON. (Pseud.?) Ordre de marche de l'armée patriote
qui partira de Paris, le lundi premier août, pour aller com-
battre les aristocrates sur la frontière. n.p., [1791].
14pp.
     (Signed: Pour l'armée, Sacrogorgon; satirical pamphlet).

4701. SAGE. Extrait d'un mémoire sur le département des mines, remis en 1789 au comité des finances de l'Assemblée nationale,
par M. Sage, directeur de l'école royale des mines. [Paris]:
Imp. de P.-Fr. Didot, [1790?] 8pp.

4702. -------- Remarques de M. Sage, directeur de l'école royale
des mines, sur l'extrait raisonné des rapports du comité des
finances de l'Assemblée nationale. n.p., [1790]. 7pp.

4703. SAINT-ADRIEN. Le Réveil du peuple fera disparoitre les ti-
rans. Paris: J. B. Gouriet, n.d. 11pp.
     Contains also Chanson patriotique, pp. 11-12.

4704. [SAINT-AULAIRE, Yrieix Beaupoil, marquis de]. De l'unité du
pouvoir monarchique. n.p., [1788]. 76pp.
     (Barbier IV, 898d.)

4705. SAINT-FELIX. Récit de la mission de Saint-Felix à l'armée
de la Vendée, précédée de persécutions suscitées par les agens
de la cour. n.p., [1793?].

4706. SAINT HURUGE, [Victor-Amédée de la Fuge, marquis de]. Requête au Parlement de Paris...contre des calomniateurs & autres gens mal-intentionnés, qui ont, pendant sept ans. abusé
de l'autorité pour lui faire un mal inoui. (10 mai 1787.)
London: Balcetti, [1787]. 44pp.

4707. SAINT-JUST, [Antoine-Louis-Léon de]. Rapports...au nom des
comités de salut public et de sûreté générale, et décrets...
relatif aux personnes incarcérées... (Comités de salut public, et de sûreté générale, 8 & 13 ventôse an 2). [Paris]:
Imp. Nat., [1794]. 23pp.

4708. -------- Rapport sur le mode d'exécution du décret contre
les ennemis de la révolution... (Comité de salut public, 13
ventôse an 2). [Paris]: Imp. Nat., [1794]. 3pp.

4709. ------- Rapport sur les factions d'étranger, et sur la conjuration ourdie par elles dans la république française, pour
détruire le gouvernement républicain par la corruption, et

SAINT-JUST, [Antoine-Louis-Léon de], continued.

affamer Paris...(Comité de salut public, 23 ventôse an 2.)
Paris: Imp. Nat., [1794]. 27pp.

4710. -------- Rapport...sur la conjuration ourdie depuis plusieurs
années par les factions criminelles, pour absorber la révolution française dans un changement de dynastie, & contre
Fabre-d'Eglantine, Danton, Philippeaux, Lacroix & Camille-
Desmoulins, prévenus de complicité dans ces factions, & d'autres délits personnels contre la liberté...(Comités de sûreté
générale, et de salut public, 11 germinal an 2.) Paris:
Imp. Nat., [1794]. 38pp.

4711. -------- Rapport...sur la police générale, sur la justice,
le commerce, la législation, et les crimes des factions...
(Comités de sûreté générale, et de salut public, 26 germinal
an 2.) Paris: Imp. Nat., [1794]. 20pp.

4712. SAINT-MARTIN, [François-Jerôme-Riffard de]. Discours sur les
inégalités qui, dans les successions, sont l'effet de la vo-
lonté de l'homme...(4 avril 1791.) Paris: Imp. Nat., 1791.
16pp.

4713. -------- Opinion...dans l'affaire du ci-devant roi... .
[Paris]: Imp. Nat., [1793?]. 16pp.

4714. -------- Opinion...prononcée le 17 janvier 1793... . [Paris]:
Imp. Nat., [1793]. 3pp.

4715. SAINT-MARTIN, [Louis-Pierre, abbé]. Refutation de l'ouvrage
de M. l'évêque-duc de Langres, ayant pour titre: Sur la forme
d'opiner aux Etats-généraux. Par M.L.D.S.M.C.A.C. n.p.,
[1789?]. 54pp.
      (Barbier, IV, 179c.)

4716. SAINTOMER, [Père]. Jugement du peuple souverain, qui condamne
à mort la queue infernale de Robespierre. [Paris]: Imp. de
Guffroy, [1794?]. 16pp.

4717. SAINT-PRIEST, [François-Emmanuel-Guignard de, comte]. Lettre
ecrite par M. Guignard Saint-Priest, à M. le président de
l'Assemblée nationale [le 18 août 1790]; & mémoire du roi
[sur les maisons royales]. n.p., [1790]. 16pp.

-------- See also no. 4044.

4718. SAINT-VENANT, [Guillaume]. Lisez sur les murs, voyez sur les
têtes et fouillez dans vos poches. [Paris?]: Imp. de St.-
Venant, [1794?]. 8pp.

4719. SALADIN, [Jean-Baptiste-Michel]. Compte rendu et déclaration
...sur les journées des 27 & 31 mai, 1.er & 2 juin 1793.
Paris: Imp. de Robert, [1793]. 20pp.

4720. -------- Motion sur la nécessité de laisser au peuple l'élection libre de la totalité du prochain corps législatif... .

SALADIN, [Jean-Baptiste-Michel], continued.

Paris: Imp. du dépôt des lois, an III, (1795). 15pp.

4721. -------- Rapport...sur les dénonciations faites contre M. Duport, ministre de la justice...(Comité de législation, 4 avril 1792.) Paris: Imp. Nat., 1792. 90pp.

4722. -------- Rapport au nom de la commission des vingt-un, créée par décret du 7 nivôse an III, pour examen de la conduite des représentans du peuple Billaud-Varennes, Collot-d'Herbois & Barere, membres de l'ancien comité de salut public, et Vadier, membre de l'ancien comité de sûreté générale... . (12 ventôse an 3.) [Paris: Imp. Nat., 1795]. 260pp.

4723. -------- Rapport...sur la pétition du citoyen Guadet...et décret de la Convention nationale...(Comité de législation, 22 germinal an 3.) Paris: Imp. Nat., [1795]. 8pp.

4724. -------- Rapport...au nom d'une commission spéciale, composée des représentans Rouzet, Bornes, André (de la Lozère), Capblat & Saladin, sur les élections communales faites à Toulouse, en brumaire an 4, & en germinal an 5. (Conseil des cinq-cents, 13 thermidor an 5.) Paris: Imp. Nat., [1797]. 80pp.

4725. SALICETI, [Antoine-Christophe]. Réponse...au libelle & aux délations de M. Buttafoco (ci-devant comte), aussi député, contre M. de Paoli et les patriotes Corses. (Paris, 2 novembre 1790.) n.p., [1790]. 23pp.

4726. SALLE, [Jean-Baptiste]. Salle, député de la Meurthe, a Guffroi, député du Pas-de-Calais. [Paris]: Imp. Nat., [1793?]. 3pp.

4727. -------- Opinion...sur la sanction royale...(1 septembre 1789.) Paris: Baudouin, 1789. 30pp.

4728. -------- Opinion...sur les événemens du 21 juin 1791,..(15 juillet 1791.) [Paris]: Imp. Nat., [1791]. 15pp.

4729. -------- Rapport...à l'occasion des événemens qui ont eu lieu à Colmar les 21, 22 & 23 mai dernier...(Comités: diplomatique, militaire, ecclésiastique, recherches, rapports.) [Paris]: Imp. Nat., [1791]. 20pp.

4730. -------- Déclaration...dans l'affaire du ci-devant roi... [Paris]: Imp. Nat., [1792?]. 6pp.

4731. -------- Opinion...dans l'affaire du ci-devant roi...[27 déc. 1792] [Paris]: Imp. Nat., [1792?]. 16pp.

4732. SALLE DE CHOU, [Etienne-François-Xavier, baron de]. Projet de déclaration des droits de l'homme en société. Versailles: Baudouin, [1789]. 2pp.

4733. SALLIOR, M. F. Bureau d'assurance et vérification des assignats;

SALLIOR, M. F., continued.

établissement propre à soutenir la confidence due aux véritables assignats, et à intercepter la circulation des faux... . [Paris]: Imp. de Didot jeune, 1792. 8pp.

4734. SALLO DESVARENNES, [Michel-Armand]. L'Horoscope de la Révolution. Paris: Imp. d'un royaliste, 1790. 62pp.

4735. SALMON, Gabriel-René-Louis. Opinion motivée...sur cette question: Quelle peine sera infligée à Louis Capet? Prononcée le 17 janvier 1793... . [Paris]: Imp. Nat., [1793]. 3pp.

4736. [SALVERTE, Eusèbe]. Les Premiers jours de prairial; par l'auteur des Journées des 12 & 13 germinal. [Paris]: veuve d'Ant. Jos. Gorsas, an III, (1795?). 123pp.
   (Barbier III, 1004^c.)

4737. SANDHERR, le jeune. Mémoire pour les communautés protestantes des trois villes mixtes, ci-devant libres et impériales, de Colmar, Wissembourg et Landau en Alsace. n.p., [1790]. 22pp.
   Sandherr was official spokesman for the communities here mentioned. Here he argues for the necessity of protecting the long-prevailing rights of the protestant communities in the re-organizing of local governments. (See also no. 3315.)

4738. SANTERRE, [Antoine-Joseph]. Projet de décret présenté au comité d'agriculture, le 23 avril 1793... . [Paris]: Imp. Nat., [1793]. 2pp.

4739. SAPET, André. Mémoire justificatif pour le sieur André Sapet, chef du Bureau des Comptes, & teneur de livres de la commune de cette ville de Marseille, en réponse a celui de M. Lieutard, officier municipal. Marseille: F. Brebion, 1790. 7pp.

4740. SAQUI, Maximilien. Motion faite aux Amis de la Constitution de Marseille, séance du 25 [janvier 1791]... . Aux fins d'obtenir que, dérogeant au décret qui ordonne le sursis du jugement des conspirateurs; l'Assemblée nationale décrete, que les trois districts réunis ayent à s'assembler pour les juger sans délai; & en denonçant M. d'André, que le corps législatif déclare le droit judiciel, independant des autres pouvoirs, & qu'aucun sursis, ni évocation ne pourra avoir lieu qu'après jugement. Marseille: Imp. de Jean Mossy, [1791]. 8pp.

4741. SAROT, [Charles-Pons-Borromée]. Avis au corps électoral du département de Paris, ou Lettre au rédacteur de l'Assemblée nationale, no. 747, imprimée chez M. Perlet...n.p., [1791]. 1pp.

4742. SARRAZIN. Adresse a l'Assemblée nationale, et au département des Bouches du Rhone, portant plainte en diffamation contre le sieur Blanc-Gilli, administrateur audit département, suivie d'une analyse des ecrits diffamatoires dudit sieur. Marseille: F. Brebion, [1790?]. 38pp.

4743. SARRAZIN DE MONTRERRIER. Le Jugement dernier. Allégorie représentée par une groupe de figures que le sieur Renaud, sculpteur, a composé pour couronner la fontaine des Allées de Meilhan... Marseille: Imp. de Jean Mossy, [1790?]. 8pp.

4744. [SATUR, Pierre-David]. Correspondance trouvée dans le porte-feuille d'un jeune patriote assassiné sur la route de Paris. Paris: Leroux, an 6 (1798). 108pp.
    (Barbier I, 778f.)

4745. SAUFRAFERLOU. [pseud.]. Réception d'un guillotiné, dans la république des morts. [Paris]: Imp. de Guffroy, [1794?]. 15pp.
    (Signed: Saufraferlou, secrétaire d'état de la république des morts.)

4746. SAUNIER, [Pierre-Maurice]. Arrivée à Paris du grand Polichinel, son entretien avec son compère sur les causes de nos malheurs... [Paris]: Gauthier, [1799?]. 8pp.

4747. -------- Les Dernieres paroles de Louis Capet, a son confesseur, ci-devant capucin sur les remords dont il est pénétré, et sur la crainte qu'il a de la vengeance éternelle, après avoir éprouvé celle de la justice des hommes; suivie de son testament... [Paris?]: Imp. de Guilhemat, [1793?]. 8pp.

4748. -------- Liste générale, noms et demeures d'un nombre considérable de Jacobins du Manège qui vomloient [sic] massacrer deux membres du directoire... Arrestation, de ces Jacobins, leur traduction dans les prisons... Coups-depieds donnés à ces Jacobins, par le conseil des anciens, pour sortir du Manège... [Paris?]: Imp. de l'auteur, [1796?]. 8pp.

4749. SAURINE, [Jean-Pierre]. Opinion...prononcée au moment du troisième appel nominal... [Paris]: Imp. Nat., [1793?]. 3pp.

4750. SAUSSET, (de la Meurthe). Le Peuple, le sénat et les nouveaux Jacobins, traités comme ils le méritent. [Paris]: Denis, [1797?]. 8pp.

4751. -------- Voyez le thermomètre du jour. Ha! Ha! Il faut voir, citoyens! Les Jacobins à la tempête. Les cinq-cents à l'orage. Les anciens au tempéré. Le Louis d'or au beau fixe. Le peuple au très-sec, le patriotisme à la glace. Et Buonaparte aux vents. Lisez, meditez, vous serez tous contens. [Paris]: Denis, [1799?]. 8pp.

4752. [SAUTEREAU, F.]. Le Secret dévoilé, dialogue entre l'évêque Y et l'abbé Z. n.p., 1789. 24pp.
    (Barbier IV, 454d; against vote by order.)

4753. -------- Le Secret dévoilé, dialogue entre l'évêque Y et l'abbé Z. n.p., [1789]. 15pp.
    Different edition of no. 4752.

4754. SAUVAGEOT, [Pierre]. Chanson nouvelle, sur le départ des

SAUVAGEOT, [Pierre], continued.

Gardes nationaux du département de la Côte d'or. Dijon: Imp. de Defay, [1792?]. 4pp.

4755. -------- Chanson nouvelle, sur les trahisons de la ci-devant cour de france. Dijon: Imp. de Defay, [1792?]. 4pp.

4756. -------- La Contre-révolution. n.p., [1793?]. 4pp.
Bound with: Aux évêques réfractaires. (pp. 3-4.)

4757. -------- Nouvelles chansons diverses. n.p., [1792]. 8pp.
Contents: Le Saut aristocratique. Complainte sur la mort de l'Empereur. Chanson bachique.

4758. -------- Dialogue entre une femme et son mari, sur la prétendue excommunication du pape. n.p., [1791?]. 2pp.

4759. -------- Discours prononcé, au nom du conseil générale de la commune de Dijon, par Sauvageot, maire de ladite ville, à l'assemblée convoquée par l'administration de la Côte d'or, & tenue le 17 juin 1793...en réponse à l'invitation de ladite assemblée. Dijon: Imp. de Defay, [1793]. 7pp.

4760. -------- Discours prononcé par Sauvageot, maire de la commune de Dijon, à l'assemblée des sociétés populaires de la Côte-d'or, tenue à Dijon, le 25 brumaire, l'an deuxième...le jour de l'inauguration du buste de Marat. Dijon: veuve Defay, [1793]. 8pp.

4761. -------- Discours prononcé le 10 germinal, l'an second...au temple de la raison de la commune de Dijon... . Dijon: Imp. Nat., [1794]. 8pp.

4762. -------- Discours prononcé par Sauvageot, maire de Dijon, au nom du conseil général de la même commune, le 20 prairial, l'an second...en l'honneur de l'Etre suprême & dans son Temple. Dijon: veuve Defay, [1794.] 12pp.

4763. -------- Discours prononcé par Sauvageot, maire de la commune de Dijon, au nom du conseil général de la même commune, le jour de la translation des bustes de J. J. Rousseau et J. P. Marat, à la maison consacrée aux grands hommes...célébrée le 20 vendémiaire, l'an 3e... . [Dijon]: Imp. de P. Causse, [1794]. 7pp.

4764. -------- Hymne a la liberté, sur l'anniversaire du 14 juillet 1790, chanté le même jour à Dijon, dans un repas patriotique. n.p., [1790?]. 3pp.

4765. -------- Hymne a la liberté. Dijon: Imp. de Defay, [1794?]. 4pp.

4766. -------- Ode a la nation française, sur les effets de la révolution. [Dijon]: Imp. de P. Causse, [1790]. 8pp.

4767. -------- Ode aux courtisans. Dijon: Imp. de Defay, [1790?]. 4pp.

SAUVAGEOT, [Pierre], continued.

4768.   -------- Ode a l'armeé française, après son organisation.
[Dijon]: Imp. de Defay, [1793?]. 8pp.

4769.   -------- Ode a la France, sur ses Révolutions. n.p., [1793?].
7pp.

4770.   -------- Ode sur la bascule politique, a Carnot & ses complices, introducteurs & à fauteurs de ce systéme en France.
n.p., [1797?]. 4pp.

4771.   -------- Le Patriote dijonnois aux ennemis de la révolution.
n.p., [1790?]. 16pp.

4772.   -------- La Propagande. [Dijon]: Imp. de Defay, [1794?]. 4pp.

4773.   -------- Sauvageot, ex-administrateur municipal de la commune
de Dijon, au Directoire exécutif. (25 messidor, an 4.)
[Dijon]: Imp. de la veuve Defay, [1796]. 8pp.

4774.   -------- Sauvageot, maire de Dijon, à ses concitoyens. n.p.,
[1796?]. 16pp.

4775.   -------- Chansons. n.p., [1815]. 3pp.
Same texte as in 4776.

4776.   -------- La Dijonnaise, chant patriotique. Air: Chant du
départ. Dijon: Yon, n.d. [1815]. 4pp.
With another song - Air: La Victorie, en chantant, etc.,
by Josselin, commissaire des guerres.

4777.   -------- La Dijonnaise, chant patriotique. Air: du Chant du
Départ. Dijon: Yon, [1815]. 4pp.
Different edition of no. 4776.

4778.   Sauvageot. n.p., n.d. 11pp.
Original manuscript of biographical sketch and bibliography of Pierre Sauvageot, revolutionary mayor and poet
of Dijon.

4779.   SAVARY, [Louis-Jacques]. Opinion...sur le jugement du ci-
devant roi... [Paris]: Imp. de P. L. Siret, [1793?]. 28pp.

4780.   SAVARY DE LANCOSME, Louis-Alphonse. Opinion sur la révision
des décrets. [Paris]: Imp. de Vezard & le Normant, [1791?].
20pp.

4781.   SAVINE, [Charles Lafont de]. Discours prononcé, le 7 août
1791, par M. l'évêque de Viviers, à sa réception dans la Société des amis de la constitution, établie en cette ville.
Montelimar: Mistral, [1791]. 15pp.

4782.   SAVY (de la Corrèze). Arrestation de Scherer, de Merlin, et
Lareveillère près Hambourg. L'un deguisé en mendiant, l'autre en général autrichien, et l'autre in postillon.--Quan-
tité de voitures d'or, d'argent et effets précieux enlevés

SAVY (de la Corrèze), continued.

au garde-meuble, pour les faire passer par Hambourg.--Noms
des particuliers très-connus dans Paris qui protégeaient leur
fuite, et du chef qui les accompagnaient. Voila! Voila!
Voila, citoyens, un bon à-compte sur les cent millions!
[Paris]: Denis, [1799?]. 8pp.

4783.   -------- Citoyens----Citoyens---avez-vous entendu l'horloge?
Savez-vous, savez-vous qu'elle heure il est? Si vous ne le
savez pas, voyez la pendule du jour, le pendant du baromètre
... [Paris]: Denis, [1799?]. 8pp.

4784.   -------- Ecoutez, ecoutez, citoyens, ce que je vais vous
dire. La contre-révolution est en l'air. Les conscrits sont
en déroute. Amiens est en insurrection. Bordeaux est au
pillage. Toulouse est en état de siege. Nos armées sont aux
abois. Les jacobins émigrent. Le peuple est effrayé. Et la
misère est à son comble. Gouvernans, gouvernans, sauvez-
nous! Car nous sommes perdus. [Paris]: Denis, [1797?].
8pp.

4785.   -------- Rira bien qui rira le dernier "salus populi suprema
lex." Vive la République! Fermez vos boutiques; les jacobins
ouvrent les leurs. [Paris]: Imp. de Meunier, [1799?]. 8pp.

4786. SCHMITS, [Louis-Joseph, baron]. Réflexions rapides sur le
veto royal absolu... Paris: Imp. de Stoupe, [1789?]. 15pp.

4787. SCHWENDT, [Etienne-François-Joseph]. Observations pour la
ville de Strasbourg, sur l'objet de l'organisation des municipalités du royaume... n.p., [1789?]. 15pp.

4788. [SECONDAT DE MONTESQUIEU, Jean-Baptiste]. Pensées d'un ama-
teur de la vérité, sur les affaires présentes. n.p., 1789.
87pp.
        (Barbier, III, 818^b.)

4789. SECONDS, [Jean-Louis]. Opinion...dans le jugement à mort de
Louis XVI par la Convention nationale...[19 janv. 1793].
[Paris]: Imp. Nat., [1793?]. 2pp.

4790.   -------- Opinion politique et constitutionnelle...sur le
jugement de Louis XVI, et contre l'appel au peuple... Paris:
Imp. Nat., [1793?]. 32pp.

4791. SEDILLEZ, [Mathurin-Louis-Etienne]. Déclaration politique...
suivie de l'extrait d'une opinion par lui présentée à la commission extraordinaire de l'Assemblée nationale, sur les
moyens de rétablir la confiance et l'harmonie entre les deux
pouvoirs constitutionnels, et de donner à l'Assemblée nationale et à la France l'attitude et la marche qui conviennent
aux circonstances actuelles. [Paris]: Imp. Nat., [1792?].
11pp.

4792.   -------- Discours prononcé...sur les moyens d'accélérer les
travaux de l'Assemblée... (5 décembre 1791.) Paris: Imp.
Nat., 1791. 12pp.

SEDILLEZ, [Mathurin-Louis-Etienne], continued.

4793. -------- Du divorce et de la répudiation. Opinion et projet
de décret...du 9 septembre 1792. [Paris]: Imp. Nat., [1792].
14pp.

4794. -------- Lettre au comité de l'instruction publique. [25 mars
1792]. [Paris]: Imp. Nat., [1792]. 12pp.

4795. -------- Rapport et projet de décret...sur l'émigration...
(Comité de legislation). Paris: Imp. Nat., [1792]. 14pp.

4796. -------- Rapport sur l'inéligibilité temporaire de quelques
fonctionnaires publics, nommés par le peuple, et salariés
par l'état, aux emplois qui sont à la disposition du pouvoir
executif...(Comité de legislation, 16 juillet 1792). [Paris]:
Imp. Nat., [1792]. 8pp.

4797. -------- Opinion...sur les enfans naturels... (Conseil des
anciens, 12 thermidor an 6). Paris: Imp. Nat., [1798]. 22pp.

4798. -------- Opinion...sur le projet concernant la jouissance et
la privation des droits civils... (Tribunat, 4 nivôse an 10).
Paris: Imp. Nat., [1801?]. 10pp.

4799. -------- De l'unité en politique et en législation, ou Développement d'un principe naturel applicable à la législation de tous
les temps et de tous les peuples, dont la connoissance est
utile à ceux qui font la loi et à ceux qui l'exécutent... .
Suivi d'un essai sur le droit de propriété, considéré comme
fondement de tout gouvernement et de tout législation... .
Paris: Charles Pougens, 1802. 103pp.

4800. -------- Discours prononcé...sur le projet de loi relatif à
des embellissemens dans les environs du palais et du jardin
des Tuileries...(30 pluviôse an 12.) Paris: Imp. Nat.,
[1804]. 8pp.

4801. SEGUIER, [Antoine-Louis?]. Discours prononcés par M. Seguier,
avocat général, au lit de justice du 8 mai 1788. n.p., [1788?].
8pp.
     Bound with: Discours prononcé par M. d'Aligre, premier
     président, au lit de justice, tenu à Versailles le 8 mai
     1788. (pp. 6-8.)

4802. -------- Façon de voir d'une bonne vieille, qui ne radote pas
encore. n.p., [1789?]. 104pp.
     (Barbier II, 418d.)

4803. SEGUIN, [Philippe-Charles-François]. Opinion...sur le jugement de Louis XVI, prononcée le 16 janvier 1793... [Paris]:
Imp. Nat., [1793]. 3pp.

4804. SEGUR, [colonel]. Observations du colonel des chasseurs du
Hainault, sur la conduite d'un capitaine de son régiment, que
l'on accuse de contravention aux loix du royaume, pour avoir
rendu des honneurs à mesdames, tantes du roi, à leur passage

SEGUR, [colonel], continued.

à Fontainebleau. [Paris]: Imp. de Vézard & le Normant, [1791?]. 8pp.

4805. SEMONVILLE, [Charles-Louis-Huguet, marquis de]. De la nécessité d'assembler les Etats-généraux dans les circonstances actuelles, et de l'inadmission du timbre. Fragment du discours de M. de Sémonville, conseiller au parlement, dans la seance du 16 [juillet 1787]... n.p., [1787?]. 14pp.

4806. -------- Réflexions sur les pouvoirs & instructions à donner par les provinces à leurs députés aux Etats-généraux. n.p., [1788?]. 24pp.
       (Barbier IV, 168e.)

4807. SERANE, [Joseph-François]. Rapport...concernant les maîtres de quais & les jaugeurs de navires... (Comité de la marine.) [Paris]: Imp. Nat., [1791]. 7pp.

4808. -------- Rapport fait a l'Assemblée nationale, au nom du comité de la marine... Paris: Imp. Nat., [1791]. 4pp.

4809. [SERENT, Armand-Louis, duc de]. Exposition des objets discutés dans les Etats-généraux de France, depuis l'origine de la monarchie, par M. le marquis de S----. n.p., 1788. iv., & 180pp.
       (Barbier II, 393^c.)

4810. SERGENT, [Antoine-François]. Opinion...prononcée à la tribune au troisième appel nominal...[16-17 janv. 1793]. Paris: Imp. Nat., [1793?]. 3pp.

4811. -------- Opinion...sur le jugement de Louis Capet... . Paris: Imp. Nat., 1793. 20pp.

4812. [SERGENT-MARCEAU, Antoine-François]. Adresse a l'Assemblée nationale. n.p., [1790?]. 11pp.
       Demanding immediate recall of the ministers Champion de Cicé, Guignard, and La Tour du Pin.

4813. SERIEYS, [Antoine]. Insurrection du peuple français, contre les tyrans. Hymne aux républicains... n.p., [1793?]. 7pp.
       Bound with: Chanson patriotique, à l'autel de la patrie. Un père parlant à son fils... . (pp. 5-7).

       -------- See also no. 6558.

4814. SERMET, [Hyancinta]. Discours prounouçat davant la légioun de Saint-Ginest, per Lou R. P. Hyacinta Sermet...à l'oucasioun de la fédératioun générala...Mounpélié: Imp. de Tournel, 1790. 28pp.
       (pp. 25-28 bound between pp. 16 & 17.)

4815. -------- Discours prounçat dabant la legiou de Saint-Ginest ...à l'ouccasiou de la fédératiou generalo. [Montalban]:

SERMET, [Hyancinta], continued.

      Imp. de Fontanel, [1790]. 17pp.
        Different edition of 4814.

4816. -------- Lettre...au club des amis de la constitution, séant
dans une des salles de la maison commune, (18 août 1790).
Toulouse: D. Desclassan, [1790]. 43pp.

4817. SERRE, Joseph. Joseph Serre, sur la question suivante: La
mort de Louis intéresse-t-elle le salut de la République?
Ou plutôt, entre les dangers où nous expose son existence ou
sa mort, quel est le moindre? Prononcée...27 décembre 1792...
Paris: Imp. Nat., [1792?]. 12pp.

4818. -------- Opinion...contre l'inviolabilité du roi...[28 nov.
1792]. [Paris]: Imp. Nat., [1792?]. 10pp.

4819. SERA, [comte Jean-Pierre]. Rapport et projet de décret, sur
les moyens d'exécution de la loi du 12 octobre 1791, concernant l'administration des ports, & objets y relatifs... [Paris]:
Imp. Nat., [1792]. 15pp. & 7 tables.

4820. SERVAN, [Joseph-Michel-Antoine]. Adresse aux amis de la paix...
n.p., 1789. 80pp.

4821. -------- Avis au public, & principalement au tiers-état, de
la part du commandant du château des Isles de Sainte-Marguerite, & du medecin, & du chirurgien, &c. du même lieu. Du 10
novembre 1788. Paris: Robin, [1788?]. 55pp.
      (Barbier I, 358^f-359^a.)

4822. -------- Avis salutaire au tiers-état; sur ce qu'il fut, ce
qu'il est, et ce qu'il peut être, par un jurisconsulte allobroge. n.p., 1789. 63pp.
      (Barbier I, 369^f-370^a.)

4823. -------- Commentaire roturier, sur le noble discours adressé
par monseigneur le prince de Conti à monsieur, frère du roi,
dans l'assemblée des notables, le---1788. Paris: & se distri-
bue gratis a l'Hotêl de Conti, 1789. 32pp.
      (Barbier I, 646e.)

4824. -------- Des assassinats et des vols politiques, ou des pro-
scriptions et des confiscations... Londres & Paris: Debarle,
1795. 64pp.
      (Title page states: "Par Guillaume-Thomas Raynal", but
see Quérard III, 340^f.)

4825. -------- Evénemens remarquables & intéressans, à l'occasion
des décrets de l'auguste assemblée nationale, concernant l'éli-
gibilité de MM. les comédiens, le bourreau & les juifs. n.p.,
1790. 37pp.
      (Barbier II, 334^f.)

4826. -------- Lettre aux commettans du comte de Mirabeau. n.p.,
[1790?]. 80pp.

SERVAN, [Joseph-Michel-Antoine], continued.

(Barbier II, 1130^d.)

4827. -------- Lettre de monseigneur l'Archêveque d'Aix à monseigneur l'Archêveque de Narbonne (Février 1789). n.p., 1789. 48pp.
> (See abbé E. Lavaquery, Le Cardinal de Boisgelin 1732-1804 [2 vols.; Paris: Librarie Plon, n.d.], I: Un Prélat d'ancien régime, p. 372.)

4828. -------- Petit colloque élémentaire entre Mr. A. et Mr. B. sur les abus, le droit, la raison, les états-généraux, les parlemens, & tout ce qui s'ensuit, par un vieux jurisconsulte allobroge. n.p., 1788. 77pp.
> (Barbier III, 841^f.)

4829. -------- Réflexions sur la réformation des états provinciaux... n.p., 1789. 62pp.

4830. -------- Réflexions sur la réformation des états provinciaux. Par un ancien magistrat du P... de G... n.p., 1788. 109pp.
> (See Garrett, 244-245; different edition of no. 4829.)

4831. SERVAN [Joseph, dit de Gerbey]. Discours du ministre de la guerre, sur les troubles du Midi, prononcé à la séance [de l'Assemblée nationale] du 13 avril 1792... [Paris]: Imp. Nat., [1792]. 6pp.

4832. -------- Discours prononcés a l'Assemblée nationale, le 11 mai 1792... [Paris]: Imp. Nat., [1792]. 3pp.

4833. -------- Lettre...sur le mémoire lu par M. Dumourier le 13 juin [1792?] à l'Assemblée nationale. Paris: Imp. du Cercle social, [1792?]. 8pp.

4834. -------- Plan d'organisation pour des bataillons de piquiers, arrêté par le conseil exécutif provisoire. [Dijon]: Imp. de P. Causse, [1792?]. 8pp.

-------- See also no. 4652.

SERVANE, Le Blanc de. See no. 2110.

4835. SEVESTRE, [Joseph-Marie-François]. Opinion...sur le jugement de Louis Capet, premier décembre [1792]... [Paris]: Imp. Nat., [1792]. 4pp.

4836. SEZE, [Paul-Victor de]. Les voeux d'un citoyen. Discours adressé au tiers-état de Bordeaux, à l'occasions des lettres de convocation pour les Etats-généraux de 1789... . n.p., 1789. 28pp.

4837. -------- Projet de decret présenté...sur le service de santé des armées et des hôpitaux militaires... (Comité militaire et de salubrité.) Paris: Imp. Nat., 1791. 22pp. & table.

SEZE, [Paul-Victor de], continued.

4838. -------- Rapport et projet de décret sur le service de santé des armées & des hôpitaux militaires... (Comité militaire et de salubrité, 25 juillet 1791.) Paris: Imp. Nat., 1791. 20pp.

4839. SEZE, [Raymond de, comte]. Défense de Louis, prononcée à la barre de la Convention nationale, le...26 decembre 1792... Paris: Imp. Nat., 1792. 49pp.

4840. -------- Lettre du citoyen Deseze, défenseur de Louis, lue à la Convention nationale le 30 décembre 1792... [Paris]: Imp. Nat., [1792?]. 2pp.

4841. SIAU. Discours prononcé a l'Assemblée nationale par M. Siau, médecin, député de la Garde nationale de Perpignan. Paris: Baudouin, [1790?]. 5pp.

4842. SIAUVE, Etienne-Marie. Le Maire et le curé, dialogue vil-lageois... Saint-Etienne: Imp. de Boyer, 1791. 38pp.

SICARD. See no. 4384.

4843. SIEYES, Emmanuel-Joseph, abbé. Qu'est-ce que le peuple consi-déré dans ses rapports avec ceux qui le gouvernent et l'admin-istrent. Paris: Aubry, an VII (1799). 55pp.
(Avis de l'editeur: "Tous les principes de Siéyès sont conservés mot pour mot dans cet écrit...")

4844. -------- Apperçu d'une nouvelle organisation de la justice et de la police en France. Paris: Imp. Nat., 1790. 62pp.

4845. -------- Déclaration des droits de l'homme en société... Ver-sailles: Baudouin, 1789. 14pp.

4846. -------- Déclaration des droits du citoyen françois, déta-chée du préliminaire de la constitution... Paris: Baudouin, 1789. 10pp.

4847. -------- Dire...sur la question du veto royal... (7 sept. 1789.) Versailles: Baudouin, [1789]. 30pp.

4848. -------- Observations sommaires sur les biens ecclésiastiques. Du 10 août 1789. Versailles: Baudouin, [1789]. 48pp.
Bound with: Opinion de M. l'abbé Siéyès, sur l'arrêté du 4, relatif aux dîmes, prononcé le 10 août... (pp. 33-48).

4849. -------- Opinion...le 7 mai 1791, en réponse à la dénoncia-tion de l'arrêté du département de Paris, du 11 avril précé-dent, sur les edifices religieux & la liberté générale des cultes... [Paris]: Imp. Nat., [1791]. 23pp.

4850. -------- Préliminaire de la constitution. Reconnoissance et exposition raisonnée des droits de l'homme & du citoyen...(22 & 23 juillet 1789). Clermont-Ferrand: Imp. d'Antoine Delcros, 1789. 24pp.

SIEYES, Emmanuel-Joseph, abbé, continued.

4851. -------- Projet d'un décret provisoire sur le clergé...(12
février 1790.) Paris: Imp. Nat., 1790. 40pp.

-------- See also nos. 3000, 5234, 5471.

4852. SILLERY, [Charles-Alexis-Brulart, marquis de]. Compte rendu
à l'Assemblée nationale, le 28 mai 1791... (Comité des recherches) n.p., [1791]. 24pp.

4853. -------- Décret...sur les moyens d'appliquer au corps actuel
de la marine les décrets relatifs à l'organisation de ce corps;
(Comité de la marine) précédé du rapport...le 23 avril 1791...
[Paris]: Imp. Nat., [1791]. 19pp.

4854. -------- Décret relatif à la correspondance des grades du
service de mer avec celui de terre; précédé du rapport...du
12 mai 1791. (Comité de la marine) [Paris]: Imp. Nat.,
[1791]. 4pp.

4855. -------- Développement du projet du comité de la marine sur
l'organisation de la marine françoise... . Paris: Imp. Nat.,
1791. 19pp.

4856. -------- Opinion...relative à la déclaration des droits de
l'homme. n.p., [1789?]. 8pp.

4857. -------- Opinion...sur la permanence de l'Assemblée nationale; sur l'organisation de l'Assemblée en une ou deux chambres,
& sur la sanction royale... . n.p., [1789]. 23pp.

4858. -------- Opinion...et projet de décret, sur l'admission des
aspirans dans le corps de la marine militaire... . Paris:
Imp. Nat., 1791. 12pp.

4859. -------- Opinion...relative au projet de décret proposé par
le comité de révision, sur le droit politique des princes de
la famile royale... Paris: Imp. Nat., [1791?]. 8pp.

4860. -------- Projet d'adresse au roi... (15 juillet 1789)
Paris: Baudouin, 1789. 4pp.

4861. -------- Rapport...relatif au camp fédératif de Jallez, dans
le département de l'Ardèche. (Comité des recherches) Paris:
Imp. Nat., 1790. 26pp.

4862. -------- Rapport sur le traitement du corps de la marine...
(Comité de la marine) Paris: Imp. Nat., 1791. 8pp.

4863. SIMEON, [Joseph-Jérome]. Déclaration...après la lecture des
pièces relatives à la conspiration découverte le 12 pluviôse,
tendante au renversement du gouvernement républicain et au
rétablissement de la royauté. (Conseil des cinq-cents, 12
pluviôse an 5.) Paris: Imp. Nat., [1797]. 7pp.
      Bound with: Declaration of Tallien & Discours of
      Chazal.

SIMEON, [Joseph-Jérome], continued.

4864. -------- Opinion...sur la répression des délits de la presse
...(Conseil des cinq-cents, 20 pluviôse an 5) Paris: Imp.
Nat., [1797]. 15pp.

4865. -------- Opinion...sur le projet de résolution relatif aux
brigands qui s'introduisent dans les maisons par la force des
armes, & qui torturent les citoyens pour les voler... .
(Conseil des cinq-cents, 18 germinal an 5.) Paris: Imp. Nat.,
[1797]. 8pp.

4866. -------- Opinion...contre le projet de résolution sur le mode
d'affermer le canal du Midi... . (Conseil des cinq-cents, 20
germinal an 5.) [Paris]: Imp. Nat., [1797]. 8pp.

4867. -------- Opinion...sur les sociétés particulières, s'occupant de questions politiques... . (Conseil des cinq-cents, 6
thermidor an 5.) Paris: Imp. Nat., [1797]. 15pp.

4868. -------- Rapport sur la question intentionnelle posée dans les
jugemens criminels... . (Conseil des cinq-cents, 28 thermidor
an 4.) Paris: Imp. Nat., [1796]. 30pp.

4869. -------- Second rapport...sur la question intentionnelle... .
(Conseil des cinq-cents, 11 frimaire an 5.) [Paris]: Imp.
Nat., [1796]. 12pp.

4870. -------- Rapport...sur la pétition du mineur Maupeou, relative
à l'article 4 de la loi du 15 thermidor an 4, concernant la
successibilité des enfans naturels... . (Conseil des cinq-cents,
19 frimaire an 5.) Paris: Imp. Nat., [1796]. 20pp.

4871. -------- Rapport...au nom d'une commission spéciale, composée de Cambacérès, Bézard, Oudot, Favart, & Siméon; sur la
successibilité des enfans naturels... . (Conseil des cinq-cents,
18 messidor an 5.) Paris: Imp. Nat., [1797]. 50pp.

4872. -------- Discours...sur la motion d'ordre relative au gouvernement héréditaire... . (Tribunat, 10 floréal an 12.) Paris:
Imp. Nat., [1804]. 11pp.

4873. SIMON. Coupez les griffes au parti féroce. n.p., [1794?].
8pp.

4874. SIMON, A. Le Bien public, ou Moyen, proposé au Corps-législatif, de sauver la république sans être obligé de faire par-
tir les réquisitionnaires et conscrits; sans avoir besoin de
recourir à l'emprunt des cent millions, et de payer sur-le-
champ les pensionnaires, rentiers et créanciers de l'état.
[Paris?]: Imp. de St.-Venant, [1796?]. 8pp.

4875. SIMOND, Philibert. Lettre...à la société des amis de la république séante aux Jacobins...le 12 avril 1793... . Anneci:
Durand, [1793]. 30pp.

4876. SIMONNEAU. Lettre de Madame Simonneau, veuve de maire d'Etampes,

SIMONNEAU, continued.

au président de l'Assemblée nationale, lue a la séance du
samedi 31 mars 1792... . Paris: Imp. Nat., [1792]. 2pp.

4877. SINETY, [André-Louis-Esprit, comte de]. Exposition des motifs qui paroissent devoir déterminer à réunir à la déclaration des droits de l'homme, celle des devoirs du citoyen... .
Versailles: Baudouin, [1789]. 8pp.

-------- See also no. 2397.

4878. SIREY, [Jean-Baptiste]. Du tribunal révolutionnaire. Paris:
Imp. de Du Pont, an III (1794). 104pp.

4879. [SOBRY, Jean-François]. Lettre de l'auteur de Mode françois,
où est agitée la question des assemblées provinciales... A
Paris, le 19 avril 1787. n.p., [1787?]. 44pp.
    (Barbier II, 1175^b.)

4880. -------- Troisième lettre de l'auteur de Mode français, où
il traite des divers effets que produisent sur les esprits les
diverses manieres d'exprimer une même chose... 3 janvier 1788.
n.p., [1788?]. 60pp.
    (See Barbier II, 1175^b.)

4881. SOHIER. Observations en réponse a un libelle intitulé: Cri
d'indignation ou Réflexions d'un citoyen ami de la vérité,
sur l'iniquité d'un jugement rendu en la chambre des vacations, le 20 juillet 1790, contre le sieur Etienne-Jean Mas-
son de Maison-Rouge. [Paris?]: Imp. de la veuve d'Houry,
[1790?]. 8pp.
    (Signed: Sohier, procureur au parlement.)

4882. SOLIGNAC, [F.]. Reponse de M. Solignac, aux observations de
M. Mirabeau l'aîné, relativement à l'essai de la proportion de
l'or à l'argent, qui seroit la plus convenable dans la monnoie
de France. (20 novembre 1790.) [Paris]: Imp. de J. Girouard,
[1790?]. 15pp.

4883. SORET, [Simon]. Rapport sur l'augmentation des commis au
bureau-général de la liquidation... . (Comité de liquidation,
27 déc. 1791.) Paris: Imp. Nat., [1791?]. 4pp.

4884. -------- Rapport et projet de décret concernant les ci-devant
employés de la régie des domaines et de l'intendance de l'isle
de Corse...· . (Comité de liquidation, 4 janvier 1792.)
[Paris]: Imp. Nat., [1792]. 8pp.

4885. -------- Rapports et projets de décrets...sur les pensions... .
(Comité de liquidation, 4 janvier 1792.) [Paris]: Imp. Nat.,
[1792]. 19pp.

SOUBLIN. See no. 3736.

SOUBRANY, [Pierre-Amable]. See no. 3973.

4886. [SOULAVIE, Jean-Louis-Géraud?]. Doléances des curés de Normandie. 15 février 1789. n.p., [1789]. 16pp.

4887. [SOULES]. Le véritable patriotisme. n.p., 1788. 40pp.
(See Garrett, 232.)

4888. SOULIGNAC, [Jean-Baptiste]. Précis de l'opinion...sur cette question: Quelle peine sera infligée à Louis Capet?... . [Paris]: Imp. Nat., [1793?]. 3pp.

4889. SOURDAT, [F. Nicolas]. Vues générales sur le procès de Louis XVI, par M. Sourdat, citoyen (ci-devant lieutenant-général de police) de Troyes, l'un des défenseurs relatés au décret du 12 décembre 1792, qui se sont offerts à la défense de Louis XVI. (26 déc. 1792.) n.p., [1793?]. 31pp.

4890. SOUTON, [Jean-Baptiste]. Réplique au mot de réponse fait par M. Auguste, a la dénonciation de M. Souton, contre le comité monnétaire et compagnie. Paris: Imp. de Millet, 1791. 8pp.

4891. STAEL-HOLSTEIN, [Anne-Louise-Germaine Necker, baronne de]. Réflexions sur la paix, adressées a M. Pitt et aux français. [Paris]: Michel, 1795. 64pp.

4892. STANHOPE, Charles, [3rd earl of]. Copie d'une lettre de Milord comte Stanhope à M. de la Rochefoucault, lué a séance du 21 juillet [1790]. n.p., [1790]. 3pp.
Bound with: Anniversaire de la révolution de France célebré à la taverne de la Couronne et de L'Ancre, dans le Strand, le 14 juillet 1790, par six cents cinquante-deux amis de la liberté réunis, et présidés par le comte Stanhope.

4893. STAUFFACH, Henri-Alexandre. Avis aux Suisses, sur leur position envers le roi de France...novembre 1791. n.p., [1791]. 35pp.

4894. SUARD, [Jean-Baptiste-Antoine]. Apologie de Messire Jean-Charles-Pierre Le Noir...pour servir de contre-sort à un arrêt du conseil de réponse à tous mémoires, pamphlets, libelles, plaidoyers, présents, passés & futurs, & de dernière couche à sa réputation. Ornée de gravures & dédiée à Mde la duchesse de Grammont... . [Paris?]: l'Imp. de la bibliothèque de Roi, 1789. 88pp. & 2 plates.

4895. SUE, [Pierre]. Eloge de Pierre-Isaac Poissonnier, prononcé à la séance publique de la société de médicine, le 22 brumaire an VII... . Paris: Imp. de Laurens, an VII (1798). 44pp.

4896. SULEAU. Confession générale de M. le comte de Mirabeau. n.p., [1791?]. 24pp.
In Opuscules sur Mirabeau, I.

4897. -------- Le réveil de M. Suleau, suivi du prospectus de Journal politique que le public lui demande... . Paris: Imp. de l'Homme sans peur, 1791. 56pp.

SULEAU, continued.

4898. -------- Un petit mot a Louis XVI, sur le crimes de ses ver-
tus et l'insuffisance, pour le bonheur de son peuple, de la
pureté de ses voeux & de la rectitude de ses intentions. Par
un ami des trois-ordres... n.p., [1789?]. 16pp.
   (Barbier IV, 880ª.)

SURVILLE. See no. 5155.

SUZOR, Curé. See no. 4238.

4899. SYLVA, L. M. H. de. Interrogatoire de Louis-seize, et de
Marie-Antoinette, qui doivent être mandés à l'Assemblée nationale... . [Paris?]: Imp. des patriotes, [1792?]. 8pp.

4900. [TALLEYRAND-PERIGORD, Charles-Maurice de]. Des loteries.
Paris: Barrois, 1789. 47pp.

4901. -------- Eclaircissemens donnés par le citoyen Talleyrand a
ses concitoyens. n.p., [an 7 (1799?)].
   Defective; pp. 1-52 only.

4902. -------- Motion de M. l'évêque d'Autun, sur les biens ecclésiastiques. Du 10 octobre 1789. Paris: Baudouin, [1789].
24pp.

4903. -------- Opinion...sur la question des biens ecclésiastiques
... n.p., [1789]. 14pp.

4904. -------- Opinion...sur les banques & sur le rétablissement de
l'ordre dans les finances... (4 déc. 1789.) n.p., [1789].
29pp.

4905. -------- Opinion...sur la fabrication des petites monnoies... .
[Paris]: Imp. Nat., [1790?]. 10pp.

4906. -------- Opinion...sur la proposition de faire deux milliards
d'assignats forcés... . Paris: Imp. Nat., 1790. 19pp.

4907. -------- Opinion...sur la vente des biens domaniaux. Du 13
juin 1790... Paris: Imp. Nat., [1790]. 11pp.

4908. -------- Proposition...sur les poids et mesures... Paris:
Imp. Nationale, 1790. 20pp.

4909. -------- Rapport...relatif à l'arrêté du département de Paris,
du 6 avril précédent... (Comité de constitution, 7 mai 1791.)
[Paris]: Imp. Nat., [1791]. 8pp.

4910. -------- Rapport sur l'instruction publique, fait au nom du
comité de constitution... . Paris: Imp. Nat., [1791].
123pp. & tables.

4911. TALLIEN, [Jean-Lambert]. Acte d'accusation contre Tallien et
Freron, avec les pièces justificatives. Paris: chez les Marchands de nouveautés, [1794?]. 55pp.

TALLIEN, [Jean-Lambert], continued.

Contains four speeches of Tallien and two of Freron.

4912. -------- Projets de décrets concernant Louis Capet... .
[Paris]: Imp. Nat., [1792?]. 2pp.

4913. -------- Projets de décrets concernant Louis Capet...
[Paris]: Imp. Nat., [1793?]. 2pp.

4914. -------- Rapport fait à la Convention nationale...dans la
séance du 9 thermidor, an 3, sur la défaite des émigrés à
Quiberon. Agen: Imp. du département, [1795]. 16pp.

4915. -------- La Vérité sur les événemens du 2 septembre...
[Paris]: Imp. Nat., [1792?]. 6pp.

4916. -------- Rapport fait au nom de la commission des cinq, sur
la conjuration du 13 vendémiaire... Castres: Imp. de Ro-
diere, [1795]. 18pp.

-------- See also no. 4863.

4917. [TALON, Antoine-Omer]. Discours prononcé a l'Assemblée nationale, par monsieur le lieutenant civil. (15 mai 1790.)
n.p., [1790]. 7pp.

4918. -------- Discours prononcé par M. le lieutenant-civil, à la
séance du 26 mai 1790... Paris: Baudouin, 1790. 4pp.

4919. -------- Discours prononcés par M. le lieutenant-civil, aux
séances des 15 & 26 mai 1790, avec les arrêtés du Châtelet,
le décret de l'Assemblée nationale, & la réponse au discours
par le président de l'Assemblée... Paris: Imp. de Guillaume
junior, 1790. 16pp.

4920. TALOT, [Michel-Louis]. Motion d'ordre...tendante à ce que le
conseil s'occupe d'une loi organique de l'article 362 de la
constitution, qui autorise les sociétés s'occupant de questions politiques... (Conseil des cinq-cents, 1 thermidor an
7.) Paris: Imp. Nat., [1799]. 3pp.

4921. TAMUDE. Réclamation des petits voleurs, contre les grands.
Paris: Imp. de J. M. Errard, [1797?]. 8pp.

4922. TARBE, [Charles]. Discours de Ch. Tarbé...contre la suspension du remboursement des créances exigibles & liquidées,
excédant 10,000 liv.... (15 mai 1792.) [Paris]: Imp. Nat.,
[1792]. 8pp.

4923. [TARBE, Louis Hardouin]. Lettre écrite a M. le président de
l'Assemblée nationale...pour rendre compte à l'Assemblée
nationale de l'état des opérations relatives à la fabrication
des différentes espèces de monnoies, au 19 août 1791...
[Paris]: Imp. Nat., [1791]. 7pp.

4924. -------- Mémoire lu a l'Assemblée nationale, le 12 octobre

[TARBE, Louis Hardouin], continued.

1791...sur l'administration des contributions publiques...
[Paris]: Imp. nat., [1791]. 19pp.

4925.   -------- Mémoire et états relatifs à la fabrication des monnoies présentés a l'Assemblée nationale... (6 fév. 1792.)
[Paris: Imp. Nat., 1792]. 54pp. & table.

4926.   TARDIF, Thomas. Rétraction de Thomas Tardif, prêtre de St-
Gilles de Caen, diocèse de Bayeux. n.p., [1795?]. 14pp.

4927.   TARDIVEAU, [François-Alexandre]. Rapport et projet de décret,
concernant la nomination de huit membres de l'Assemblée nationale, pour aller visiter les frontières de royaume, présentés au nom de la commission extraordinaire...le 4 juillet
1792... [Paris]: Imp. Nat., [1792]. 6pp.

4928.   -------- Rapport et projet de décret...sur la compétence des
tribunaux criminels pour les jugemens relatifs aux embauchages
... (Comité de legislation.) [Paris]: Imp. Nat., [1792].
12pp.

4929.   -------- Rapport sur un mémoire des administrateurs de département du Bas-Rhin, fait au nom de la commission extraordinaire
...le 17 juillet 1792... [Paris]: Imp. Nat., [1792]. 4pp.

4930.   -------- Rapport sur une pétition de la commune de Strasbourg, relative aux lettres écrites le 11 juin 1792, par le
ministre de l'intérieur, aux administrateurs du département
du Bas-Rhin, & au maire de Strasbourg... (Juillet 1792.)
[Paris]: Imp. Nat., [1792]. 4pp.

4931.   [TARGET, Guy-Jean-Baptiste]. Cahier du tiers-état de la ville
de Paris. Paris: Miquignon, 1789. 69pp.
          Signed also by Camus, Bailly, Guillotin.

4932.   -------- Les Etats généraux convoqués par Louis XVI. n.p.,
1789. 68pp.

4933.   -------- Suite de l'écrit intitulé: Les Etats généraux convoqués par Louis XVI. n.p., 1789. 38pp.

4934.   -------- Seconde suite de l'écrite intitulé: Les Etats généraux convoqués par Louis XVI. n.p., 1789. 56pp.

4935.   -------- Instruction, ou, Si l'on veut, cahier de l'assemblée
du bailliage de----. n.p., (28 février) 1789. 32pp.
          (Barbier II., 935^{a}.)

4936.   -------- Projet de déclaration des droits de l'homme en société... Paris: Baudouin, 1789. 7pp.

4937.   -------- Rapport fait au nom du comité dé constitution...
(29 sept. 1789.) Paris: Baudouin, 1789. 8pp.

4938.   -------- Rapport...au nom de comité de constitution...a la

[TARGET, Guy-Jean-Baptiste], continued.

séance du 31 mars 1790... Paris: Imp. Nat., 1790. 16pp.

4939. TASCHEREAU-FARGUES, P. A. P. A. Taschereau-Fargues, a Maximilien Robespierre aux enfers. [Paris]: chez tous les Marchands de nouveautés, [1794?]. 31pp.

4940. [TASTU, Abdon-Lennen]. Rapport...au nom d'une commission spéciale, sur une demande du tribunal civil du département de
l'Aude, ayant pour objet que le corps législatif affectât à
l'emplacement des tribunaux du département la maison ayant
appartenu à l'emigré Murat...(Conseil des cinq-cents, 17 vendémiaire an 8.) Paris: Imp. Nat., [1799]. 4pp.

4941. [TEISSIER, Claude]. Discours sur la cause du malheur des
peuples, sur le moyen de concourir à la faire cesser, & à
rendre l'exercice de la souveraineté glorieux à Dieu & à
l'humanité. n.p., [1799]. 20pp.
(Name of speaker mentioned after p. 18.)

4942. TELLIER, [Constant-Adrien]. Exposé sommaire des travaux du
comité de judicature... Paris: Imp. Nat., [1790]. 7pp.

4943. -------- Rapport fait au nom du Comité de judicature sur le
classement qui doit déterminer l'evaluation rectifiée des
procureurs dans les divers tribunaux du royaume... [Paris]:
Imp. Nat., [1791]. 28pp.

4944. TENON, [Jacques-René]. Opinion...sur la suspension du roi.
(Juillet 1792.) [Paris: Imp. Nat., 1792]. 8pp.

4945. -------- Rapport et projet de décret, concernant les secours
à accorder à divers incendiés de Raon-1'Etape, de George-lieu
& de Bellac; présentés...le 20 mars 1792... (Comité des secours
publics.) [Paris]: Imp. Nat., [1792]. 6pp.

4946. TERME, [Jean-Joseph]. Des droits de l'homme et du citoyen...
Versailles: Imp. de Ph.-D. Pierres, [1789]. 10pp.

4947. TERRAL, [Joseph]. Projet de décret de police et de pacifica-
tion religieuses, servant de complément à celui présenté par
Génissieu...(Vendémiaire an 4.) [Paris]: Imp. Nat., [1795].
11pp.

4948. -------- Réflexions sur les fêtes décadaires... (Nivôse an
3.) [Paris]: Imp. Nat., [1795?]. 15pp.

4949. -------- Suite aux réflexions sur les fêtes décadaires...
(Ventôse an 3.) Paris: Imp. Nat., an III (1795). 48pp.

4950. TERRIER [DE MONCIEL, Antoine-René-Marie, marquis de]. Lettre
du ministre de l'intérieur a l'Assemblée nationale, du 25
juin 1792...suivie de la lettre du maire de Paris [Pétion]
a ce ministre, du même jour... Paris: Imp. Nat., [1792].
4pp.

4951. [TEZAY, N.-M.-F. Bodard de]. Le dernier cri du monstre, conte
indien. n.p., (juillet) 1789. 15pp.
    (Barbier I, 883^d.)

4952. THEODORE-GERARD, [Gérard, Théodore-Jean-Baptiste?]. L'Ombre
de Mirabeau. [Paris]: Imp. de Théodore-Gérard, 1795. 11pp.
    Not listed in M & W; in Opuscules sur Mirabeau, I.

4953. THERONNEAU. Lettre de M. le prieur-curé de la paroisse de
Courvaudon, à MM. les electeurs du district de Falaise. (17
juin 1791.) n.p., [1791]. 4pp.

4954. [THEVENEAU DE MORANDE]. La Vie privée ou Apologie de tres-
sérénissime prince monseigneur le duc de Chartres. n.p.,
1784. 98pp.
    (So attributed by Barbier IV, 968^d, which attribution
    Tourneux [IV, 21525] considers "fort vraisemblable.")

4955. THEVENET. Opinion...sur l'inutilité du supplément des visi-
teurs de rôles, proposé par le comité de l'ordinaire des finances... (17 février 1792.) Paris: Imp. Nat., [1792].
10pp.

4956. -------- Opinion...sur les moyens de parvenir à la plus juste
répartition des impositions foncière, mobiliaire, & indus-
trielle, entre tous les individus de l'empire françois; la
fixation d'un maximum réfléchie & mesurée, sur le plus pro-
fond développement de nos ressources, & la manière de fournir
à tous nos besoins en temps de guerre & en temps de paix,
par sols additionnels en plus ou moins imposés... (6 juin
1792) [Paris]: Imp. Nat., [1792]. 47pp.

4957. THEVENIN, [Antoine]. Rapport...sur l'interprétation de l'article V du titre III du décret du 12 juillet, concernant l'organisation du clergé, demandée par le directoire du département
de la Manche... (Comité de division, 24 nov. 1791.) [Paris]:
Baudouin, [1791]. 8pp.

4958. -------- Rapport...sur les difficultés présentées à l'Assemblée nationale par le conseil-général du département de
l'Oise, en interprétation du décret du 19 septembre dernier,
concernant le tirage auquel il a été procédé par les corps
administratifs, de la moitié des membres des directoires qui
devoient sortir par le sort, avant la nomination des députés
à la législature... Paris: Imp. Nat., 1791. 15pp.

4959. -------- Rapport et projet de décret...sur le nombre & le
placement des notaires publics dans le département de l'Allier... (Comité de division, juillet 1792.) [Paris]: Imp.
Nat., [1792]. 7pp.

4960. -------- Rapport et projet de decret sur le nombre & la placement des notaires publics dans le département de la Côte-d'Or
... (Comité de division, 1 août 1792.) [Paris]: Imp. Nat.,
[1792]. 7pp.

4961. -------- Rapport et projet de décret...sur le nombre & le

THEVENIN, [Antoine], continued.

placement des notaires publics dans le département de la Creuze... (Comité de division.) Paris: Imp. Nat., 1792. 8pp.

4962. -------- Rapport et projet de décret...sur le nombre & le placement des notaires publics dans le département de la Nièvre... (Comité de division.) Paris: Imp. Nat., [1792]. 7pp.

4963. -------- Rapport et projet de décret...sur les griefs de la municipalité de la ville de Lyon, contre le directoire de département de Rhône & Loire... (Comité de division et de surveillance.) [Paris]: Imp. Nat., [1792.] 103pp.

4964. THIBAUDEAU, [Antoine-Claire]. Opinion...sur le jugement de Louis XVI... 1 décembre 1792. [Paris]: Imp. Nat., [1792]. 6pp.

4965. -------- Opinion...sur la question de savoir si le jugement de Louis Capet doit être soumis à la ratification du peuple... (31 décembre 1792.) [Paris]: Imp. Nat., [1793?]. 15pp.

4966. -------- Rapport...sur le muséum nationale d'histoire naturelle... (Comité d'instruction publique et des finances, 21 frimaire an 3.) Paris: Imp. Nat., [1794]. 20pp.

4967. -------- Rapport...au nom d'une commission speciale, composée des représentans Boissy, Pastoret, Jourdan (des Bouches-du-Rhône), Vaublanc, Emmery, Siméon, & Thibaudeau; et chargée de faire un rapport sur le message du Directoire exécutif du 22 thermidor... (Conseil des cinq-cents, 4 fructidor an 5.) Paris: Imp. Nat., [1797]. 32pp.

4968. THIBAUT, [Anne-Alexandre-Marie]. Opinion...sur le jugement de Louis XVI... [Paris]: Imp. Nat., [1793]. 6pp.

4969. -------- Motion d'ordre...sur les recettes de dépenses dont est chargée la trésorie nationale pour tous les services de l'an 8... (Conseil des cinq-cents, 3 jours comp. an 7.) Paris: Imp. Nat., [1799]. 11pp.

4970. THIBOUTOT, [Jean-Baptiste-Léon, marquis de]. Opinion...sur les changemens projetés pour l'artillerie, dont il croit devoir donner connoissance à l'Assemblée nationale. Paris: Imp. Nat., [1790]. 39pp.

4971. THIEBAULT, [François-Martin]. Adresse aux membres honorables de l'Assemblée nationale, sur la liberté du divorce, et sur le célibat... n.p., [1790?]. 64pp.

4972. THILORIER, [Jean-Charles]. Dernier plaidoyer prononcé par M. Thilorier, dans la cause de l'infortuné marquis de Favras. Le 18 février 1790. n.p., [1790?]. 94pp.

4973. THIRION, [Didier]. Motion d'ordre sur les fêtes décadaires... (Pluviôse an 3.) [Paris]: Imp. Nat., [1795]. 4pp.

THIRION, [Didier], continued.

4974.   -------- Opinion...sur le procès du ci-devant roi Louis Capet...
         [Paris]: Imp. Nat., [1792?]. 4pp.

4975.   THOMAS. Avis au peuple chrétien, a ceux qui croient en Dieu
         & le craignent. n.p., [1790?]. 26pp.

4976.   THOMAS, [Jean-Jacques]. Opinion...sur le jugement de Louis
         XVI... Paris: Imp. Nat., 1792. 11pp.

4977.   -------- Supplément a l'opinion...sur le jugement de Louis
         Capet... [Paris]: Imp. Nat., [1793?]. 4pp.

4978.   THORET, [Jacques]. Projet de déclaration des droits de l'homme
         et du citoyen... (13 août 1789.) Versailles: Baudouin, [1789].
         7pp.

4979.   THORILLON, [Antoine-Joseph]. A. J. Thorillon, député de Paris
         à l'Assemblée-nationale-législative, a ses commettans, et a
         ses collégues, touchant ses principes que quelques journalistes
         ont défigurés; sur les clubs, & sur l'ordre des travaux de
         l'Assemblée. [Paris]: Imp. Nat., [1792?]. 15pp.

4980.   [THOURET, Jacques-Guillaume]. Adresse de remerciment pré-
         sentée au roi par les officiers municipaux de la ville de Rouen,
         en assemblée générale. Rouen: Imp. de Pierre Seyer, 1789.
         15pp.
              (Signed by the municipal officers, although authorship
              attributed to T. by Barbier I, 72e.)

4981.   -------- Cahier des doléances, remontrances et instructions de
         l'assemblée du tiers-état du ressort de la jurisdiction ordi-
         naire du bailliage de Rouen. Rouen: Imp. de L Oursel, 1789.
         62pp.
              (Barbier I, 473e.)

4982.   -------- Memoire presenté au roi par les avocats au Parlement
         de Normandie, sur les Etats-généraux. Rouen: Imp. de P.
         Seyer, 1788. 15pp.
              (Signed in the name of the avocats by Ferry, syndic, and
              Le Gendre, secrétaire, although authorship is attributed
              to T. by Barbier, III, 151c.)

4983.   -------- Suite de l'avis des bons Normands, dédié aux assem-
         blées des bailliages, sur la rédaction du cahier des pouvoirs
         & instructions. Février 1789. n.p., [1789]. 60pp.
              (Thouret was the author of the Avis des bons Normands;
              Hayden, 1278, is probably correct in assigning this item
              also to Thouret.)

4984.   -------- Analyse des idées principales sur la reconnoissance
         des droits de l'homme en société, & sur les bases de la consti-
         tution... Paris: Baudouin, 1789. 36pp.

4985.   -------- Articles sur la régence, sur la garde du roi mineur,
         et sur la résidence des fonctionnaires publics... (Comité de

[THOURET, Jacques-Guillaume], continued.

constitution.) Paris: Imp. Nat., 1791. 11pp.

4986. -------- Décret sur la manière de mettre les nouveaux corps administratifs en activité, précédé du rapport...au nom du comité de constitution... (28 juin 1790.) [Paris]: Imp. Nat., 1790. 15pp.

4987. -------- Décret de l'Assemblée nationale sur les formes de la sanction, de la promulgation, de l'envoi, et de la publication des loix, précédé du rapport fait par M. Thouret... (Comité de constitution, 2 novembre 1790.) Paris: Baudouin, 1790. 23pp.

4988. -------- Discours...en ouvrant la discussion sur la nouvelle organisation du pouvoir judiciaire... (24 mars 1790.) Paris: Baudouin, [1790]. 22pp.

4989. -------- Second discours...sur l'organisation du pouvoir ju- diciare... (6 avril 1790.) Paris: Imp. Nat., [1790]. 40pp.

4990. -------- Troisième discours...sur l'organisation du pouvoir judiciaire. (28 avril 1790.) Paris: Baudouin, [1790]. 24pp.

4991. -------- Cinquième discours...sur l'organisation du pouvoir judiciaire... (4 août 1790.) [Paris]: Imp. Nat., [1790]. 18pp.

4992. -------- Sixième discours...sur l'organisation judiciaire... (10 août 1790.) [Paris]: Baudouin, [1790]. 15pp.

4993. -------- Septième discours...sur l'organisation judiciaire... (28 décembre 1790.) [Paris]: Imp. Nat., [1790]. 11pp.

4994. -------- Huitième discours...sur l'organisation judiciaire... (28 décembre 1790.) [Paris]: Imp. Nat., [1790]. 16pp.

4995. -------- Neuvième discours...sur l'organisation judiciaire... (11 & 12 janvier 1791.) Paris: Baudouin, 1791. 54pp.

4996. -------- Discours...fait à l'Assemblée provinciale sur la nou- velle division territoriale du royaume. (Séance du mardi 3 novembre.) n.p., [1790?]. 20pp.

4997. -------- Second discours...sur la nouvelle division territor- iale du royaume... (9 novembre 1790.) Paris: Baudouin, [1790]. 27pp.

4998. -------- Troisième discours...sur la nouvelle division terri- toriale du royaume... (11 novembre 1790.) Paris: Baudouin, [1790]. 14pp.

4999. -------- Discours...sur la question de savoir: Si, dans le cas de la régence élective, l'élection du régent peut être déléguée au corps législatif... (Comité de constitution, 24 mars 1791.) Paris: Imp. Nat., 1790. 12pp.

[THOURET, Jacques-Guillaume], continued.

5000. -------- Discours...sur l'obligation du roi de résider dans le royaume... (Comité de constitution, 28 mars 1791.) [Paris]: Imp. Nat., [1791]. 24pp.

5001. -------- Motion...sur les propriétés de la couronne, du clergé, & de tous les corps & etablissemens de main-morte... (23 octobre 1789.) Paris: Baudouin, [1789]. 10pp.

5002. -------- Projet de déclaration des droits de l'homme en société... Versailles: Baudouin, [1789]. 7pp.

5003. -------- Projet de décret contenant réglement pour la procédure en la justice de paix; proposé, au nom du comité de constitution... Paris: Baudouin, [1790?]. 24pp.

5004. -------- Rapport sur la régence du royaume... (Comité de constitution, 23 mars 1791.) Paris: Baudouin, [1791]. 16pp.

5005. THURIOT, [Jacques-Alexis]. Opinion...sur la proposition de surseoir a l'exécution du décret de mort prononcé contre Louis Capet, dernier roi des français...19 janvier [1793]... [Paris]: Imp. Nat., [1793]. 7pp.

5006. THOUVENOT. Mémoire sur l'artillerie de la marine, suivi d'un projet pour la réunion des divers corps qui sont employés à ce service, en un seul qui en seroit chargé, ainsi que de la garnison habituelle des vaisseaux. Paris: Imp. de Pain, [1791]. 41pp.
        (Dated "Paris, le 19 février 1791" and signed by: Thouvenot, "officier au corps des ingénieurs-géographes-militaires", and De Nolzier, "capitaine au corps-royal d'artillerie des colonies.")

TILLET, Guillaume-Louis, du. See no. 1451.

5007. TILLY, [Jean-Pierre-Alexandre, comte de]. Lettre a M. Philippe d'Orléans, par M. le comte Alexandre de Tilly. [A l'auteur de la Gazette de Paris. Aix-la-Chapelle, le 12 octobre 1790]. n.p., 1790. 7pp.

5008. TINSEAU D'AMONDANS, chevalier. Nouveau plan de constitution, présenté, par MM. les émigrés, a la nation françoise, ou Essai sur les deux déclarations du Roi, faites le 23 juin 1789, sur les modifications à y faire pour qu'elles puissent servir de base au gouvernement françois, et sur la nécessité de les proposer le plus promptement possible a l'acceptation des Etats-généraux... Worms: chez les Marchands de nouveautés, 1792. 78pp.

5009. [TINTHOIN, abbé]. Nouvelle instruction en forme de conférence ou de catéchisme, sur l'état actuel du clergé de France, avec un traité sur le schisme & des règles de conduite pour les vrais fidèles... Paris: Pichard, 1791. 109pp.
        (Barbier, III., 552[f].)

5010. TISSOT. Quelques eclaircissemens sur les événemens actuels de Comtat Venaissin. n.p., [1791]. 16pp.
(Signed: Tissot, député d'Avignon.)

-------- See also nos. 3677, 3678.

5011. TITON BERGERAS. Céremonie civique, le mardi 14 décembre 1790... en l'eglise des PP. Bénédictins de la ville d'Orléans, il a été procédé à l'ouverture des caisses envoyées par Monsieur Palloy,...renfermant le modele de la Bastille... n.p., [1790]. 4pp.

5012. [TOCQUOT, Charles-Nicolas?]. Déclaration...sur le sursis du jugement de Louis Capet... [19 janv. 1793]. [Paris]: Imp. Nat., [1793?]. 4pp.

5013. -------- Opinion de C.N.T. député du département de la Meuse. Sur la proclamation du roi, et sur son refus de sanction de décret contre les rebelles d'outre-Rhin. Paris: Imp. Nat., 1791. 7pp.
(Tocquot was the only deputy to the Legislatif from Meuse with these initials. Favors severe action against the "rebels.")

5014. TOPPIN, ainé. La Triomphante, contre-danse nouvelle, dédiée a nos très-illustres et très-puissans seigneurs du Parlement de Bourgogne a l'occasion de leur rentrée à Dijon, en octobre 1788... n.p., [1788]. 4pp.
Contains manuscript for music of the contre-danse.

5015. TORNE, Pierre-Anastase. Examen de la loi du dix-sept nivôse de l'an deuxieme, et de celle du douze brumaire même année... Tarbes: J. Roquemaurel, an IV (1795). 49pp.

5016. -------- Discours...sur la question: Si les décrets d'organisation de la haute-cour-nationale sont sujets à la sanction du roi? (Janvier 1792.) [Paris]: Imp. Nat., [1792]. 23pp.

5017. -------- Discours...sur la suppression des congrégations séculières et du costume ecclésiastique, 6 avril 1792. Paris: Imp. Nat., 1792. 44pp.

5018. -------- Discours...sur les dangers de la patrie... (5 juillet 1792.) Paris: Imp. Nat., 1792. 33pp.

5019. -------- Opinion...sur les ecclésiastiques non-sermentés... Paris: Imp. Nat., [1792]. 23pp.

5020. TOURNAL. Nouvelles extraordinaires et très-intéressantes, sur le siége de Carpentras, fait par les Avignonois. (d'Avignon, le 26 octobre 1790). Avignon: Imp. des patriotes, [1790]. 4pp.
(Signed: Tournal, redacteur du Courier d'Avignon.)

5021. TOURNIAIRE, Jean-Antoine, abbé. Mémoire justificatif, à l'occasion de l'arrêté du directoire du département des Bouches du Rhône, du 21 mai 1791, publié & affiché...

417

TOURNIAIRE, Jean-Antoine, abbé, continued.

[Aix?]: Imp. de P. J. Calmen, [1791]. 29pp.

5022. TOUSTAIN. Dénonciation aux françois, du projet de départ du
roi et de la reine, pour servir de réponse a leurs déclarations. [Paris?]: Imp. de Guerin, [1791?]. 3pp.
(Signed: Toustain, officier municipal de Province,
connu de MM. Buzot et Marechal, députés à l'Assemblée
nationale.)

5023. TOUSTAIN DE VIRAY, [Joseph-Maurice, comte]. Motion...sur
les assignats, prononcée à l'Assemblée nationale, le 9 avril
1790. Paris: Imp. Nat., 1790. 12pp.

5024. TOUSTAIN-RICHEBOURG, [Charles-Gaspard, vicomte de]. Lettre
d'un ami des trois ordres à M. le comte de Clermont-Tonnerre,
député de la noblesse de Paris aux Etats-généraux...28 juin
1789. n.p., [1789]. 8pp.

5025. -------- [Dédicace au corps legislatif et au pouvoir exécu-
tif]. [pp. 1-4].
Bound under title: Sur les mesures anti-republicaines
proposées contre un grand nombre de Français. n.p.,
[1797]. 20pp. Pp. 5-20 entitled: Sur le projet de
bannir ou déporter la ci-devant noblesse, déja spoliée
et décimée.

5026. TRAMIER LA BOISSIERE. Déclaration des députés du Comté
Vénaissin, au sujet des assertions hasardées par M. Bouche
dans le sein de l'Assemblée nationale. [Paris?]: Imp. de
Guillaume junior, [1792?]. 8pp.
(Signed: Tramier, Olivier, Ducros, députés du Comté
Vénaissin.)

5027. TREIL DE PARDAILHAN, [Thomas-François]. T. F. Treil, député
de Paris, a ses collègues, le 9 juillet 1792... [Paris]:
Imp. Nat., [1792]. 4pp.

5028. -------- Discours...sur les récompenses militaires, du 31
mai 1792... [Paris]: Imp. Nat., [1792]. 6pp.

5029. -------- Question...: Le titre de membre d'une association
particulière est-il compatible avec celui de législateur?
[Paris]: Imp. Nat., [1792?]. 8pp.

5030. TREILHARD, [Jean-Baptiste]. Opinion...sur le rapport du
comité des finances, du 18 décembre 1789, au sujet de la
caisse d'escompte, et motion sur l'aliénation de quelques
portions de possessions, dites ecclésiastiques, & sur l'administration de toutes... Paris: Baudouin, [1789]. 11pp.

5031. -------- Opinion...sur le rapport du comité ecclésiastique
concernant l'organisation du clergé... (30 mai 1790). Paris:
Baudouin, 1790. 36pp.

5032. -------- Rapport...le...17 décembre 1789, sur les ordres

TREILHARD, [Jean-Baptiste], continued.

religieux... (Comité ecclésiastique) Paris: Baudouin,
1789. 11pp.

5033. -------- Rapport fait au nom du comité de salut public, sur
le nouveau traité conclu à Bâle le 28 floréal, entre la République française et le roi de Prusse. (Comité de salut
public, 6 prairial an 3.) Paris: Imp. de la Répub., [1795].
8pp.

5034. -------- Opinion...sur la question intentionnelle... (Conseil des cinq-cents, 4 vendémiaire an 5.) [Paris]: Imp.
Nat., [1796]. 20pp.

5035. -------- Second discours sur la question intentionnelle...
(Conseil des cinq-cents, 18 vendémiaire an 5.) Paris: Imp.
Nat., [1796]. 15pp.

-------- See also no. 6500.

5036. TRONCHET, [François-Denis]. Opinion...sur le jugement par
jury, prononcée le 29 avril 1790... Paris: Baudouin, 1790.
28pp.

5037. -------- Opinion...à la séance du 5 janvier 1791, sur la
question de savoir si la procédure devant le jury de jugement,
doit être écrite, ou non. Paris: Imp. Nat., 1791. 34pp.

5038. -------- Opinion...sur la théorie des lois relatives aux
testamens, prononcée le 5 avril 1791... Paris: Imp. Nat.,
[1791]. 23pp.

5039. -------- Projet de décret sur plusieurs questions relatives
au rachat des rentes seigneuriales, qui se sont élevées en
exécution du décret du 3 mai 1790... (Comité de féodalité)
[Paris]: Imp. Nat., [1790]. 11pp.

5040. -------- Rapport...sur les difficultés qui se sont élevées
pour l'exécution du décret des 8 & 9 octobre... [Paris:
Imp. Nat., 1789?]. 36pp.

5041. -------- Rapports faits au comité féodal...sur le mode & le
prix du rachat des droits féodaux & censuels, non supprimés
sans indemnité. Paris: Baudouin, 1789. 97pp.

5042. -------- Second rapport du comité féodal... (28 mars 1790.)
[Paris: Imp. Nat., 1790]. 88pp.

5043. -------- Rapport fait au nom du comité féodal...sur le rachat
des rentes foncières non seigneuriales... Paris: Imp. Nat.,
[1790?]. 56pp.

5044. -------- Rapport fait...au nom des commissaires qu'elle a
nommés pour recevoir les déclarations du roi & de la reine,
le 27 juin 1791. [Paris]: Imp. Nat., [1791]. 3pp.
    (Signed: Tronchet, Adrien Duport, Dandré.)

TRONCHET, [François-Denis], continued.

5045. -------- Rapport sur la question qui a été renvoyée, par le procès-verbal du 11 mars 1791, aux comites féodal, d'aliénation, d'agriculture & commerce... Paris: Imp. Nat., 1791. 12pp.

5046. -------- Rapport...sur le mode & le taux du rachat des droits ci-devant seigneuriaux, soit fixes, soit casuels, dont sont grevés les biens possédés à titre de bail emphytéotique, ou de rente foncière, non perpetuel... (Comité féodal, 15 septembre 1791.) Paris: Imp. Nat., 1791. 23pp.

5047. -------- Rapport fait au nom du comité féodal sur plusieurs questions importantes qui se sont élevées en exécution du décret du 3 mai 1790. Paris: Imp. Nat., 1791. 30pp.

-------- See also no. 3808.

5048. TRONCHON, [Nicholas-Charles]. Opinion...sur le remboursement de la dette exigible, du...15 mai 1792... Paris: Imp. Nat., 1792. 19pp.

5049. -------- Rapport...sur la fixation du maximum de la contribution foncière pour 1792... (Comité de l'ordinaire des finances, 9 février 1792.) Paris: Imp. Nat., 1792. 12pp.

5050. TRONSON DU COUDRAY, [Guillaume-Alexandre]. Instructions de Tronçon [sic] du Coudray, l'un des représentans du peuple déportés à la Guyanne française apres le 18 fructidor et mort a Sinnamary, chef-lieu de l'un des cantons, le 4 messidor an 6, rédigées pour ses enfans et ses concitoyens, en l'an 1798 du vieux style. Paris: Imp. de Sourds-muets, [1798?]. 23pp.

5051. -------- Opinion...sur la loi du 9 floréal et la résolution du 23 nivôse, concernant les pères et aieux d'émigrés... (Conseil des anciens, 6 pluviôse an 4.) Paris: Imp. Nat., [1796]. 18pp.

5052. -------- Rapport...au nom de la commission chargée d'examiner la résolution du 28 messidor, concernant les obligations contractées jusqu'à ce jour... (Conseil des anciens, 11 thermidor an 4.) Paris: Imp. Nat., [1796]. 24pp.

5053. -------- Rapport...au sujet de la résolution concernant les fugitifs de Toulon... (Conseil des anciens, 23 thermidor an 5.) Paris: Imp. Nat., [1797]. 44pp.

5054. TROUILLE, [Jean-Nicolas]. Opinion...sur l'usage des cloches dans l'exercice des cultes, & sur la question de savoir si on exigera des prêtres une déclaration particulière de soumission au gouvernement républicain... [Conseil des cinq-cents, 1796?]. Paris: Baudouin, [1796?]. 14pp.

5055. -------- Rapport...au nom d'une commission composée de Mariette, Bergoeing et Trouille, sur l'aliénation d'une forteresse située à Bordeaux, & connue sous le nom de Château-Trompette, et sur les projets proposés pour son remplacement... (Conseil

TROUILLE, [Jean-Nicolas], continued.

des cinq-cents, 28 ventôse an 5.) Paris: Imp. Nat., [1797]. 40pp.

5056. [TURBAT, du Mans]. Vie secrette et politique de Brissot. Paris: Franklin, an II, (1794?). 47pp.
(Barbier IV, 964^f.) This copy does not have the portrait mentioned by Barbier.

TURGOT, [Anne-Robert-Jacques, baron de l'Aulne]. See no. 1476.

5057. TUROT, Joseph. De l'opposition et de la liberté de la presse ... Paris: Mathey, an VII (1799?). 54pp.

5058. -------- Examen et réfutation du message du directoire sur la liberté de la presse... [Paris]: Imp. de la Gazette nationale de France, [1797?]. 11pp.
"Extrait du no. 407 de la Gazette nationale de France."

5059. TURREAU, Louis. Opinion...sur Capet... [Paris]: Imp. Nat., [1792?]. 4pp.

5060. USSON, [Louis-Mathieu-Armand, marquis d']. Précis d'un projet de caisse patriotique et militaire...prononcé à la séance du 16 février 1790... Paris: Imp. Nat., 1790. 7pp.

5061. VADIER, [Marc-Guillaume-Alexis]. Opinion...sur l'affaire de Pamiers. Paris: Imp. Nat., 1790. 24pp.

5062. -------- Opinion...concernant Louis XVI... [Paris]: Imp. Nat., [1792?]. 10pp.

5063. -------- Rapport et projet de décret...au nom des comités de sûreté générale et de salut public... (27 prairial an 2.) [Paris]: Imp. Nat., [1794]. 16pp.
On Catherine Théos and her followers.

5064. VALANT, abbé Joseph-Honoré. De la garantie sociale, considerée dans son opposition avec la peine de mort... Paris: Imp. Nat., an IV (1795). 95pp.

5065. VALAZE, [Charles-Eléonor Dufriche de]. Opinion...sur le jugement de Louis Capet... [Paris]: Imp. Nat., [1792?]. 10pp.

5066. -------- Rapport...au nom de la commission extraordinaire des vingt-quatre, le 6 novembre 1792...sur les crimes du ci-devant roi, dont les preuves ont été trouvées dans les papiers recueillis par le comité de surveillance de la commune de Paris... [Paris]: Imp. Nat., [1792]. 28pp.

-------- See also no. 5874.

5067. VALCROISSANT, [chevalier de]. A l'Assemblée nationale. (Versailles ce 12 août 1789.) n.p., [1789]. 6pp.

5068.   VALETE. (pseud.) Un Romain aux François. n.p., [1789?].
        7pp.

5069.   VALLIENNE. La Caserne, ou le Départ de la premiere réquisi-
        tion; bluette patriotique, en un acte, en prose, mêlée de
        vaudevilles... Représentée, pour la première fois, au théâtre
        du Palais-variétés, le vendredi 11 octobre 1793... [Paris]:
        la salle de Spectacle du théâtre du Palais-variétés, an II
        (1793). 29pp.
            Bizet was co-author.

5070.   VANDERMAESEN. Coup-d'oeil sur Paris; suivi de la nuit du
        deux au trois septembre. Paris: chez les Marchands de nou-
        veautes, an III (1794?). 32pp.

5071.   VANDERNOOT, H. C. N.. Manifeste du peuple brabançon. n.p.,
        [1789]. 40pp.
            (Signed: "H. C. N. Vandernoot, Q. Q. en Brabant, ce 24
            octobre 1789.")

5072.   VANDEUVRE, Le Forestier de. Discours de M. de Vandeuvre, maire
        de Caen; et démission de M. de Vauvilliers, administrateur de
        la municipalité de Paris. n.p., [1790?]. 8pp.
            Contents: Discours de M. de V...prononcé le 21 décem-
            bre 1790...sur la dénonciation de la lettre pastorale de
            M. l'évêque de Bayeux (pp. 3-6). Municipalité de Paris
            (pp. 7-8).

5073.   VANDEUVRE fils, P. P.. Au peuple sur les élections de l'an
        7. n.p., [1799?]. 15pp.

5074.   VARDON, [Louis-Alexandre-Jacques]. Vardon, au représentant
        Lomont. n.p., [1795?]. 6pp.
            See no. 3743.

5075.   -------- Opinion...prononcée à la tribune de la Convention
        le 17 janvier 1793... [Paris]: Imp. Nat., [1793]. 3pp.

5076.   VARENNE, de. Projet d'un monument a ériger pour le roi, et
        nosseigneurs de l'Assemblée nationale. n.p., [1790?]. 4pp.
            (Signed: de Varenne, huissier de l'Assemblée nation-
            ale.)

        VARICOURT, Rouph de. See no. 1094.

5077.   VARIN [DE LA BRUNELIERE, Pierre-Vincent]. Rapport...dans
        l'affaire de M. de Toulouse-Lautrec... (Comité des rapports,
        juillet 1790.) Paris: Imp. Nat., [1790]. 16pp.

5078.   VASSE. Discours prononcé par le Sr. Vasse, procureur du roi
        au bailliage de Rouen, a la rentrée de son siége. 1788.
        n.p., [1788]. 14pp.

5079.   VAUDREUIL, [Louis-Philippe, de Rigaud, marquis de]. Obser-
        vations et projet de décret sur les classes, par MM. le mar-
        quis de Vaudreuil...et le chevalier de la Coudraye... Paris:
        Imp. Nat., 1790. 15pp.

VAUDREUIL, [Louis-Philippe, de Rigaud, marquis de], continued.

5080.   -------- Rapport...sur les classes de la marine... (Comité
de la marine, avril 1790.) Paris: Imp. Nat., [1790]. 23pp.

5081.   VAUQUELIN, [René, marquis de Vrigny]. Protestation motivée
de M. de Vauquelin, né marquis de Vrigny, député de la noblesse du bailliage d'Alençon. [Paris?]: Imp. de Girouard,
[1790]. 35pp.

5082.   VAUVILLIERS, [Jean-François]. Opinion...sur le second projet
de résolution proposé par la commission des finances... (Conseil des cinq-cents, 9 messidor an 5.) [Paris]: Imp. Nat.,
[1797]. 10pp.

         -------- See also no. 1030.

5083.   VEAU, Athanase. Projet sur les fêtes décadaires... (Nivôse
an 3.) [Paris]: Imp. Nat., [1795?]. 6pp.

5084.   VELIN, abbé. Apologie de la cour pléniere, par M. l'abbé
Vélin, de l'Academie des inscriptions & belles-lettres...
n.p., [1788?]. 15pp.

5085.   VERDET, [Louis]. Opinion...sur la division du royaume, proposée par le comité de constitution... Paris: Baudouin,
[1789]. 8pp.

5086.   VERGES. Discours prononcé...dans la séance du 26 juin 1790...
Paris: Baudouin, [1790]. 4pp.

5087.   VERGNE, [Jean-Joseph]. Réclamation de M. Vergne, pour le rétablissement de ses fonctions. (10 septembre 1789.) n.p.,
[1789]. 11pp.

5088.   VERGNIAUD, [Pierre-Victurnien]. Vergniaud...a Barrere et a
Robert Lindet, membres du comité de salut public de la Convention nationale...(28 juin 1793.) Paris: Imp. de Robert,
[1793]. 6pp.

5089.   -------- Opinion...sur la situation actuelle de la France...
(3 juillet 1792.) Paris: Imp. Nat., [1792]. 24pp.

5090.   -------- Rapport...sur l'état des travaux de l'Assemblée-
nationale-constituante au 30 septembre 1791; suivi d'une notice de ces travaux, par M. Camus... Paris: Imp. Nat.,
1791. 33pp.

5091.   -------- Opinion...sur le jugement de Louis XVI... [31 déc.
1792.] [Paris]: Imp. Nat., [1793?]. 16pp.

5092.   -------- Réponse...aux calomnies de Robespierre,..prononcée
à la Convention nationale le 10 avril 1793... [Paris]: Imp.
d'Ant.-Jos. Gorsas, [1793]. 16pp.

         -------- See also no. 5994.

5093. VERGUET, [dom Claude-François]. Opinion...sur le traitement des ordres religieux, en cas de suppression. Paris: Imp. Nat., 1789. 8pp.

5094. VERIDIQUE [pseud.]. Lettre a Thuriot, au sujet de ses soixante et onze collègues detenus. Ce 6 brumaire [an 3?]. n.p., [1794?]. 8pp.

5095. VERITE, Louis. Gare le mord-au-dent. Liste et noms des meilleurs chevaux du manége. Leurs qualités, leur savoir faire, et le prix de leurs marchandises. [Paris?, 1797?]. 8pp.

5096. VERLAC, [Bertrand]. Second mémoire présenté a nosseigneurs de l'Assemblée nationale, pour le sieur Verlac, avocat & professeur d'Anglais...à Vannes... Paris: Imp. de Cailleau, 1790. 47pp.

5097. VERMON, [Alexis-Joseph]. Réclamation...sur le vote qui lui est attribué dans l'appel nominal, page 31, & qui n'est point celui qu'il a émis sur cette question: Quelle peine sera infligée à Louis?... [3 février 1793]. Paris: Imp. Nat., [1793]. 3pp.

5098. VERNEILH[-PUYRASEAU, Joseph, chevalier de]. Rapport...sur le mode de purger les hypothèques des biens acquis par le roi au nom de la nation... (Comité de legislation.) [Paris]: Imp. Nat., [1792?]. 7pp.

5099. VERNIER, [Théodore]. Nouveau plan de finances et d'impositions, formé d'après les décrets de l'Assemblée nationale... Paris: Imp. Nat., 1790. 46pp.

5100. -------- Rapport...sur la question de savoir si la nation doit remplir les engagemens pris par le roi, pour acquitter les dettes de M. le comte d'Artois... (Comité des finances, 20 sept. 1790.) Paris: Imp. Nat., [1790]. 20pp.

5101. -------- Supplément au rapport du comité des finances, du 20 septembre 1790... Paris: Imp. Nat., 1790. 17pp.

5102. -------- Rapport...sur l'organisation de la trésorie nationale, & sur les inventaires qui ont dû être faits en exécution des décrets des 10 & 18 mars, 27 & 29 avril 1791... (Comité des finances.) [Paris]: Imp. Nat., [1791]. 56pp.

5103. -------- Rapport à l'appui du projet de décret présenté par les comités réunis, pour prévenir (dans des temps de trouble seulement), l'abus de la liberté qu'a tout citoyen, d'aller, venir, & de s'absenter comme bon lui semble... (7 juillet 1791.) Paris: Imp. Nat., [1791]. 24pp.

5104. -------- Rapport et projet de décret, sur la manière de distribuer les secours à prendre sur les 18 millions de fonds communs mis en réserve, tant à la disposition du corps législatif, que des départemens, lesquels fonds sont principalement destinés aux décharges, réductions, remises, modérations, & dont l'excédent doit étre employé aux autres secours à fournir

VERNIER, [Théodore], continued.

aux communes, cantons, districts & départemens, dans les cas de grêles, gélees, incendies, inondations, maladies épizootiques & autres fléaux... Paris: Imp. Nat., [1791]. 16pp.

5105. -------- Opinion...sur le jugement du dernier roi des français... [Paris]: Imp. Nat., [1793?]. 6pp.

-------- See also no. 2720.

5106. VERNON, William Henry. Discours a l'Assemblée nationale... au nom des citoyens unis de l'Amérique. Séance du 10 juillet 1790... Paris: Baudouin, [1790]. 4pp.

VERNINAC DE SAINT MAUR, Raymond de. See no. 2720.

5107. VERRIER. Detail exact et circonstancié de l'explosion qui a eu lieu hier à huit heurs un quart du soir, dans la rue Nicaise au coin de celle de Malte,..deux minutes après que le premier consul Bonaparte venait de passer en voiture pour se rendre à l'opéra... [Paris]: Imp. de Cornu, [1800]. 4pp.

5108. VIALLA. La Nation aux gardes-françoises. Paris: Nyon le jeune, 1789. 24pp.

5109. VIDAILLET. Confession de tous ceux qui ont cherché à trahir la nation françoise. Seconde édition. [Paris]: Imp. de Cailleau, [1789]. 8pp.
(Signed: Vidaillet, Hôtel Notre-Dame, rue du Champ-Fleury Saint-Honoré.)

5110. VIELLARD, [Pierre-Jacques]. Rapport...sur la liquidation des offices de la chambre des comptes de Paris... (Comité de judicature.) [Paris]: Imp. Nat., [1791]. 16pp.

5111. VIELLART, [René-Louis-Marie, chevalier]. Idée d'une motion importante, pour compléter l'arrêté du 5 août... Versailles: Baudouin, [1789]. 3pp.

5112. VIENNET, Jacques-Joseph. Opinion...sur le jugement de Louis XVI... [Paris]: Imp. Nat., [1793?]. 6pp.

5113. [VIENOT DE] VAUBLANC, [Vincent-Marie]. Discours au nom de la députation du département de Seine & Marne. Paris: Baudouin, [1790]. 4pp.

5114. -------- Discours...sur la responsabilité des ministres... (22 février 1792.) Paris: Imp. Nat., 1792. 26pp.

5115. -------- Discours...sur l'amnistie demandée pour les crimes commis à Avignon. (19 mars 1792.) Paris: Imp. Nat., 1792. 15pp.

5116. -------- Message de l'Assemblée nationale au roi, le 29 novembre 1791. M. Vienot-Vaublanc, portant la parole, au nom de la députation de vingt-quatre membres... [Paris]: Imp.

[VIENOT DE] VAUBLANC, [Vincent Marie], continued.

Nat., [1791. 3pp.

5117. -------- Rapport sur les honneurs et recompenses militaires...
(Comité d'instruction publique, 28 janvier 1792.) Paris:
Imp. Nat., [1792]. 16pp.

5118. -------- Au Corps législatif. n.p., [1795]. 7pp.

5119. -------- Discours...sur les réunions politiques... (Conseil des cinq-cents, 3 thermidor, an 5.) Paris: Imp. Nat.,
[1797]. 14pp.

5120. VIGNERAS. Discours sur l'amour de la patrie, prononcé dans
la chapelle du Louvre, ce 25 août 1790, jour de la fête de S.
Louis... Paris: J.B.N. Crapart, 1790. 46pp.

5121. VILATE, [Joachim]. Causes secrètes de la révolution du 9 au
10 thermidor... Paris, an III (1794). 70pp.

5122. VILLANTROYS, P. L. De l'instruction théorique nécessaire à
établir dans les écoles d'artillerie... [Paris]: Imp. de
Gueffier, [1797]. 16pp.
    (By P. L. Villantroys, "chef de bataillon, membre du
    comité central d'artillerie." Dated: Paris, 20 germi-
    nal, an V.)

5123. -------- Deux mots en réponse aux volumineuses observations
du Cit. Grobert sur les voitures à deux roues, etc.,...
[Bruxelles?]: Imp. d'Emmanuel Flon, [1797?]. 20pp.

5124. VILLAR, [abbé, Noël-Gabriel-Luce.]. Rapport et projet de décret...sur les encouragemens destinés aux savans, gens de
lettres et artistes... (Comité d'instruction publique, 18
fructidor an 3.) Paris: Imp. Nat., [1795]. 10pp.

5125. -------- Rapport et projet de décret...sur l'organisation
de la Bibliothèque nationale... (Comité d'instruction publique, 6 vendémiaire an 4.) [Paris]: Imp. Nat., [1795].
10pp.

5126. VILLEBANOIS. Dire de M. Villebanois, curé de Saint-Jean-le-
Vieil, de la ville de Bourges, député du clergé du Berry à
l'Assemblée nationale, sur la motion faite le 13 février 1790,
par M. l'évêque de Nancy. [Paris]: Imp. de Grangé, [1790].
8pp.

5127. VILLECROSE. Déclaration de M. Villecrose, avocat, citoyen de
la ville de Marseille, du 30 juillet 1789. n.p., [1789].
10pp.

5128. VILLEMONEY. Précis analytique sur la féodalité. Considérée
dans ses rapports avec la régénération nationale en France.
Beauvais: Imp. de la veuve Desjardins, 1790. 48pp.

5129. VILLEMOTTE, [chevalier de]. Mémoire a l'Assemblée nationale,

VILLEMOTTE, [chevalier de], continued.

pour le sieur Villemotte, écuyer du manège du roi. [Paris]:
Imp. Nat., [1791]. 7pp.

5130. -------- Le sieur de Villemotte se proposoit de présenter à
l'Assemblée nationale, dans le nouveau mémoire qu'il a l'honneur de lui adresser... n.p., [1791]. 1p.
Advertisement for V.'s "Mémoire."

5131. [VILLENAVE, Mathieu-Guillaume-Thérèse]. La Jacobiniade, frag-
ment d'un poeme héroï-comique sur l'Horrible catastrophe des
Jacobins. [Paris?, 1795?]. 8pp.
(Barbier, II, 975^a-976^b.)

5132. -------- Des jurés et de la conviction intime, ou Coup d'oeil
sur cette question: Les Indices peuvent-ils suppléer le dé-
faut de preuves, et motiver une condamnation à des peines in-
famantes ou afflictives? Nantes: Imp. d'A.-J. Malassis, an
IV. 34pp.

5133. -------- Relation du voyage des cent trente-deux Nantais,
envoyés à Paris par le comité revolutionnaire de Nantes.
(30 thermidor an 2) [Paris, 1794]. 45pp.
(See Tourneaux I, 4356 bis.)

5134. VILLENEUVE-BARGEMONT, [Barthélemy-Joseph, comte de, abbé].
Opinion...sur la nécessité de fixer à un terme très-court les
fonctions des troupes nationales & des membres des comités
des recherches. n.p., [1790]. 32pp.

5135. [VILLETARD, abbé]. Motifs de consolation au clergé au Réflexions proposées par un patriote françois, sur le décret de
l'Assemblée nationale, du 2 novembre 1789, concernant les
biens du clergé... Paris: Leclere, 1790. 34pp.
(Barbier, III, 366^f.)

5136. VILLETARD, [Alexandre-Edme-Pierre]. Opinion sur le gouvernement provisoire de la république... (Floréal an 3.) [Paris]:
Imp. Nat., [1795]. 6pp.

5137. VILLETE, [Charles, marquis de?]. Mes cahiers. Par le marquis de Villette. Senlis, (mars) 1789. 19pp.

5138. VINCENS-PLANCHUT, [Jean-César]. Rapport...au nom du comité
des domaines... (3 décembre 1791.) Paris: Imp. Nat., [1791].
4pp.

5139. -------- Rapport...le 27 décembre 1791, au nom du comité des
domaines... Paris: Imp. Nat., 1791. 8pp.

5140. -------- Rapport sur le traitement des membres des congrégations séculières supprimées... [Paris]: Imp. Nat., [1792].
48pp.

5141. -------- Rapport sur les ordres royaux, hospitaliers et militaires de Notre-Dame du Mont-Carmel et Saint-Lazare de

VINCENS-PLANCHUT, [Jean-César], continued.

Jéruslaem...(19 janvier 1792.) [Paris]: Imp. Nat., [1792]. 15pp.

5142. VIQUY, [Jean-Nicolas]. Opinion [sur Louis XVI]...prononcée 16 janvier 1793... [Paris]: Imp. Nat., [1793]. 2pp.

5143. VIRIEU, [François-Henri, comte de]. Discours prononcé, le 27 avril...pour annoncer sa démission de la place de président. Paris: Imp. Nat., [1790]. 2pp.

5144. -------- Opinion...dans la séance du...13 juillet, sur la proposition de demander au roi le rappel des ministres disgraciés. Paris: Baudouin, 1789. 8pp.

5145. -------- Rapport sur l'organisation des monnoies de France... (Comité des monnoies, 17 mai 1791.) n.p., [1791]. 15pp.

5146. VOIDEL, Jean-Georges-Charles. Décret de l'Assemblée nationale, concernant le serment à prêter par les évêques, curés & autres ecclésiastiques fonctionnaires publics; précédé du rapport...sur la lique d'une partie du clergé, contre l'état & contre la religion... (Comité ecclésiastique, des rapports, de l'aliénation & des recherches, 26 novembre 1790.) Paris: Baudouin, [1790]. 28pp.

5147. -------- Décret sur la conspiration de Lyon, précédé du rapport...au nom de son comité de recherches... (18 décembre 1790.) Paris: Imp. Nat., 1790. 22pp.

5148. -------- Décret...sur une fabrication de faux assignats, précédé du rapport fait au nom du comité des recherches, à la séance du 3 mai 1791... Paris: Imp. Nat., 1791. 7pp.

5149. -------- Rapport de l'affaire de M. de Bussy... (Comité des recherches, 8 janvier 1791.) Paris: Imp. Nat., 1791. 19pp.

5150. -------- Rapport...de l'affaire de M. l'abbé Perrotin, dit de Barmont, & de M. Eggs... (Comité des recherches) Paris: Baudouin, [1790?]. 23pp.

5151. -------- Rapport...sur l'accusation de prévarication portée au nom de la commune de Haguenau, contre Claude-Ambroise Regnier, membre du comité des rapports, dans ses rapports sur les affairs de cette commune, faits à l'Assemblée, les 30 octobre et 2 décembre dernier... (Comité des recherches, 5 février 1791.) Paris: Baudouin, [1791]. 15pp.

-------- See also no. 2755.

5152. [VOLNEY, Constantin-François Chasseboeuf, comte de]. Lettre des bourgeois aux gens de la campagne, fermiers, métayers, et vassaux de certains seigneurs qui trompent le peuple. n.p., 1789. 24pp.
     (Barbier, II, 1191[a].)

[VOLNEY, Constantin-François Chasseboeuf, comte de], continued.

5153. -------- Motion de M. de Volney...séance du 18 septembre
1789. Versailles: Baudouin, [1789]. 4pp.

5154. [VOLTAIRE, François-Marie Arouet]. Au roi en son conseil
pour les sujets du roi qui réclament la liberté de la France.
Contre les moines Bénédictins devenus chanoines de Saint
Claude en Franche-Comté. n.p., [1770?]. 22pp.
    (Barbier, I, 314c.)

5155. VOULLAND, [Jean-Henri]. Lettre...a MM. les députés a l'Assemblée nationale. Paris: Imp. Nat., 1790. 14pp.
    (Dated: 30 octobre; pièces justificatives by M.-A.
Ribot and Surville.)

5156. VOYSIN DE GARTEMPE, [Jean-Baptiste, baron]. Rapport et
projet de décret sur l'interprétation de l'article VI de la
loi du 11 novembre 1790, sur l'organisation judiciaire, relativement a l'incompatibilité des fonctions judiciaires avec le
ministère ecclésiastique; fait le 12 juin 1792... (Comité de
législation.) [Paris]: Imp. Nat., [1792]. 8pp.

5157. VREGEON, P. D. A nosseigneurs les Etats generaux. [Journal
du bibliothécaire du roi, & de l'Académie de Rouen, servant de
mémoire a consulter pour Me. P. D. Vregeon...]. n.p., [1788].
80pp.

5158. VUILLIER. Opinion et projet de décret sur l'émission des cent
millions d'assignats de cinq livres décrétée le premier novembre 1791, pour être échangés dans les départemens... Paris:
Imp. Nat., 1791. 14pp.

5159. -------- Opinion et projet de décret, sur la question de savoir à compter de quel jour les lois sont obligatoires pour
les ministres... Paris: Imp. Nat., [1792]. 3pp.

5160. WANDELAINCOURT, Antoine-Hubert. Opinion...sur le jugement de
Louis Capet... [Paris]: Imp. Nat., [1793?]. 2pp.

5161. WILLAUME. Dénonciation au public sur son plus grand intérêt.
n.p., [1790]. 4pp.
    (Signed: "Willaume [sic], chirurgien de monseigneur
comte & madame comtesse d'Artois... A Paris, le 16 mai
1790.")

5162. WIMPFFEN, [Félix-Louis, baron de]. Discours...prononcé dans
la séance de...15 décembre 1789... Paris: Imp. Nat., [1789].
11pp.
    On the organization of the army.

5163. -------- Discours sur les pensions militaires prononcé...
31 décembre 1789. Paris: Imp. Nat., [1789?]. 7pp.

5164. -------- Rapport sur le remboursement des charges, offices
& emplois militaires... (Février 1791.) Paris: Imp. Nat.,
1791. 50pp.

5165. WISNICK, [Toussaint-Léon, baron de]. T. L. Wisnick, juge de paix de la section de la Maison commune, a ses concitoyens. Paris: Imp. de Millet, [1794?]. 8pp.

5166. WORMS, Olry-Hayem. Résumé pour le sieur Worms. [Paris]: Imp. de Demonville, 1792. 4pp.

5167. WORMESELLE, de. Ce que je pense et ce que j'ai dit. n.p., [1788?]. 12pp.

5168. -------- Sentimens d'un patriote. n.p., [1788?]. 8pp.

5169. XIMENEZ, Augustin. Codicille d'un vieillard, ou poësies nou-velles d'Augustin Ximénez. Paris: Imp. de L. Potier de Lille, 1792. 74pp.

5170. YSABEAU, [Claude-Alexandre]. Discours prononcés au Temple décadaire de Rouen, le 20 prairial, an sept, en mémoire des ministres de paix, assassinés à Rastadt, par les ordres du gouvernement autrichien. Rouen: Imp. de P. Seyer et Behourt, [1799]. 32pp.

5171. -------- Rapport fait au nom des comités de salut public et de sureté générale, dans la séance du 3e jour complémentaire de l'an 3... Chartres: Fr. Labalte et Durand, [1795]. 21pp.

5172. ZANGIACOMI, [Joseph]. Rapport et projet de résolution pré-sentés au nom d'une commission spéciale, & de celles des fi-nances & des dépenses, réunis...sur les indemnités à accorder aux citoyens qui ont essuyé les dévastations de la guerre... (Conseil des cinq-cents, 3 germinal an 5.) Paris: Imp. Nat., [1797]. 10pp.

OFFICIAL AND CORPORATE PUBLICATIONS

This section contains pamphlets issued by the authority of various bodies, official and non-official. Although individual authorship cannot be established, these publications can all clearly be identified with some office of the central or local governments or with some group or association. They cannot, therefore, be properly included in either Section I or II. Arrangement is alphabetical by the name of the issuing body, except in the case of FRANCE, where the very large number of publications suggested the more convenient arrangement outlined below.

Under FRANCE this order has been followed:

Crown. Louis XVI (1774-1792).
Conseil d'Etat.
Assemblée des Notables 1787.
Assemblée des Notables 1788.
Etats Généraux.
Assemblée Nationale Constituante.
      Reports of Meetings.
      Déclaration des Droits et Constitution.
      Addresses Ordered to be Printed.
      Miscellaneous Décrets and Projets de Décrets (in chronological
          order).
      Instructions.
      Regular Committees (in alphabetical order).
      Special Committees.
      Deputies.
      Miscellaneous Pieces.
Assemblée Nationale Législative (arrangement similar to Assemblée
      Nationale Constituante).
Convention Nationale (arrangement similar to Assemblée Nationale Con-
      stituante).
Tribunal Revolutionnaire.
Directoire Executif.
Conseil des Anciens.
Conseil des Cinq-Cents.
Consulat.
Parlements (in alphabetical order).
Conseils Souverains (in alphabetical order).
Chambre des Comptes (Paris).
Cour des Aides (Paris).
Armée.
Clergé.
Miscellaneous Bodies.

5173. ACQS (DIOCESE). CURES. Observations succinctes des curés du
      diocèse d'Acqs, sur la brochure imprimée, intitulée: Projet
      de restauration des états de Guienne. n.p., [1788?]. 13pp.

5174. AGEN (SENECHAUSSEE). ELECTEURS. Lettre des électeurs de la
      sénéchaussée d'Agen, A MM. leurs députés aux Etats-généraux,

en réponse à une précédente envoyée à leurs commettans. (1
juillet 1789) Paris: Baudouin, 1789. 4pp.
14 printed signatures. Instructs deputies to join with
others in a National Assembly to draw up a Constitution,
if the efforts at conciliation among the orders fails.

5175. AIX. BUREAU DES FINANCES. Arrêté du bureau des finances
d'Aix. (15 mai 1788). n.p., [1788]. 3pp.

5176. AIX. COUR DES COMPTES, AIDES, ET FINANCES. Lettre au roi.
Par la cour des comptes, aides & finances, d'Aix en Provence.
Délibérée par arrêté du 21 juillet. n.p., chez Gibelin-
David & Emeric-David, 1789. 3pp.
Request for amnesty for residents of Aix and all Pro-
vence imprisoned for rioting.

5177. AIX (SENECHAUSSEE). Arrêté...au sujet de la protestation
des officiers du parlement. (9 juin 1788.) n.p., [1788].
4pp.

-------- See also no. 6045.

5178. AIX (VILLE). CITOYENS. Délibérations du conseil extraordinaire de tous citoyens de la ville d'Aix. Extrait des registres des déliberations du conseil municipal de la ville & communauté d'Aix. Du 25 juillet 1789. n.p., 1789. 8pp.
Against counter-revolution.

5179. AIX (VILLE). CLERGE. Lettre du clergé séculier & régulier
de la ville d'Aix, à Monseigneur l'archevêque d'Aix, député
à l'Assemblée nationale. (Aix, le 21 avril 1790). Aix:
Pierre-Joseph Calmen, 1790. 4pp.
Approval of the opposition of the archbishop (Boisgelin
de Cucé) to the religious reforms of the National Assembly.

5180. AIX (VILLE). CONSEIL MUNICIPAL. Extrait des registres de
délibérations du conseil municipal de la ville & communauté
d'Aix. Le 25 juillet 1789. n.p., [1789]. 8pp.
Expressions of loyalty and call for unity against agents
of disorder.

5181. -------- Délibération du conseil municipal de la ville
d'Aix, capitale de la Provence; sur la composition de l'Assemblée des Etats-généraux du royaume, le nombre & l'election
des députés qui doivent y représenter la Provence, du 14 novembre 1788. Aix: chez Mouret, 1788. 8pp.
(Garrett, 241.)

5182. AIX (VILLE). NOBLESSE. Protestation des nobles non possé-
dans-fiefs. Aix: Pierre-Joseph Calmen, 1789. 6pp.
Protesting actions of the Gentilshommes Possédans-
Fiefs, especially in choice of deputies to Etats-généraux.

5183. -------- Protestation et déclaration des nobles non possé-
dans-fiefs de la ville d'Aix. Aix: Pierre-Joseph Calmen,
1789. 8pp.
> Protests that their absence makes null any action of the
> Assemblée général de la Noblesse of the province.

5184. ALAIS [ALES]. DISTRICT. GARDE NATIONALE. Délibération des
députés des garde nationales du district d'Alais, du 5 avril
1790. n.p., [1790]. 14pp.
> On re-organization of National Guard.

5185. ALAUCH (COMMUNE). CONSEIL-GENERAL. Delibération de la commune d'Alauch, du premier mars 1790. Marseille: Jean Mossy,
1790, 7pp.

5186. ALENCON (BAILLIAGE). NOBLESSE. Extrait de la delibération de
l'ordre de la noblesse du bailliage d'Alençon. Du 3 août
1789. n.p., [1789]. 3pp.
> Reaffirming grant of full power, without limitations,
> to deputies of NOBLESSE of this BAILLIAGE "to labor for
> the general welfare."

5187. ALENCON (VILLE). OFFICIERS MUNICIPAUX. Adresse de remerciment, présentée au roi... Alençon: Imp. de veuve Malassis
l'aîné, 1789. 13pp.

5188. ALSACE (PROVINCE). DEPUTES. Lettre de plusieurs députés
d'Alsace à leurs commettans, en réponse à une lettre intitulée de même, & signée par M. l'abbe d'Eymar & par six autres
députés de la province. [Paris]: Imp. de Moutard, [1790].
15pp.
> Criticism of the abbé d'Eymar who had asked that the
> maisons religieuses in Alsace be preserved.

5189. AMIENS (VILLE). CITOYENS. Adresse d'un très-grand nombre de
citoyens actifs de la ville d'Amiens...a l'Assemblée nationale, du 26 juin 1792, au sujet d'une adresse au roi, et d'un
arrêté du directoire de ce département, en date du 22 du même
mois. [Paris]: Imp. du Cercle social, [1792]. 8pp.

5190. ANGOUMOIS (SENECHAUSSEE). Arrêté de la sénéchaussée & siege
présidial d'Angoumois, du 21 mai 1788. n.p., [1788]. 12pp.

5191. ANSOUIS (COMMUNAUTE). CONSEIL GENERAL. Délibération du conseil général de la communauté du lieu d'Ansouis en Provence.
Sur la formation des Etats généraux & provinciaux, du 4 janvier 1789. n.p., [1789]. 7pp.
> For union of three orders in Estates General.

5192. ARLES (DISTRICT). DIRECTOIRE. Arrêté de l'administration du
directoire de district d'Arles, qui, en exécution des lois des
20 floréal et 4 messidor an troisième, dénonce aux tribunaux
les assassinats, vols, dilapidations, concussions, commis dans
la commune d'Arles, sous la tyrannie. Arles: Imp. nat., de
G. Mesnier, fils, an IV (1795). 35pp.

5193. ARLES (VILLE). CITOYENS. Adresse des citoyens d'Arles, a
l'Assemblée nationale [28 septembre 1791]. n.p., [1791].
34pp.

5194. -------- Les Républicains d'Arles, aux administrateurs du
département des Bouches-du-Rhône. (Aix, le 28 prairial, an
5). n.p., [1797]. 8pp.
Protest that administrative and judicial positions are
still filled by enemies of the Revolution.

5195. ARLES (VILLE). RECTEURS D'UNE OEUVRE DE CHARITE. Adresse a
l'Assemblée nationale. n.p., [1791]. 16pp.
Address, dated Arles, 14 janvier 1791, from "les recteurs d'une Oeuvre de charité" to the Directors of the
District and the Department des B. du Rhône; four printed
signatures.

5196. ARLES (VILLE). SOCIETE POPULAIRE. Les Patriotes monaidiers
d'Arles, à la Convention nationale. (23 thermidor, an 2.)
Adhésion de la société populaire d'Arles. Extrait des registres de la société populaire d'Arles. (30 thermidor an 2.)
n.p., [1794]. 4pp.
Approval for fall of Robespierre and his associates.
First item has note "suivent cinq cents signatures,"
but none here printed. Second item signed: Chabrier,
président, and Martin, sécretaire.

5197. ARPAJON (VILLE). GARDE NATIONALE. Discours prononcé par la
députation du bataillon de la garde nationale de la ville
d'Arpajon, departement de Seine & Oise, district de Corbeil,
le mardi 10 avril 1792, l'an quatrième de la liberté. Paris:
Imp. Nat., [1792]. 2pp.
(Name of spokesman not given in Procès-verbal nor in
Moniteur.)

5198. ARRAS. COMMUNE & GARDE NATIONALE. Adresse...à l'Assemblée
nationale. Paris: Baudouin, 1790. 8pp.

5199. ARTOIS (PROVINCE). DEPUTES. Memoire présenté par les députés d'Artois, a M. le comte de Brienne, secretaire d'état,
ayant l'Artois dans son département, pour être mis sous les
yeux du Roi. n.p., 1788. 22pp.
Against the judicial reforms contained in the edicts of
8-9 May. Six printed signatures.

5200. AUBE (DEPARTEMENT). Adresse du département de l'Aube a l'Assemblée nationale, dans la seance du 28 juin 1790; réponse de
M. le président [Le Peletier]. [Paris]: Imp. Nat., [1790].
3pp.
Proces-verbal no. 333.

5201. [AUSTRIA, ETC.]. COUR DE VIENNE. Contre déclaration de la
cour de Vienne au sujet de l'aggression de la France. [Paris]:
J. J. Rainville, [1792]. 8pp.

5202. AUTUN (BAILLIAGE). CONSEIL. Arrêté du bailliage d'Autun.
(2 juin 1788) n.p., [1788]. 3pp.

434

5203. AUTUN (DIOCESE). Déclàration de l'église cathédrale d'Autun. Autun: Imp. de Deyussieu, 1790. 8pp.
    Refusal to conform to reform decrees which "concerne
    la suppression des Eglises Cathédrales."

5204. AUXONNE (BAILLIAGE). CONSEIL. Arrêté du bailliage d'Auxonne
[6 juin 1788]. n.p., [1788]. 3pp.

5205. AUXONNE (VILLE). ADMINISTRATION MUNICIPALE. Mémoire adressé
au corps législatif par l'administration municipale d'Auxonne,
sur la nécessité de conserver l'arsenal de construction et
l'école d'artillerie, établis dans cette commune par l'ancien
gouvernement, et recréés par les loix des 18 floréal an 3 et
30 vendémiaire an 4. Dijon: L. N. Frantin, an 7 (1799).
32pp.

AVEIRON. DEPARTEMENT. See no. 3973.

5206. AVIGNON (VILLE). ADMINISTRATEURS PROVISOIRES. Relation des
événemens arrivés a Avignon le 16 octobre 1791, & jour suivans,
publiée par les notables, administrateurs provisoires de la
commune de cette ville. [Avignon? 1791]. 24pp.

5207. AVIGNON (VILLE). OFFICIERS MUNICIPAUX. Lettre des officiers
municipaux de la ville d'Avignon, au roi, avec la lettre de M.
de Lessart, ministre de l'intérieur, à un des membres des
comités diplomatique & d'Avignon. (16 & 24 mai 1791). n.p.,
[1791]. 3pp.
    Signed by seven officials, asking for union with France.
    Lessart's letter is merely one transmitting communication
    to National Assembly.

5208. BARJOLS (VILLE). CONSEIL GENERAL. Délibération de la ville
de Barjols, chef de viguerie. Aix: Imp. de Gibelin-David &
Emeric-David, 1789. 15pp.
    On convocation of Estates General.

5209. BAR-SUR-SEINE. CONSEILLERS DU ROI HONORAIRES. Extrait des
feuilles & minutes du greffe de MM. les conseillers du roi
honoraires en titre en la ville, bailliage & comté de Bar-
sur-Seine, exerçant la justice sur le fait des aides, tailles
& autres impositions & droits royaux en ladite ville, bailliage & comté. Du 28 juin 1788. [Bar-sur-Seine?]: Imp. de
la veuve Gobelet, [1788]. 8pp.

5210. BASLE (EVECHE). DEPUTES. Copie de la proclamation des députés des états-libres du ci-devant évêché de Bâle, réunis en
assemblée constituante au château de Porentruy, le 27 novembre
1792. Précédée de la lettre du ministre de affaires étrangères,
a la Convention nationale. Paris: Imp. Nat., 1792. 8pp.
    Letter of Lebrun.

5211. BAS-RHIN (DEPARTEMENT). ADMINISTRATION CENTRALE. Délibération du 22 brumaire an 5e. n.p., [1796]. 14pp.
    Resolution seeking to stop spread of murrain among
    cattle.

435

5212. BAYEAUX (COMMUNE). CONSEIL GENERAL. Aux citoyens membres du directoire executif. Les Citoyens composant le conseil général de la commune de Bayeux. [Paris]: Du Pont, [1796]. 4pp.
  Plea that extraordinary measures not be taken in policing Bayeaux.

5213. BAYEAUX (DIOCESE). DOYENNE DE MALTOT. Déclaration des curés, vicaires & prêtres du doyenné de Maltot, diocèse de Bayeux, au sujet du serment exigé par le décret du 27 novembre 1790. n.p., 1791. 7pp.
  Rejecting the oath.

5214. -------- Réponse de MM. les curés, vicaires, & prêtres du doyenné de Maltot, à la lettre qui leur a été adressée par MM. du directoire du département du Calvados, au sujet du serments. (15 mars 1791). n.p., [1791]. 8pp.
  Re-affirms refusal to take the stipulated oath; many signatures.

5215. BAZOCHE (VILLE). CITOYENS. Adresse de la Bazoche a l'Assemblée nationale, dans la seance du 26 juin 1790. [Paris]: Imp. Nat., [1790]. 4pp.

5216. BEARN (PROVINCE). NOBLESSE. Arrêté de la noblesse de Béarn, du 19 juin 1788. Pau: Imp. de P. Daumon, [1788]. 8pp.

5217. BEAUCAIRE (VILLE). CITOYENS. Procès-verbal des négociants & autres notables citoyens de toutes les provinces du royaume, rassemblés à Beaucaire, du 20 juillet 1789. n.p., [1789]. 8pp.

5218. BEAUNE (BAILLIAGE). CONSEIL. Arrêté du bailliage de Beaune (14 juin 1788). n.p., [1788]. 3pp.

5219. BELLEY (BAILLIAGE). CONSEIL. Extrait des registres de greffe du bailliage de Belley. Du 3 juin 1788. n.p., [1788]. 2pp.

5220. BERG-ZABERN (GRAND-BAILLIAGE). Adresse du grand-bailliage de Berg-Zabern a la Convention nationale, lue à la séance du 19 novembre 1792... Mèzieres: Imp. du département, 1792. 3pp.

5221. BLOIS (VILLE). CITOYENS CATHOLIQUES. Très-humble et très-respectueuse adresse des catholiques de Blois, à l'Assemblée nationale. (premier avril 1791.) n.p., [1791]. 8pp.

5222. BORDEAUX. BUREAU DES FINANCES. Supplications du bureau des finances de Bordeaux, au roi, du 23 janvier 1788. n.p., [1788]. 6pp.

5223. BORDEAUX. CAISSE PATRIOTIQUE. Adresse des citoyens de Bordeaux, actionnaires de la caisse patriotique, a l'Assemblée nationale [18 mai 1790]. Paris: Imp. Nat., 1790. 5pp.

5224. BORDEAUX. CHAMBRE DU COMMERCE. Adresse a l'Assemblée nationale [6 septembre 1790]... Paris: Imp. Nat., [1790]. 8pp.

5225. BORDEAUX. CITOYENS. Adresse...a l'Assemblée nationale, lue à la séance du premier juin 1792... [Paris]: Imp. Nat., [1792]. 4pp.

5226. BORDEAUX. COLLEGE DE MEDECINE. Rapport des commissaires, nommés par le college de médecine de Bordeaux, pour faire l'examen du projet de restauration des états de Guienne. (9 décembre 1788) n.p., [1788]. 17pp.
    Signed: Boniol, Lamethe, Despalets, Comet, Desez.

5227. BORDEAUX. COUR DES AIDES & FINANCES. Remontrances de la cour des aides et finances de Guienne, au roi, du 22 décembre 1787. n.p., [1787]. 11pp.

5228. -------- Très-humbles et très-respectueuses représentations, qu'adressent au roi, notre très-honoré souverain & seigneur, les gens tenant sa cour des aides & finances de Guienne, du 30 janvier 1788. n.p., [1788]. 16pp.

5229. BORDEAUX. HOTEL COMMUN. Extrait des registres...Du jeudi 24 janvier 1788. n.p., [1788]. 4pp.

5230. BORDEAUX. OFFICIERS MUNICIPAUX. Arrêté de MM. les maire et officiers municipaux de la ville de Bordeaux, relatif aux troubles de Montauban, du 15 mai 1790. n.p., [1790]. 16pp.

5231. BORDEAUX. TIERS-ETAT. Supplique de tiers-état de la ville de Bordeaux, au roi, sur sa représentation aux Etats généraux. n.p., [1789?]. 15pp.
    Supplication that TIERS "be represented by subjects chosen by itself and in its order, and that the number of its representatives be proportionate to the number of those whom they are to represent."

5232. BORDEAUX. UNIVERSITE. Observations de l'université de Bordeaux, sur le plan de restauration des états provinciaux de Guienne. n.p., [1787?]. 24pp.
    Signed by five "commissaires" of the university.

5233. BOUCHES-DU-RHONE (DEPT.). Adresse du département des Bouches-du-Rhone a la Convention nationale... (27 décembre 1792) [Paris]: Imp. Nat., [1792]. 2pp.

5234. BOUCHES-DU-RHONE. DIRECTOIRE. Arreté du directoire du département des Bouches-du-Rhone, sur la liberté des opinions même religieuses & la réimpression du rapport du ci-devant evêque d'Autun, & de l'opinion de M. Sieyes, ci-devant chanoine & vicaire-général de Chartres. Du 30 mai 1791,. Aix: Imp. de Gibelin-David & Emeric-David, 1791. 40pp.
    Contains also a report of the Comité de constitution of the Assemblée nationale (7 May 1791) and opinion of Siéyes (7 May 1791) on this matter.

5235. -------- Lettre des administrateurs composant le directoire du département des Bouches-du-Rhône, pour l'envoi de nouvelles troupes de ligne dans le département, au ministre de la guerre. (Aix, le 4 janvier 1792) Paris: Surveillant, [1792]. 4pp.

-------- See also no. 3034.

5236. BOULAY (BAILLIAGE). CONSEIL. Second arrêté, extrait des
registres des délibérations du bailliage royal de Boulay.
Du 18 mai 1788. n.p., [1788]. 4pp.

5237. BOURBON-LANCY (BAILLIAGE). CONSEIL. Arrêté du bailliage de
Bourbon-Lancy, du lundi 2 juin 1788. n.p., [1788]. 3pp.

5238. BOURGES (BAILLIAGE). CONSEIL. Arrêté du bailliage de Bourges,
du mai 1788,.. n.p., [1788]. 2pp.

5239. BREST (VILLE ET SENECHAUSSEE). CONSEIL GENERAL. Extrait du
registre des délibérations...séance du 20 octobre 1789.
Brest: R. Malassis, 1789. 16pp.
    Decrees on variety of matters affecting locality.

5240. BREST. SOCIETE DES AMIS DE LA CONSTITUTION. Adresse...aux
citoyens, composant les equipages de l'armée navale, imprimée
par ordre de l'Assemblée nationale, séance du 23 octobre 1790.
Paris: Baudouin, [1790]. 15pp.

5241. -------- Extrait du procès-verbal de la séance...du 22 octobre 1790. Paris: Imp. Nat., [1790]. 4pp.

5242. BRIEY (BAILLIAGE). CONSEIL. Arrêté du bailliage royal de
Briey. Du lundi 19 mai 1788. n.p., [1788]. 3pp.

5243. BRITTANY (PROVINCE). Précis historique de ce qui s'est pasée
à Rennes, depuis l'arrivée de M. le cte. de Thiard, commandant
en Bretagne. Rennes, 1788. 128pp.
    Collection of documents (5 May to 22 May, 1788).

5244. -------- (Suite du) Précis historique des évènemens [sic]
de Bretagne, dédié à M. Bertrand, intendant de cette province.
Seconde partie. Rennes, 1788. 200pp.
    Continuation of no. 5243 (10 May - 6 June, 1788).

5245. -------- Précis historique des évènemens de Bretagne. Troisieme parte. Rennes, 1788.
    Continuation of nos. 5243 & 5244 (20 June - 31 July,
    1788); listed in Garrett, 231.

5246. BRITTANY. CLERGE ET NOBLESSE. Mémoire présenté au roi, par
les députés de l'ordre de l'église & de la noblesse de Bretagne (le 14 février 1789). n.p., 1789. 10pp.
    Seven printed signatures. Opposing constitutional chan-
    ges without consent of all three orders.

5247. -------- Relation des événements qui se sont passés en Bretagne, redigée par les députés du clergé & de la noblesse;
avec des pieces justificatives. n.p., [1789]. 23pp.
    Signed: Comte de Boisgelin, Gelin de Némergat, Mont-
    luc, le chevalier de Guer.

5248. BRITTANY. DEPUTES. Adresse au peuple breton des villes et
compagnes, de la part de leurs députés a l'Assemblée nationale. n.p., [1789?]. 16pp.
        Defense of acts of National Assembly against attacks
        made by authors of various "incendiary" pamphlets.

5249. -------- Lettre des députés de Bretagne à leurs commettans,
sur le décret de l'Assemblée nationale, qui proroge, pour
un an, l'impôt sur les boissons, connu sous le nom de devoirs. Paris: Imp. Nat., [1789?].
        39 printed signatures. Supports the decree for a year's
        suspension of the state impôt and urges that it be ac-
        cepted and obeyed.

5250. -------- Observations des députés du pays de Léon et de la
partie de Treguier, en Basse-Bretagne. Sur la fixation du
chef-lieu de département. (14 décembre 1789). n.p., [1789].
29pp.
        Petitions for location of chef-lieu and other centers of
        government; eight printed signatures.

5251. BRITTANY. DEPUTES (TIERS). Au Roi. Signé, par tous les
députés du tiers-etat de Bretagne, à Paris; Rennes: chez
Audran, [1789]. 12pp. (pages 9-12).
        Pleading for a change in the method of electing deputies.

5252. -------- Mémoires mis sous les yeux du roi, de la reine, &
des ministres de sa majesté, par les députés du tiers-état,
de Bretagne, à Paris. [Paris?, 1789]. 8pp.
        "Signé, par tous les députés du Tiers-état de Bretagne,
        à Paris," but no printed signatures. Defense of commons
        of Brittany against oppression of the two privileged
        orders and plea for change in method of representation
        in the Estates.

5253. BRITTANY. ETATS. Discours au roi, de messieurs les députés
& commissaires des états de Bretagne, prononcé devant sa
majesté, le 30 juillet 1788, par M. l'évêque de Dol. n.p.,
[1788]. 4pp.
        The speaker was Urbain - René de Hercé.

5254. -------- Lettre écrite au roi, le 28 août 1788, par les
commissions intermediaires de états de Bretagne, concernant
l'éloignement du principal ministre et la situation du
royaume. Rennes: Nicolas-Paul Vatar, 1788. 8pp.

5255. -------- Mémoire adressé au roi, par la commission intermédiaire des etats de Bretagne. (Rennes, le 22 juin 1788).
n.p., [1788]. 24pp.
        Petitions for revocation of judicial reform edict of 8
        May 1788.

5256. -------- Mémoire au roi, presente par les députés des états
de Bretagne, au nombre de 22, le 30 juillet 1788. n.p.,
[1788]. 8pp.
        Against the judicial reform.

5257. -------- Mémoire rémis au roi, par messieurs les députés &
commissaires des états de Bretagne, le 30 juillet 1788.
Rennes: Nicolas-Paul Vatar, 1788. 8pp.
  19 printed signatures. Defense of parlements and of
  local rights.

5258. -------- Mémoire présenté au roi, à Versailles, le 31 août
1788. Par messieurs les cinquante-trois députés des trois
ordres de la province de Bretagne. Avec la lettre de la commission intermédiaire à M. Necker. n.p., [1788]. 24pp.
  Signed by 18 clergy, 18 nobles, and 16 commoners. Ask-
  ing for repeal of judicial reform edicts and making other
  recommendations. Garrett, 230.

5259. -------- Nouveau mémoire adressé au roi par la commission
des états de Bretagne, le 18 août 1788. Rennes: N.-P.
Vatar, 1788. 26pp.
  16 printed signatures. Requests suspension of Cour
  plenière.

5260. -------- Représentations des commissaires des états de Bretagne, relatives à la réponse du roi aux députés de cette
province, du 20 juin 1788; lettre écrite au roi par M. de
Botherel, procureur-général-syndic des états de Bretagne.
n.p., [1788]. 19pp.

5261. BRITTANY. NOBLESSE. Itératives remontrances signées de plus
de quinze cents gentilshommes Bretons, & portées au roi par
douze députés. Du 20 juin 1788. n.p., [1788]. 9pp.
  Lacks names of signers.

5262. -------- Lettre de la noblesse de Bretagne, au roi. (26
mai 1788) n.p., [1788]. 8pp.

5263. -------- Mémoire de la noblesse de Bretagne, au roi. n.p.,
[1788]. 29pp.
  In defense of parlements against the Cour plénière.
  The king's ministers are accused of deceiving him. More
  than 1000 printed signatures. (See no. 3.)

5264. -------- Mémoire de la noblesse de Bretagne, au roi. (26
mai 1788). n.p., [1788]. 44pp.
  Another defense of parlements. Contains over 500
  printed signatures. (See no. 3.)

5265. -------- Recueil des pieces de Bretagne. (Mai & Juin 1788).
n.p., [1788]. 40pp.
  Mémoire de la noblesse de Bretagne au roi (same as no.
  5263) and arrêtés of parlement of Rennes. Defense of
  parlements and call for Estates general. Many printed
  signatures, pp. 11-28. (See no. 3.)

-------- See also no. 6210.

5266. BRITTANY. TIERS-ETAT. Bretagne. Charges à donner à MM.

les députés du tiers à la prochaine assemblée des états. n.p.,
[1788]. 8pp.

5267. -------- Resultats des délibérations tenues en l'hôtel-
de ville de Rennes, les 22, 25, 26 & 27 décembre 1788, établis-
sant le voeu des communautes, communes & corporations qui se
son présentées avec les charges données à leurs députés, &
formant le cahier des réclamations de l'ordre de tiers aux
états prochains de la province de Bretagne. n.p., [1789].
24pp.

5268. BRIVE (VILLE). CITOYENS. Adresse des citoyens de Brive, imprimée par ordre de l'Assemblée nationale...du 15 mars 1792...
[Paris]: Imp. Nat., [1792]. 4pp.

BRUSSELS (VILLE). See no. 1119.

5269. BRUSSELS. REPRESENTATANS PROVISOIRES. Les représentans provisoires de la ville libre de Bruxelles, à la Convention nationale de France. n.p., [1793]. 46pp.
    Protest over failure of French to carry out promises
    made in decree of 15 december 1792.

5270. BRUYERES (BAILLIAGE). CONSEIL. Arrêté...du 14 mai 1788.
n.p., [1788]. 3pp.

5271. BUGEY (VILLE). CONSEIL ORDINAIRE. Délibération du conseil
ordinaire des tres ordres du Bugey, du mardi deux decembre
1788. n.p., [1788]. 4pp.
    In favor of estates organized like those of Dauphiné.

5272. BURGUNDY (PROVINCE). NOBLESSE. Discours prononcé par l'un
de MM. les secrétaires de la noblesse, au nom de son ordre,
à l'Assemblée des députés du clergé de la Ste. Chapelle de
Dijon, & de ceux des corps & communautés de tiers-état de
cette ville, qu'elle y avoit invités, le 27 décembre 1788.
n.p., [1788]. 12pp.

5273. -------- Extrait du procès-verbal de la noblesse, assemblée
a Dijon. Du 20 décembre 1788, au 7 janvier 1789. n.p.,
[1789]. 122pp.

5274. -------- Protestation. [Dijon? 1788]. 8pp.
    Many printed signatures. Against union of orders and
    vote by head.

5275. CAEN (BAILLIAGE). CONSEIL. Arrêté du bailliage & siege
présidial de Caen, du 9 juin 1788. n.p., [1788]. 4pp.

5276. CAEN. TIERS-ETAT. Observations lues a l'assemblée générale
du tiers-etat de bailliage de Caen. (23 mars 1789). n.p.,
1789. 16pp.
    Recommendations for reform to be meditated by time of
    meeting of Estates General, then expected in 1791.

5277. CAEN (VILLE). COMITE GENERAL PERMANENT. Adresse du comité
général, permanent de la ville de Caen, à l'Assemblée nationale. Caen: Imp. de G. Le Roy, [1789?]. 7pp.

5278. CAEN (VILLE). CURES. Déclaration des curés de la ville de
Caen. Au sujet de serment prescrit par le décret de l'Assemblée nationale, du 27 novembre 1790. [Caen?, 1791]. 5pp.
    Rejecting the oath as decreed while asserting willingness
    to take a greatly modified oath of loyalty.

5279. CAEN (VILLE). OFFICIERS MUNICIPAUX. Copie de la lettre adressée à MM. les officiers municipaux de la ville de Caen, par M.
[Herbert] le curé de Vaucelles, le 15 janvier 1791. Caen:
chez P. Chalopin, 1791. 4pp.
    Contains also extracts from minutes of municipality and
    of Jacobins of Caen.

    -------- See also no. 4582.

5280. CAMBRAY (VILLE). CLERGE. Adresse du clergé catholique de la
ville de Cambray, a la municipalité de la même ville. (22
novembre 1791). n.p., [1791]. 16pp.
    Explaining refusal to take oath of 27 November 1791.

5281. CASTELLANE (SENECHAUSSEE). CONSEIL. Arrêté de la sénéchaussée de Castellane [20 mai 1788]. n.p., [1788]. 2pp.
    Signed: de Tassis du Poil, Simon, Coulomb.

5282. CAYLUX (VILLE). OFFICIERS MUNICIPAUX. Discours prononcé le
9 novembre 1792, l'an premier de la République française, par
les citoyens juge de paix & trois officiers municipaux de la
ville de Caylux, département du Lot, à leurs concitoyens,.... .
Montauban: chez Fontanel, [1792]. 4pp.
    Speech of welcome to National Guard.

5283. CHAMBERY. SOCIETE DES AMIS DE LA LIBERTE ET DE L'EGALITE.
Adresse...à la Convention nationale de la République française,
le 12 octobre 1792... Marseille: Imp. Nat., d'Auguste Mossy, 1792. 3pp.

5284. CHARTRES (VILLE). CITOYENS. Adresse de Chartres a l'Assemblée nationale, séance du 19 juin 1790. [Paris: Baudouin,
1790]. 3pp.

    -------- See also no. 5563.

5285. CHATEAU-SALINS (BAILLIAGE). CONSEIL. Arrêté du bailliage
royal de Château-Salins. Du 30 mai 1788. n.p., [1788].
2pp.

5286. CHATILLON-SUR-SEINE (BAILLIAGE). CONSEIL. Arrêté des officiers du bailliage et siege présidial de Chatillon-sur-
Seine. Du vendredi 6 juin 1788. n.p., [1788]. 3pp.

5287. CHAUNAY (VILLE). CURES. Adresse et délibération des curés
de l'archiprêtré de Chaunay, département de Poitiers, du 27
mai 1790. Paris: Baudouin, 1790. 4pp.

5288. CLERMONT (DISTRICT). DIRECTOIRE. Extrait des registres des
délibérations... . Paris: Imp. Nat., 1791. 8pp.
    Dated 21 juin 1791; recounts events of flight to Varennes.

5289. CLERMONT-FERRAND (VILLE). OFFICIERS MUNICIPAUX. Adresse...
a l'Assemblée nationale... . Paris: Baudouin, [1790]. 6pp.

5290. COMMENGES. BUREAU INTERMEDIAIRE. Extrait des registres du
procès-verbal du bureau intermédiaire de Commenges. [26 juin
1788]. n.p., 1788. 5pp.

5291. COMTAT VENAISSON. Rapport du comité de constitution, sur des
principes constitutionnels. n.p., [1790?]. 4pp.
    Concerns government of Comtat Venaissin before union
    with France.

5292. CORREZE (DEPT.). ADMINISTRATEURS. Adresse...à l'Assemblée
nationale, presentée à la barre par ses députés, le 20 décembre 1791... [Paris]: Imp. Nat., [1791]. 3pp.
    Signed: Lidon, président; Chauffour, Chambon, commis-
    saires.

5293. CORREZE (DEPT.). DIRECTOIRE. Adresse du directoire du département de la Corrèze à l'Assemblée nationale [27 janvier
1791]. n.p., [1791]. 5pp.

5294. CORSICA. (DEPT.). ADMINISTRATEURS DU DIRECTOIRE. Adresse...
a l'Assemblée nationale. [Paris]: Imp. Nat., 1790]. 3pp.

5295. COTE D'OR (DEPT.). DIRECTOIRE. Extrait des procès-verbal...
Séance du 8 avril au matin. [Dijon]: Imp. de P. Causse,
[1791]. 4pp.

5296. COTE D'OR (DEPT.). ELECTEURS. A l'Assemblée nationale. Dijon: de l'Imprimerie de Defay, [1790]. 4pp.

5297. DAUPHINE (PROVINCE). DEPUTES. Lettre écrite a la Commission
intermediaire des etats de Dauphiné par les députés de cette
Province à l'Assemblée nationale. (21 oct. 1789). Paris:
chez Gattey, 1789. 16pp.
    13 printed signatures. Requests revocation of the order
    to convoke Estates of Dauphiny on 2 November 1789.

5298. DAUPHINE (PROVINCE). ETATS. Assemblée des trois ordres de la
province de Dauphiné. n.p., [1788]. 7pp.
    Garrett, 227.

5299. -------- Extrait du procès-verbal de la commission intermédiaire des etats de Dauphiné, du 21 août 1789. Grenoble:
chez J. M. Cuchet, [1789]. 2pp.

5300. -------- Lettre écrite au roi par les trois ordres de la
province de Dauphiné assemblés à Romans, le 14 septembre 1788.
[et] Lettre écrite à M. Necker, par les trois ordres de la province de Dauphiné, assemblés à Romans. (14 septembre 1788).
n.p., [1788]. 8pp.
    Plea for reform but for maintenance of local institutions.

DAUPHINE (PROVINCE).   ETATS, continued.

5301. -------- Lettre écrite au roi par les trois ordres de la
province de Dauphiné, sur les Etats-généraux. (Novembre
1788). n.p., [1788]. 15pp.
     Supporting equal representation for Commons, delibera-
     tion as one body, and vote by head.

5302. -------- Lettre écrite par plusieurs citoyens du clergé,
de la noblesse & des communes de Dauphiné, a messieurs les
syndics-généraux des états de Béarn. (Grenoble, le 24 octobre 1788). n.p., [1788]. 8pp.
     Explanation of decision of Dauphiny estates to send
     deputation to Estates General and to consent to levying
     of taxes by Estates General. 23 printed signatures.
     (The Estates of Dauphiny were not then in session, pend-
     ing the royal approval of a new constitution for the
     Estates.)

5303. -------- Récit de ce qui s'est passé à Romans, à l'ouverture des états du Dauphiné, du 1er décembre (1788) & jours
suivans. n.p., [1788]. 8pp.
     Discussion of representation in Estates General and
     division of estates into "bureaux" to make recommenda-
     tions on various matters.

5304. -------- Très-respectueuses représentations des trois ordres de la province de Dauphiné. (22 juillet 1788). n.p.,
[1788]. 8pp.

5305. DAUPHINE. NOBLESSE. Délibération de l'assemblée de la noblesse de Dauphiné. Tenue à Grenoble, les 25, 26 & 27 août
1788. n.p., 1788. 16pp.
     On convocation of Estates General.

5306. -------- Extrait du registre des délibérations de l'ordre
de la noblesse du Dauphiné. (le 8 novembre 1788). Copie de
la lettre écrite au roi, par M. le comte de Morges, président
de l'ordre de la noblesse de Dauphiné, le 9 novembre 1788.
n.p., [1788]. 6pp.
     Supporting the request for court martial made by a M.
     de Moreton, who had been removed from command of an
     infantry regiment.

5307. -------- Lettre d'un gentilhomme du Dauphiné a M. le comte
de..., son compatriote. [et] Mémoire au roi pour la noblesse
de Dauphiné. n.p., [1789]. 20pp.
     Memoir covers pp. 3-20.

5308. -------- Mémoire au roi pour la noblesse de Dauphiné. Dauphiné, 1788. 20pp.
     Garrett, 259.

5309. -------- Protestations remises à Mr. le maréchal de Vaux,
par les gentilshommes de Dauphiné, réunis à Grenoble le 17
juillet 1788. n.p., [1788]. 3pp.

5310. DIEPPE. COMMUNE. Adresse présentée a l'Assemblée nationale par la commune de la ville de Dieppe, dont l'annexe a
été ordonnée par le procès-verbal du 25 juillet [1789].
[Paris]: Baudouin, 1789. 4pp.

5311. DIEPPE (VILLE). OFFICIERS MUNICIPAUX. Adresse de la municipalité de Dieppe a l'Assemblée nationale, dans la séance du 28
juin 1790. Paris: Imp. Nat., [1790]. 6pp.

5312. DIJON. BUREAU DES FINANCES. Arrêtés du bureau des finances
de Dijon, du mercredi 11 juin 1788. n.p., [1788]. 7pp.

5313. DIJON. CHAMBRE DES COMPTES. Arrêté de la chambre des
comptes de Bourgogne et Bresse [9 mai 1788]. n.p., [1788].
28pp.

5314. -------- Arrêté de la chambre des comptes de Dijon [30 décembre 1788]. n.p., [1788?]. 7pp.

5315. DIJON (BAILLIAGE). CLERGE. Voeu des pasteurs du second ordre, du bailliage de Dijon, en faveur de leurs paroisses, pour
faire suite au voeu de quelques curés du diocèse de Dijon.
n.p., 1789. 16pp.
    Six specific complaints of the people of these parishes.

5316. DIJON. COMMUNE. Adresse...a l'Assemblée nationale [7 déc.
1789]... n.p., [1789]. 4pp.

5317. -------- Adresse...a l'Assemblée nationale... Dijon: Imp.
de P. Causse, 1790. 16pp.

5318. -------- Dénonciation faite par les six sections de la commune de Dijon à la Convention nationale, des crimes commis par
les représentans du peuple Léonard Bourdon et Pioche-Fer Bernard, de Saintes, pendant leur mission dans le département de
la Côte-d'Or. Le 20 floréal, l'an 3ᵉ. (1795). 16pp.

5319. -------- Extrait du registre des délibérations... du jeudi
5 novembre 1789. Dijon: chez Causse, 1789. 3pp.
    Acceptance of offer of a M. Champagne to give prize to
    farmer or tenant who brought greatest amount of grain to
    the town market between 11 Nov. 1789 and 15 May 1790.

5320. -------- Extrait du registre des délibérations... Du vendredi 18 decembre 1789. Dijon: chez Causse, 1789. 4pp.
    Certain regulations for National Guard.

5321. -------- Extrait du registre des deliberations...Du mercredi
9 mars 1791. Dijon: P. Causse, [1791]. 10pp.
    Division of city in 14 sections.

5322. -------- Résultat des séances de la commune, tenues en l'hôtel-
de-ville de Dijon, les 27, 28 & 29 juillet 1789; extrait du
procès-verbal de ces séances. Dijon: Causse, 1789. 17pp.
    Signed: Charbonnel, premier Echevin; Boreldelarochette,
    Sécretaire.

5323. DIJON. COMMUNE. CHAMBRE MUNICIPALE. Extrait du registre des délibérations...en fait de police. Du samedi 6 novembre 1790. [Dijon]: Imp. de P. Causse, [1790]. 4pp.
Prohibition of unauthorized assemblies.

5324. -------- Extrait du registre des délibérations... . Du mercredi 1er. décembre 1790. [Dijon]: Imp. de P. Causse, [1790]. 3pp.
Re-affirming prohibition placed on a M. Aubry and his wife not to run gambling games.

5325. DIJON. COMMUNE. COMITE ET L'ETAT-MAJOR. Avis. n.p., [1789]. 7pp.
Period of Great Fear.

5326. DIJON. COMMUNE. CONSEIL GENERAL. Aux représentans de la nation, [Dijon]: Causse, [1792]. 8pp.
Plea for revocation of decree ordering the sale of the "biens immeubles des hôpitaux."

5327. -------- Le Conseil général de la commune de Dijon, département de la Côte d'Or, a la Convention nationale. Dijon: Imp. de Defay, [1793]. 4pp.
Denunciation of agents of discord.

5328. -------- Le Conseil général de la commune de Dijon, a la Convention nationale. n.p., [1795]. 6pp.
Reference to uprising of 12 germinal, an III (1795).

5329. -------- Extrait des délibérations... . Du jeudi 18 mars 1790. Dijon: chez Causse, 1790. 8pp.
Concerning grain trade, sale of bread, and provisioning of city.

5330. DIJON (DIOCESE). CURES. Voeu de quelques curés de campagne, du diocèse de Dijon. n.p., 1789. 15pp.
Three specific complaints of lower clergy.

5331. DIJON (DISTRICT). [DIRECTORY]. Liste des administrateurs du district de Dijon. Dijon: Imp. de Defay, [1790?]. 2pp.

5332. DIJON (VILLE). COMITE MUNICIPAL. Arrêté..., du 12 septembre 1789. Dijon: chez Causse, 1789. 7pp.

5333. -------- Extrait des registres des délibérations...du 25 septembre 1789. Dijon: chez Causse, 1789. 7pp.
Concerns proprietors of woodlands used for fuel.

5334. -------- Extrait des registres des délibérations...du 15 janvier 1790. Dijon: chez Causse, 1790. 7pp.
Division of city into six equal quarters.

-------- See also no. 5525.

5335. DIJON (VILLE). SECTION DE LA LIBERTE. Adresse...a la Convention nationale... [Dijon]: Imp. de P. Causse, 3e (1794?). 6pp.

5336. DIJON (VILLE). SECTION DE LA MAISON-COMMUNE. Adresse a la Convention...vôtée a l'unamimité [25 brumaire an 3]... Dijon: Imp. de Frantin, l'an 3e (1794). 7pp.

5337. DIJON (VILLE). SECTION DU CENTRE. Adresse a la Convention... votée a l'unamimité. [Dijon]: Imp. de P. Causse, 3e (1794). 8pp.

5338. -------- 2e. Adresse a la Convention...votée le 30 brumaire [an 3]. [Dijon]: Imp. de P. Causse, 3e (1794). 8pp.

5339. DIJON (VILLE ET COMMUNE). CHAMBRE DU CONSEIL. Délibération de la ville et commune de Dijon, et des différentes corpora-tions du tiers-état, et requête au roi. (11 décembre 1788). n.p., [1788]. 15pp. plus 18pp.
      On convocation of Estates General.

5340. DIJON (VILLE ET COMMUNE). COMITE MUNICIPAL. Extrait du regis-tre des délibérations...du lundi 14 septembre 1789. Dijon: Causse, 1789. 5pp.
      Prohibiting unauthorized assemblies.

5341. -------- Extrait du registre des délibérations...du 31 octo-bre 1789. Dijon: Causse, 1789. 7pp.
      Protest against deputies to National Assembly who, through absence, were not fulfilling their duty. (Inspired by defections after October Days).

5342. DOLE (VILLE). CITOYENS. Adresse de 516 republicains de Dole, département du Jura, sur les crimes de la réaction et la tenue des assemblées électorales... [18 frimaire, an VI]. n.p., [1797?]. 8pp.

5343. DORDOGNE (DEPT.). ELECTEURS. Adresse...présenté a l'Assem-blée nationale, dans la séance du 12 août 1790. Paris: Imp. Nat., [1790]. 4pp.
      Signed: S.-Martin de Souliact, président; Lafustière, secrétaire.

5344. DOUAY (VILLE). OFFICIERS MUNICIPAUX. Copie du procès-verbal tenu à la charge de Louis Maune. Paris: Imp. Nat., [1793]. 4pp.

5345. DOURDAN (VILLE). Mémoire pour Dourdan, et soixante paroisses qui l'environnent. Paris: Imp. Nat., [1790]. 7pp.
      Asserting claims of Dourdan for treatment different from that provided in projects to re-organize the local govern-ment. No signatures; no indication of source.

5346. EMPIRE (HOLY ROMAN). DIET. Avis requisitorial des conseil-lers, ambassadeurs, & envoyés des electeurs, princes & états de l'Empire, assemblés en diete. Traduit littéralement sur une piece Allemande, intitulée Reich-Gutachten. n.p., 1791. 31pp.
      Concerning the destruction of feudalism in Alsace and contiguous territory.

5347. EPERNON (VILLE). Observations pour la ville d'Epernon. Paris: Baudouin, [1790]. 6pp.
Arguments to make Epernon a chef-lieu.

5348. EPINAL (BAILLIAGE). CONSEIL. Arrêté du bailliage d'Epinal, du 15 mai 1788. n.p., [1788]. 4pp.

5349. -------- Arrêté du bailliage d'Epinal, au sujet de l'enrégistrement fait d'autorité, d'édits, déclarations & ordonnances non présentés à la vérification des cours [10 juin 1788]. n.p., [1788]. 8pp.

5350. EURE (DEPT.). ASSEMBLEE ELECTORALE. Adresse...à l'Assemblée nationale, à la séance du 3 juillet 1790... Paris: Baudouin, [1790]. 3pp.

5351. EURE (DEPT.). DIRECTOIRE. Adresse à l'Assemblée nationale, lue le 25 juin 1792... [Paris]: Imp. Nat., [1792]. 3pp.

5352. EURE-ET-LOIRE (DEPT.). Adresse des membres du département d'Eure-et-Loire, à la Convention nationale [1 déc. 1792]... Paris: Imp. Nat., 1792. 7pp.

-------- See also no. 6616.

5353. EVREUX (VILLE). CHAPITRE DE L'EGLISE CATHEDRALE. Deliberation. Evreux: Imp...Malassie, 1790. 14pp.
On confiscation of church lands and on declaration of Catholic religion as state religion.

5354. FAREINS (PAROISSE). CITOYENS. Délibération et arrêté des habitans de la paroisse de Fareins en Dombes, du 24 avril 1790. Lyon: chez Aimé de la Roche, 1790. 47pp.
Denunciation of fanatical curé Borijour, but opposed to changes in religion.

5355. FINISTERE (DEPT.) ADMINISTRATEURS. Adresse...a l'Assemblée nationale [3 novembre 1790]... [Paris: Imp. Nat., 1790]. 3pp.

5356. FINISTERE (DEPT.). CITOYENS. Adresse des citoyens du Finistère, aux membres de la Convention nationale [27 décembre 1792]... [Paris]: Imp. Nat., [1792]. 6pp.
5 signatures.

5357. FLANDRES ET CAMBRESIS [HAINAULT]. (PROVINCE). Réponse des commetans [sic] des provinces de Flandres & de Cambresis, a la lettre à eux écrite par sept de leurs commis à l'Assemblée nationale; discours au roi. n.p., [1790?]. 53pp.
Text of the letter from the deputies (Louis Sceppers, Chambart, Nolf, La Poutre, Merlin, Mortiez, and Delambre) is critized section by section; denunciation of almost everything which National Assembly has done in its first seven months.

5358. FONTENAY (MUNICIPALITE). Extrait du procès-verbal de la municipalite de Fontenay en Gâtinois, canton de Ferrières,

district de Montargis, département du Loiret. Du premier
janvier 1791. Paris: Imp. Nat., [1791]. 4pp.
  Declaration of Jean-Nicolas Despommier, prêtre & curé,
  accepting clerical oath.

5359. FRANCE. CROWN (LOUIS XVI). Déclaration du roi, qui ordonne
que l'Assemblée des Etats-généraux aura lieu dans le courant
de janvier de l'annee 1789, & que les officiers des cours re-
prendont l'exercice de leurs fonctions. Donné à Versailles le
23 septembre 1788... n.p., [1788]. 8pp.

5360. -------- Déclaration du roi.... Aix: André Adibert, 1788.
4pp.

5361. -------- Déclaration du roi, adressé à tous les françois, à
sa sortie de Paris. [Paris: Baudouin, 1791]. 27pp.
  Flight of King, 20 June 1791; from Journal des debats,
  no. 763.

5362. -------- Discours du roi, a l'Assemblée des notables, tenue
à Versailles, le 22 février 1787. Versailles: Imp. de Ph.-D.
Pierres, 1787. 4pp.

5363. -------- Discours du roi, a l'Assemblée des notables, tenue
à Versailles, le 22 février 1787; suivi du discours de M. de
Callone [sic]. Versailles: Imp. de Ph.-D. Pierres, 1787.
45pp.

5364. -------- Discours du roi, prononcé a l'Assemblée de notables,
du lundi 23 avril 1787. n.p., [1787]. 4pp.

5365. -------- Discours du roi, prononcé a l'Assemblée des notables...
(23 avril 1787). Bordeaux: Pierre Phillippot, [1787]. 7pp.
  Different edition of no. 5364.

5366. -------- Discours prononcés a l'Assemblée des notables, le 25
mai 1787, par sa majesté Louis XVI; messieurs de Lamoignon,
garde-des-sceaux; de Brienne, chef du conseil; Monsieur, frere
du Roi; Dillon; D'Aligre, premier président; de Nicolay,
président de la chambre des comptes; de Barentin, président
de la cour des aides; de la Fare, elu de clergé de Bourgogne;
Angran d'Alleray, lieutenant civil; Le Peletier, prevot des
marchands. Versailles: Imp. de P.-D. Pierres, 1787. 44pp.

5367. -------- Discours du roi, de M. le garde des sceaux, et de
M. le premier président du Parlement de Paris, prononcés à
la séance du 19 novembre 1787. Paris: Imp. de P. D. Pierres,
1787. 24pp.

5368. -------- Discours du roi a MM. les députés du Parlement de
Bretagne, du 19 février 1788. n.p., [1788]. 4pp.

5369. -------- Discours du roi, à l'ouverture du lit de justice,
tenu à Versailles, le 8 mai 1788. n.p., [1788]. 80pp.
  Contains also speeches by the garde des sceaux. See no.
  6257.

5370. -------- Discours du roi, a la séance royale, ou Cour plénière, du 9 mai 1788. n.p., [1788]. 4pp.
Bound with [of the same date]: Nouvelle protestation du Parlement de Paris, retenu par ordre du roi à Versailles. Discours du roi, à la seconde séance tenu à Versailles le 9 mai 1788.

5371. -------- Discours du roi, de M. le garde des sceaux, et de M. le directeur général des finances, à l'ouverture de l'Assemblée des notables, tenue a Versailles le 6 novembre 1788. Aix: freres Mouret, 1788. 24pp.

5372. -------- Discours prononcés a la clôture de l'Assemblee des notables, tenue à Versailles le 12 décembre 1788. Voeu du bureau présidé par Mgr le prince de Conti, du 6 décembre. Réponse du roi, du 9 décembre 1788, aux supplications de son Parlement, du 5. Aix: freres Mouret, [1788?]. 20pp.

5373. -------- Discours du roi. n.p., [1788]. 20pp.
Contained in several speeches at the closing of the Assembly of Notables, Dec. 12, 1788. Included are remarks of Lamoignon, Monsieur, the Archbishop of Narbon, Ormesson, Nicolaï, Boisgebault, the Bishop of Chalons-sur-Saône, Angran, Le Pelletier.

5374. -------- Discours et déclarations du roi, à la séance du 23 juin 1789, et arrêté des communes, après la même séance. n.p., [1789]. 18pp.

5375. -------- Discours prononcé par le roi, à l'Assemblée nationale, le 4 février 1790. [Rouen: Imp. de P. Seyer & Behourt, 1790]. 16pp.

5376. -------- Discours du roi, prononcé aux Etats-généraux, mil sept cent quatre-vingt-dix. n.p., [1790]. 16pp.

5377. -------- Discours du roi à l'Assemblée nationale, aujourd'hui 19 avril 1791. Paris: Imp. de Lottin, 1791. 2pp.

5378. -------- Discours de roi, prononcé à l'Assemblée nationale, concernant son arrestation à Paris & la réponse du président de l'assemblee du 21 avril 1791. Marseille: Imp. de P. A. Favet, [1791]. 4pp.

5379. -------- Discours...à l'Assemblée nationale...14 décembre 1791. Rouen: Imp. de P. Seyer & Behourt, [1791]. 7pp.

5380. -------- Edit du roi, portant suppression des deux vingtièmes & quatre sous pour livre du premier vingtième; & établissement d'une subvention territoriale dans tout le royaume. [Août 1787]. n.p.,: Imp. royale, 1787. 15pp.

5381. -------- Edit du roi, de révocation de la subvention territoriale et de l'impôt du timbre; prorogation de second vingtième, registré le 19 septembre; & arrêté du Parlement séant

à Troyes, sur la révocation des edit; auxquels on a joint
Point de banqueroute ou Lettre à un créancier de l'état, sur
l'impossibilité de la banqueroute nationale, Londres, août
1787 [par Brissot de Warville]. n.p., [1787]. 46pp.

5382. -------- Edit du roi, de révocation, tant de celui du mois
d'août dernier, portant suppression des vingtièmes, & établissement d'une subvention territoriale, que de la déclaration du
quatre du même mois, concernant le timbre; & proragation du
second vingtième, pendant les années mil sept cent quatre-vingt-
onze & mil sept cent quatre-vingt-douze...le 19 septembre 1787.
n.p., [1787]. 7pp.

5383. -------- Edit du roi, portant création d'emprunts graduels
& successifs pendant cinq ans. Donné à Versailles au mois de
novembre 1787, registré en Parlement le 19 desdits mois & an.
n.p., [1787]. 72pp.
        Contains also speech of Lamoignon, report
        of M. l'abbé Tandeau, arrêté of parlement, etc.

5384. -------- Edit du roi, concernant deux qui ne font pas profession de la religion catholique. Donné à Versailles au mois
de novembre 1787. Registré en Parlement le 29 janvier 1788.
Neufchatel: chez Fauche, 1787. 16pp.

5385. -------- Edit du roi, qui accorde pleine & entiere amnistie
aux habitans de Provence, &c. Donné à Versailles au mois
d'août 1789. Marseille: chez F. Brebion, 1789. 8pp.

5386. -------- Grande déclaration du roi, adressée à tous les
français, ou réponse de sa majesté au manifeste des princes;
lettre du roi au maire de Paris; observations d'un jeune littér-
ateur. [Paris]: Limodin: [1791]. 8pp.

5387. -------- Lettre du roi à chaque bureau des notables. Du 14
mai 1787. Arrêté du bureau de monsieur du 15 mai, 1787. Bureau de M. le prince de Conde, quarante-sixième séance. Précis du dernier arrêté du bureau de M. le prince de Conti du
19 mai 1787. n.p., [1787]. 32pp.

5388. -------- Lettres-patentes du roi, qui transfèrent en la ville
de Troyes le siege du Parlement, données à Versailles, le 15
août 1787... . n.p., [1787]. 7pp.
        Contains also: Reply of Parlement and letter of the king
        to the procureur-général of Aug. 26, 1787.

5389. -------- Lettres de jussion, du 27 août 1787, adressées au
Parlement de Bordeaux, séant à Libourne, pour l'enregistre-
ment de l'edit portant création d'assemblées provinciales en
Guienne. n.p., [1787]. 8pp.
        Bound with: Extrait des registres du Parlement de Bor-
        deaux, du 7 septembre 1787. [p. 3-8].

5390. -------- Lettre du roi pour la convocation des Etats-généraux a Versailles, le 27 avril 1789. Et réglement y annexé.

FRANCE. CROWN (LOUIS XVI), continued.

Lyon: Imp. du roi, 1789. 24pp.
Règlement, pp. 5-24.

5391. -------- Lettre du roi pour la convocation des Etats-généraux à Versailles, le 27 avril 1789; et reglement y annexé.
Bayonne: Paul Fauvet, 1789. 32pp.
(Règlement covers pp. 6-32.)

5392. -------- Lettre du roi, au doyen faisant les fonctions de président du tiers-etat. (16 juin 1789). n.p., [1789]. 7pp.
Reservations placed by nobility on plan for conciliation of the Orders should not prevent the Tiers from submitting to the plan along with the clergy. Indeed, such submission will probably induce the nobility to relinquish its reservations.

5393. -------- Lettre du roi a la noblesse. Du 27 juin. n.p., [1789]. 1p.
The order to the nobility to unite with the other estates.

5394. -------- Billet de la main du roi a M. le Chapelier, président de l'Assemblée nationale. n.p., [1789]. 1p.

5395. -------- Lettre du roi au président de l'Assemblée, et sa réponse à l'Assemblée nationale sur sa liste civile, & le douaire de la reine, du 9 juin 1790. [Marseille]: F. Brebion, [1790]. 8pp.

5396. -------- Lettre...a l'Assemblée nationale, concernant les domaines réservés par sa majesté. (27 août 1790). [Paris]: Imp. Nat., [1790]. 3pp.

5397. -------- Lettre du roi, à l'Assemblée nationale, sur son acceptation du décret du 27 novembre 1790, concernant le serment à prêter par les evêques, curés et autres ecclésiastiques fonctionnaires publics, du 26 décembre 1790. Paris: Imp. Nat., [1790?]. 3pp.

5398. -------- Lettre du roi, a l'Assemblée nationale, écrite de sa propre main, avec son manifeste. Paris: Imp. royale, [1791]. 1-2, 7-8pp.
Flight of king; defective copy.

5399. -------- Lettre du roi, portée à l'Assemblée nationale par le ministre de la justice, le 13 septembre 1791. Paris: Imp. royale, 1791. 7pp.
Acceptance of Constitution of 1791.

5400. -------- Lettre du roi, au président de l'Assemblée nationale, concernant la nomination du gouverneur du prince royal, le 18 avril 1792. [Paris]: Imp. Nat., [1792]. 2pp.

5401. -------- Lettre du roi au président de l'Assemblée nationale, concernant un pretendu comité autrichien, du 20 mai

1792. [Paris]: Imp. Nat., [1792]. 1p.

5402. -------- Lettre authentique du roi à M. Necker, suivie de celle de M. Necker, que sa majesté a reçue le 26 juillet [1789]. Paris: Maradan, [1789]. 3pp.
    Recall of Necker.

5403. -------- Lettre du roi, aux officiers & aux soldats de son armée, du 17 août 1789. Marseilles: Imp. de P. Ant. Favet, [1789]. 8pp.

5404. -------- Lettre du roi, aux archévêques & évêques de son royaume. (2 septembre 1789). La Rochelle: P. L. Chauvet, 1789. 8pp.
    Request for prayers and assistance in maintaining order and effecting necessary reform.

5405. -------- Lettre du roi aux archévêques & évêques de son royaume...ce 2 septembre 1789. Marseille: Imp. de Jean Mossy, 1789. 7pp.
    Different edition of no. 5404; see also 3647.

5406. -------- Lettre du roi, qui oblige tout le clergé à exécuter les décrets de l'Assemblée nationale sanctionnés par le roi. Précis de tous les événemens de Marseille, prononcés dans la salle des amis de la constitution pour le salut de la patrie, l'an second de la liberté. Marseille: Imp. de F. Brebion, 1791. 8pp.
    Bound with: Discours prononcé dans la salle des amis de la constitution, par M. Maillet, cadet, président.

5407. -------- Message du roi, a l'Assemblée nationale le 13 septembre 1791. Paris: Imp. Nat., [1791]. 4pp.

5408. -------- Précis de la réponse du roi aux états de Bretagne; et réponse des états de Bretagne a celle du roi. n.p., [1788?]. 13pp.

5409. -------- Proclamation du roi. (28 mai 1790). Paris: Baudouin, 1790. 3pp.
    Call for unity; denunciation of factions.

5410. -------- Proclamation du roi, portant nomination des sieurs le Breton, Poissaint & Bochet, pour completter le nombre des douze régisseurs nationaux de l'enregistrement, domaines & droits réunis. (22 juillet 1791). Nevers: Imp. de la veuve Lefebvre, 1791. 2pp.

5411. -------- Réglement concernant les élèves du corps-royal de l'artillerie des colonies. Du 13 juillet 1788. De par le roi. Paris: N. H. Nyon, [1788]. 4pp.

5412. -------- Réglement fait par le roi, pour la composition & formation des Assemblées qui auront lieu dans le Nivernois, en exécution de l'édit portant établissement des assemblées provinciales. (13 juillet 1788). Paris: Imp. royale, 1788. 12pp.

5413. -------- Réglement fait par le roi, pour l'exécution de ses lettres de convocation aux Etats-généraux, dans sa province de Franche-Comté. (19 février 1789). Paris: Imp. royale, 1789. 6pp.

5414. -------- Réglement fait par le roi, pour l'exécution de ses lettres de convocation aux prochains Etats-généraux, dans la ville d'Arles. Du 4 avril 1789. Arles: Jacques Mesnier, 1789. 10pp.

5415. -------- Réponse du roi, du 8 juillet 1787, et arrêté du Parlement, du 9 du même mois. n.p., [1787]. 2pp.

5416. -------- Réponse du roi, du 15 juillet 1787. n.p., [1787]. 3pp.
          Bound with: Arrêté du Parlement, du 16 juillet 1787...
          [p. 3].

5417. -------- [Réponse du roi aux remontrances du Parlement, les 27 & 29 juillet 1787]. n.p., [1787]. 2pp.

5418. -------- Réponse du roi, aux supplications de la Cour des aides. Du samedi 25 août 1787. n.p., [1787]. 4pp.
          Bound with: Arrêté unamime de la Cour des aides, du
          27 août 1787. 4pp.

5419. -------- Réponse du roi au premier président de la Cour des aides de Paris, le 25 août 1787. n.p., [1787]. 8pp.
          Bound with: Arrêté de la Cour des aides, du 27 août
          1787. (pp. 5-8). Different edition of no. 5418.

5420. -------- Réponse donnée par le roi, le 25 août 1787, aux remontrances de la Cour des aides; on y a joint l'arrêté de la Cour des aides du 27 août, sur la réponse du roi: l'arrêté de la Cour des monnoies: l'arrêté du Parlement séant à Troyes, du 27 août; & les réquisitoires sur l'impôt du timbre & l'impôt territorial, par M. de Barville, avocat général à la Cour des aides. n.p., 1787. 31pp.
          Contains also Arrêté du Parlement de Rennes.

5421. -------- Réponse du roi a l'arrêté de la Cour des aides, du 27 août [1787]. n.p., [1787]. 4pp.
          Bound with: Arrêté de la Cour des aides, du 3 septembre.

5422. -------- Réponse du roi au Parlement de Paris, du 13 septembre 1787. n.p., [1787]. 1p.

5423. -------- Réponse du roi aux itératives supplications de la Cour des aides, du 2 septembre 1787. n.p., [1787]. 3pp.
          Bound with: Arrêté de la Cour des aides, du lundi 3
          septembre 1787. (pp. 2-3).

5424.   -------- Réponse du roi, du 2 septembre 1787, à l'arrêté
de la Cour des aides, du 27 août 1787, portant qu'il seroit
fait d'itératives supplications. n.p., [1787]. 3pp.
>   Bound with: Arrêté de la Cour des aides, du 3 septem-
>   bre 1787, relatif à la réponse de roi, du 2 du même
>   mois. Different edition of no. 5423.

5425.   -------- Réponse aux remontrances du Parlement de Bordeaux.
(29 novembre 1787). n.p., [1787]. 15pp.

5426.   -------- Réponse du roi, du 27 décembre 1787, aux représentations
du Parlement, les princes & pairs y séant, du 8 du même mois.
n.p., [1788]. 6pp.
>   Bound with: Arrêté du Parlement, les princes & pairs
>   y séant, du 4 janvier 1788. (pp. 1-4). Réponse du roi,
>   du mercredi 14 mai 1777, aux représentations du Parle-
>   ment, les princes & pairs y séant, du 7 du même mois.
>   (p. 5-6).

5427.   -------- Réponse du roi, du 17 janvier 1788. n.p., [1788].
3pp.

5428.   -------- Réponse du roi [au Parlement de Paris] du 27 janvier
1788. n.p., [1788]. 3pp.

5429.   -------- Réponse du roi, du 16 mars 1788, aux remontrances
sur les lettres de cachet. n.p., [1788]. 1p.

5430.   -------- Réponse du roi, du 17 avril 1788, aux remontrances du Parlement sur la séance du 19 novembre 1787. Versailles: Imp. de Ph.-D. Pierres, [1788]. 4pp.

5431.   -------- Réponse du roi, du 17 avril 1788, aux remontrances
du Parlement sur la séance du 19 novembre 1787. n.p., [1788].
5pp.
>   Bound with: Arrêté [du Parlement de Paris] sur la ré-
>   ponse du roi, du 17 avril 1788. Different edition of no.
>   5430.

5432.   -------- Réponse du roi aux représentations des etats de Bretagne. Juin 1788. n.p., [1788]. 4pp.

5433.   -------- Réponse du roi, aux représentations des députés
des états de Bretagne, du 10 juin 1788. n.p., 1788. 14pp.
>   Also contains the reply of the Commissioners of the
>   Etats de Bretagne to the king and a letter to the king
>   by de Botherel, procureur-général-syndic des Etats de
>   Bretagne, both dated June 20, 1788.

5434.   -------- Réponse du roi aux représentations des députés
des états de Bretagne, du 10 juin 1788. n.p., [1788]. 16pp.
>   Different edition of no. 5433.

5435.   -------- Réponse du roi aux remontrances du clergé du 15
juin 1788. n.p., [1788]. 4pp.

FRANCE. CROWN (LOUIS XVI), continued.

5436. -------- Réponse du roi aux remontrances du clergé, concernant les immunités, remise à l'Assemblée le 20 juin 1788.
n.p., [1788]. 4pp.

5437. -------- Réponse du roi, à MM. les députés des états de Bretagne, le 31 juillet 1788. n.p., [1788]. 3pp.

5438. -------- Réponse du roi à l'Assemblée nationale, sur la demande par elle fait au roi, de sanctionner les arrêtés rédigés & décrétés les 4, 6, 7, 8 & 11 août 1789. (18 septembre 1789.) Versailles: Imp. de Baudouin, [1789]. 12pp.

5439. -------- Réponse du roi, 5 octobre au soir. n.p., [1789].
1p.

-------- See also nos. 463, 1115, 1306, 1969, 2028, 2320,
2573, 3196, 3581, 3647, 3685, 3748, 3749, 4675, 4717, 5447,
5457, 5464, 5465, 5472, 5485, 5487, 5507, 5508, 5528, 5533,
5534, 5536, 5537, 5539, 5540, 5542, 5547, 5550, 5551, 5554,
5559, 5560, 5561, 5603, 5741, 5837, 5839, 5840, 6059, 6102,
6116, 6132, 6142, 6145, 6146, 6149, 6150, 6151, 6171, 6175,
6225, 6232, 6266, 6474, 6503, 6693.

5440. FRANCE. CONSEIL D'ETAT. Arrêt...qui casse les arrêtés du
Parlement de Paris, des 7, 13, 22 & 27 août 1787. Du 2 septembre 1787. Paris : Imp. royale, [1787]. 8pp.

5441. -------- Arrêt...qui casse les arrêtés du Parlement de
Paris, des 7, 13, 22 & 27 août 1787. Du 2 septembre 1787.
n.p., [1787]. 8pp.
Different edition of no. 5440.

5442. -------- Arrêt...portant suppression des délibérations &
protestations des cours & autres corps & communautés, faites
depuis la publication des loix portées au lit-de-justice du
8 mai dernier, ...Du 20 juin 1788. n.p., [1788]. 8pp.

5443. -------- Arrêt...contenant des développmens nécessaires à
celui du 20 juin 1788. Du desdit mois & an. n.p., [1788].
8pp.

5444. -------- Arrêt... concernant la convocation des Etats-généraux u royaume,... Du 5 juillet 1788. n.p., [1788]. 7pp.

5445. -------- Arrêt...portant qu'il se tiendra dans la ville de
Romans une assemblée des trois ordres de la province, à
l'effet de délibérer, & de porter son voeu, tant sur la manière la plus utile d'en convoquer les états, que sur la forme
qui doit être donnée à leur composition... Du 2 août 1788...
n.p., [1788]. 8pp.

5446. -------- Arrêt... en faveur de la caisse d'escompte, du 18
août 1788... n.p., [1788]. 4pp.

5447. -------- Arrêt...pour la convocation des Etats-généraux, suivi de la réponse du roi aux remontrances du clergé. n.p., 1788. 15pp.

5448. -------- Arrêt...concernant la liquidation des offices sup- primés. Du 9 août 1788... Toulouse: Imp. de noble J.A.H.M.B. Pijon, [1788]. 8pp.

5449. -------- Arrêt...concernant l'ordre & la forme des paiemens. Du 16 août 1788... n.p., [1788]. 8pp.

5450. -------- Arrêt...qui fixe au premier mai prochain la tenue des Etats-généraux du royaume, & suspend, jusqu'à cette époque, le rétablissement de la cour pléniere... Du huit août 1788. n.p., [1788]. 4pp.

5451. -------- Arrêt...concernant la circulation des billets de la caisse d'escompte. Du 18 août 1788... n.p., [1788]. 4pp.

5452. -------- Arrêt...pour la convocation d'une Assemblée de notables au 3 novembre prochain. Du 5 octobre 1788. n.p., [1788]. 8pp.

5453. -------- Arrêt...portant convocation d'une assemblée des anciens états de Franche-Comté. Du 1er. novembre 1788... Paris: N. H. Nyon, 1788. 4pp.

5454. -------- Arrêt...qui casse un arrêt du Parlement de Besan- çon, du 12 du present mois. Du 21 janvier 1789... Paris: Imp. royale, 1789.

5455. -------- Résultat du conseil d'état du roi, tenu à Ver- sailles le 27 décembre 1788; rapport fait au roi dans son conseil par le ministre de ses finances. Aix: Freres Mou- ret, 1789. 34pp.
        Reprint of official text; signed, Laurent de Ville- deuil.

5456. -------- Etat, par ordre alphabétique, des bailliages royaux & des sénéchaussées royales des pays d'élections, qui dépu- teront directement ou indirectement aux Etats-généraux, avec le nombre de leurs députations; chaque députation composée d'un député du clergé, d'un de la noblesse & de deux du tiers-état. Paris: Imp. royale, 1789. 15pp.

        -------- See also no. 6163.

5457. FRANCE. ASSEMBLEE DES NOTABLES (1787). Arrêtés des bureaux de l'Assemblée des notables, presidés par monsieur, et par M. le prince de Conty, avec la copie de l'ordre du roi, dont le premier président a fait lecture au septieme bureau le lundi 7 mai 1787. n.p., [1787]. 24pp.

5458. -------- Précis de ce qui s'est passé a l'Assemblée des no- tables, avec les discours qui y ont été prononcés. n.p., [1787]. 8pp.

5459. -------- Collection des mémoires présentés a l'Assemblée
des notables. Premiere et seconde division. Versailles:
Imp. de Ph. D. Pierres, 1787. 43pp. plus 90pp.

-------- See also no. 5387.

5460. FRANCE. ASSEMBLEE DES NOTABLES (1788). Du Samedi 6 décembre
1788; bureau de monsieur. Cinquieme question. Quel doit
etre le nombre respectif des députés de chaque ordre? Sera-
t-il egal pour chaque députation? [Versailles?, 1788]. 7pp.

5461. -------- Motifs des douze notables, au bureau de monsieur,
pour adopter, contre l'avis des treize, l'avis qui a pré-
valu dans les cinq autres bureaux. n.p., [1788]. 8pp.
Argument against double representation for Tiers; reprint from Procès-verbal de l'Assemblée des notables.

5462. -------- Réponses, motifs et observations du cinquieme bureau présidé par S. A. S. monseigneur le duc de Bourbon; sur
les questions proposées par ordre du roi. n.p., [1788].
14pp.

5463. FRANCE. ETATS-GENERAUX. Arrêté de la noblesse, du 12 juin
1789. n.p., [1789]. 8pp.
Reports of actions in Estates General.

5464. -------- Ouverture des Etats-généraux, faite à Versailles
le 5 mai 1789. Discours du roi, discours de M. le garde des
sceaux, rapport de M. le directeur général des finances,
fait par ordre du roi. Paris: Imp. royale, 1789. 118pp. &
tables.

5465. -------- Ouverture des Etats-généraux, faite à Versailles
le 5 mai 1789. Discours du roi; discours de M. le garde des
sceaux; rapport de M. le directeur général des finances.
Fait par ordre du roi. Caen: G. Le Roy, 1789. 118pp.
Another edition of no. 5464.

5466. -------- Ouverture faite par les commissaires du roi, aux
commissaires des trois ordres, à la conference tenue chez
M. le garde des sceaux, le 4 juin 1789. Toulouse: J.-A.-
H.-M. B. Pijon, [1789]. 7pp.

5467. -------- Séance du lundi, 17 juin 1789, commencé à 10 heures
du matin, & finie à 9 heures du soir. n.p., [1789]. 24pp.
Not official procès-verbal.

5468. -------- Tableau du nombre des députés de chaque province
de France aux Etats-généraux de 1789; avec l'état de leur
étendue, de leur population, des impôts qu'elles payent, et
de leurs bailliages ou sénéchaussés, tant principaux que se-
condaires. Paris: P. F. Didot, 1789. 40pp.

5469. -------- Procès-verbal des séances des deputés des communes,
depuis le 12 juin 1789 jusqu'au 17 juin, jour de la constitution

en assemblée nationale. Paris: Baudouin, 1789. 104pp.

5470. -------- Recit de ce qui s'est passé, le soir 14, dans
l'Assemblée des communes de France. n.p., [1789]. 3pp.
　　　　Appearance of six clerical deputies before Tiers to
　　　　present their credentials. Dillon, spokesman for
　　　　group, favors verification in common.

5471. FRANCE. ASSEMBLEE NATIONALE CONSTITUANTE. REPORTS OF MEET-
INGS. Arrêté nationale, du 17 juin a midi. Paris: Volland,
1789. 7pp.
　　　　Motion of Sieyes declaring Tiers the National Assembly.

5472. -------- Suite de l'arrêté nationale, du 17 juin a midi.
Suite & conclusion de la séance de la constitution. Paris:
chez Volland, 1789. 13pp.
　　　　Contains also "Lettre du roi au président de la no-
　　　　blesse," regretting limitations placed by the Second
　　　　Estate on means of conciliation proposed by King.

5473. -------- Délibération de l'Assemblée nationale, du mercredi
17 juin 1789. Paris: chez Baudouin, [1789]. 6pp.
　　　　Declaration of "Assemblée nationale" & decree on taxes.

5474. -------- Récit de ce qui s'est passé à l'Assemblée nationale
le 17 juin 1789. n.p., [1789]. 3pp.
　　　　Declaration establishing National Assembly.

5475. -------- Extrait du procès-verbal de l'Assemblée nationale.
Du samedi vingt juin 1789. Paris: chez Baudouin, 1789.
18pp.
　　　　June 20, 1789; Tennis Court Oath.

5476. -------- Séance du samedi vingt juin 1789. n.p., [1789].
14pp.
　　　　The Tennis Court Oath; not official procès-verbal.

5477. -------- Extrait du procès-verbal de l'Assemblée nationale,
du lundi 22 juin 1789. En l'église paroissiale de Saint-
Louis, à Versailles, dix heures du matin. Paris: chez Baudouin, [1789]. 4pp.
　　　　Adherence to Tennis Court Oath by several deputies absent
　　　　from session of 20 June.

5478. -------- Arrêtés de l'Assemblée nationale du mardi 23 juin
1789. Paris: chez Baudouin, [1789]. 3pp.

5479. -------- Arrêté pris par l'Assemblée nationale, le 23 juin,
après la séance royale, & sans désemparer, à trois heures du
soir. n.p., 1789. 2pp.

5480. -------- Séance tenue par le roi aux Etats-généraux, le 23
juin 1789. Paris: Baudouin, [1789]. 16pp.
　　　　Not official procès-verbal.

FRANCE. ASSEMBLEE NATIONALE CONSTITUANTE. REPORTS OF MEETINGS, continued.

5481. -------- Séance royale, du mardi 23 juin 1789. (Etats-généraux), seconde edition, corrigée et augmentée. n.p., [1789]. 16pp.
        Not official procès-verbal.

5482. -------- Procès-verbal des journées du 24 & 25 juin; ensuite de la séance royale. n.p., [1789]. 7pp.

5483. -------- Séance du 25 juin 1789. (Assemblée nationale). n.p., [1789]. 8pp.
        Not official procès-verbal.

5484. -------- Séance du 26 juin 1789. [Assemblée nationale]. n.p., [1789]. 8pp.
        Not official procès-verbal.

5485. -------- Précis de la séance des trois ordres, du 27 juin 1789. Avec copie de la lettre du roi à la majorité de la noblesse, remise à la chambre ledit jour à midi; pour servir de suite au procès-verbal, du 24 & jours suivans. n.p., [1789]. 8pp.

5486. -------- Séance de l'Assemblée nationale, du 7 juillet 1789. Nantes: A.-J. Malassis,(juillet) 1789. 1p.
        Introduction of deputies from National Assembly; extract from procès-verbal.

5487. -------- Récit de ce qui s'est passé à la séance tenue par le roi le 15 juillet (1789). Aix: Gibelin-David & Emeric-David, 1789. 4pp.
        Announcement of king that troops would be withdrawn from Versailles and Paris.

5488. -------- Précis des seances des 5 & 6 août 1789. Paris: Baudouin, 1789. 10pp.
        Not the official procès-verbal.

5489. -------- Séance de l'Assemblée nationale. Du lundi 24 août 1789, 7 heures du soir. Paris: Baudouin, 1789. 8pp.
        Not the official procès-verbal.

5490. -------- Précis de la séance de l'Assemblée nationale. Du jeudi 27 août 1789. [Paris]: chez Baudouin, [1789]. 10pp.

5491. -------- Séance de l'Assemblée nationale, contenant des débats sur la religion catholique, apostolique & romaine, pour savoir si elle sera dominante en France, & si son culte sera seul autorise. Décret qui honore la religion catholique. (13 avril 1790). Paris: Cuchet, [1790]. 12pp.
        Not official procès-verbal.

5492. -------- Extrait du procès-verbal de l'Assemblée nationale, dont l'Assemblée nationale a ordonné, par son décret du dix-sept du même mois, l'impression & la distribution aux députés à la fédération nationale. Du 14 juillet 1790. Paris: chez Baudouin, [1790]. 7pp.

5493. -------- Séance extraordinaire de l'Assemblee nationale, qui condame le Parlement de Toulouse à être traduit par-devant le tribunal des crimes de lèze-nation, pour être jugé suivant la rigueur des loix; avec la motion de M. de Mirabeau, & les nouvelles de son arrivée dans Marseille, du 10 octobre 1790. Marseille: P. A. Favet, [1790]. 4pp.

5494. -------- Procès-verbal de l'Assemblée nationale. (21 juin 1791). Paris: Imp. Nat., 1791. 18pp.

-------- See also no. 607.

5495. FRANCE. ASSEMBLEE NATIONALE CONSTITUANTE. DECLARATION DES DROITS ET CONSTITUTION. Extrait fait Ad Libitum, de l'article des Droits de l'homme, dans le dictionnaire encyclopédique, par ordre de matières. Versailles: Baudouin, [1789]. 3pp.

5496. -------- Déclaration des droits de l'homme en société. Versailles: Ph. D. Pierres, 1789. 14pp.
    Proposed declaration of 42 articles.

5497. -------- Projet de déclaration des droits, par un membre de l'Assemblée nationale. n.p., [1789]. 8pp.

5498. -------- Projet de déclaration des droits de l'homme et du citoyen, discuté dans le sixième bureau de l'Assemblée nationale. Paris: Baudouin, 1789. 4pp.
    Another suggested Declaration, officially discussed.

5499. -------- Projet de déclaration des droits de l'homme en société, présenté le 17 août 1789, par MM. du comité chargé de l'examen des déclaration des droits. Paris: Baudouin, 1789. 4pp.
    Early form of Declaration, later revised.

5500. -------- Projet de déclaration des droits de l'homme et du citoyen; extrait et résumé d'après les différens projets donnés jusqu'à ce jour. Versailles: Baudouin, [1789]. 6pp.

5501. -------- Réflexions d'un député à l'Assemblée nationale, sur le projet de déclaration des droits de l'homme en société, lu à cette Assemblée, adressées aux représentans de la nation. Versailles: Baudouin, [1789]. 7pp.
    Declares that Declaration must be based on "the true religion."

5502. -------- Déclaration des droits de l'homme et du citoyen, décrétés par l'Assemblée nationale dans les séances des 20, 21, 23, 24 & 26 août 1789, sanctionnés par le roi. Marseille:

FRANCE. ASSEMBLEE NATIONALE CONSTITUANTE. DECLARATION DES DROITS
ET CONSTITUTION, continued.

      F. Brebion, 1790. 8pp.
         Reprint of official text.

5503. -------- Déclaration des droits de l'homme décrétés par l'Assemblée nationale, du 26 août 1789. Grenoble: J. M. Cuchet,
1789. 8pp.
         Reprint of official text, contains also address presen-
ted to king by Assembly on 25 August and brief notice of
Assembly meeting of 27 August.

5504. -------- Déclaration des droits de l'homme et du citoyen.
Extrait des procès-verbaux de l'Assemblée nationale. n.p.,
1789. 8pp.
         Last article incorrectly numbered XVIII (should be XVII).
Contains also other extracts of October 3 and 21, not
concerning the Declaration des droits.

5505. -------- Extrait des procès-verbaux de l'Assemblée nationale,
des 20, 21, 22, 23, 24, 26 août & premier octobre 1789. Déclaration des droits de l'homme en société. n.p., [1789].
8pp.

5506. -------- Extrait des procès-verbaux de l'Assemblée nationale,
des 20, 21, 22, 23, 24, 26 août 1789. (Déclaration des
droits de l'homme en société);...des 9, 10, 11, 12, 14, 17,
21, 22, 23, 24, 29 septembre & premier octobre 1789. (Articles de constitution). Versailles: chez Baudouin, [1789].
8pp.

5507. -------- Extrait des procès-verbaux de l'Assemblée nationale,
des 9, 11, 12, 14, 17, 21, 24, 27, 30 septembre et 1 octobre
1789. Articles de constitution. n.p., [1789]. 7pp.
         Contains also king's sanction of articles.

5508. -------- Déclaration des droits de l'homme et articles de
constitution présentés au roi, avec sa réponse du 6 octobre
soir. Paris: chez Baudouin, 1789. 7pp.
         Extrait des procès-verbaux de l'Assemblée nationale;
does not contain the Déclaration des droits de l'homme.)

5509. FRANCE. ASSEMBLEE NATIONALE CONSTITUANTE. ADDRESSES. Adresse
de l'Assemblée nationale a ses commettans. Marseille: Jean
Mossy, [1789]. 8pp.
         Reprint of official text.

5510. -------- Adresse présenté au roi par l'Assemblée nationale,
le jour de Saint Louis. Versailles: Baudouin, [1789]. 2pp.

5511. -------- Adresse de l'Assemblée nationale, aux françois,
sur l'émission des assignats-monnoie... Paris: Imp. Nat.,
[1790]. 15pp.

5512. -------- L'Assemblée nationale aux françois, 11 février
1790. Paris: Imp. Nat., [1790]. 11pp.

FRANCE. ASSEMBLEE NATIONALE CONSTITUANTE. ADDRESSES, continued.

5513. -------- Adresse de l'Assemblée nationale aux français, du 11 février 1790. Marseille: Imp. de J. Mossy, 1790. 16pp.
> Reprint of official text.

5514. -------- L'Assemblée nationale aux françois, proclamation décrétée dans la séance du 22 juin 1791. [Paris]: Imp. Nat., 1791. 8pp.

5515. -------- L'Assemblée nationale aux françois, relativement aux contributions publiques, proclamation décrétée le 24 juin 1791. Paris: Imp. Nat., 1791. 38pp.

5516. -------- Adresse des ligues grisonnes, a l'Assemblée nationale, a la séance du 2 avril 1790. Paris: Baudouin, 1790. 4pp.
> Published by order of Assembly.

5517. -------- Adresse des gens de maison a l'Assemblée nationale, dans le séance du 12 juin [1790]... Paris: Baudouin, [1790]. 9pp.
> Procès-verbal no. 316; defective copy, pp. 3-8 lacking.

5518. -------- Adresse des représentans des beaux-arts a l'Assemblée nationale, dans la séance du 28 juin 1790. [Paris]: Imp. Nat., [1790]. 3pp.
> Procès-verbal no. 333.

5519. -------- Adresse de l'equipage du vaisseau Le Superbe, en rade de Brest, à la Société des Amis de la Constitution, séance du 4 novembre 1790... [Paris: Imp. Nat., 1790]. 4pp.
> Procès-verbal no. 46.

5520. FRANCE. ASSEMBLEE NATIONALE CONSTITUANTE. DECRETS ET PROJETS. Arrêté du 13 juillet 1789. Paris: Baudouin, 1789. 3pp.
> During disorders in Paris, Assembly reaffirms its position of June 17-23.

5521. -------- Projet d'arrêté. Versailles: Baudouin, [1789]. 7pp.
> The "August 4" decree.

5522. -------- Extrait du procès-verbal de l'Assemblée nationale. Articles arrêtés, rédigés & décrétés dans les séances de 4, 6, 7, 8, & 11 août 1789. n.p., [1789]. 7pp.
> Results of the night of 4-5 August.

5523. -------- Emprunt. Extrait du procès-verbal de l'Assemblée nationale, du 9 août 1789. Marseille: Imp. de Jean Mossy, [1789]. 2pp.
> Text of decree authorizing bond issue of 30 millions.

5524. -------- Décret pour le rétablissement de la tranquillité publique. Extrait du procès-verbal de l'Assemblée nationale. Du 10 août 1789. Versailles: chez Baudouin, [1789]. 4pp.

5525. -------- Décret pour le rétablissement de la tranquillité publique, formé par l'Assemblée nationale, le 10 août 1789; et arrêté du comité municipal de la ville de Dijon, du 3 septembre 1789. Dijon: chez Causse, 1789. 15pp.

5526. -------- Décret sur la féodalité. Suppression des droits honorifiques des ci-devant seigneurs. Suppression du retrait féodal. Marseille: chez F. Brebion, 1789. 8pp.
        Bulk of pamphlet contains official text of Assembly decree.

5527. -------- Décret...concernant les subsistances, pour assurer l'exécution du décret du 29 août dernier. Du 18 septembre 1789. Versailles: chez Baudouin, [1789]. 4pp.

5528. -------- Décret...du 19 septembre 1787 [1789]; lettre du roi a l'Assemblée nationale (20 sept. 1789). Versailles: chez Baudouin, [1789]. 4pp.
        Re decrees of August 4.

5529. -------- Décret sur la gabelle. Extrait du procès-verbal de l'Assemblée nationale. Du 23 septembre 1789. Orléans: Imp. de Jacob-Sion, [1789]. 4pp.
        Official copy "pour l'Orleanois & le Blaisois."

5530. -------- Décret...sur les impositions. Du 26 septembre 1789. Orléans: Imp. de Jacob-Sion, [1789]. 4pp.
        Official copy "pour l'Orléanois & le Blaisois."

5531. -------- Décret...concernant la contribution patriotique. Du mardi 6 octobre 1789. Paris: chez Baudouin, [1789]. 12pp.

5532. -------- Décret...sur la réformation de quelques points de la jurisprudence criminelle. Des 8 & 9 octobre 1789. Versailles: Baudouin, [1789]. 8pp.

5533. -------- Lettres-patentes du roi en form d'édit, portant sanction des décrets de l'Assemblée nationale, contenant réformation de quelques points de la jurisprudence criminelle. (Octobre 1789). Marseille: P. A. Favet, 1789. 8pp.
        Reprint of official text containing decrees.

5534. -------- Projet de loi concernant les attroupemens. (14 octobre 1789). Versailles: Baudouin, [1789]. 7pp.
        Edict of king; with advice and consent of National Assembly.

5535. -------- Décret...concernant les droits féodaux. Du 15 mars 1790. Paris: chez Baudouin, 1790. 20pp.

5536. -------- Decret...sur les municipalités. Séance du 25, 26 & 27 novembre 1789. Marseille: P. A. Favet, [1789]. 8pp.
        Sur l'Imprimé de Paris.

FRANCE. ASSEMBLEE NATIONALE CONSTITUANTE. DECRETS ET PROJETS, continued.

Favet was "imprimeur du Roi et de la ville."

5537. -------- Lettres-patentes du roi, qui ordonnent l'envoi à tous les tribunax [sic] des décrets de l'Assemblée nationale, sanctionnés par sa majesté. (Novembre 1789). Marseille: Brebion, [1789]. 47pp.
Reprint of text of procès-verbaux containing constitutional decrees.

5538. -------- Décret...concernant la constitution des municipalités du 14 décembre 1789. Paris: Imp. Nat., 1789. 32pp.

5539. -------- Lettres-patentes du roi, sur un décret de l'Assemblée nationale, pour la constitution des municipalités. (Paris, décembre 1789). n.p., [1789]. 16pp.
Reprint of official text.

5540. -------- Proclamation du roi, sur un décret de l'Assemblée nationale, pour la constitution des municipalités. (28 décembre 1789). Paris: Imp. Nat., 1789. 32pp.
Text of decrees.

5541. -------- Décret...pour la liberté de la vente, et la circulation des grains dans tout le royaume, et la défense provisoire de l'exportation à l'étranger. Versailles: chez Baudouin, [1789]. 2pp.

5542. -------- Lettres-patentes du roi, sur un décret de l'Assemblée nationale, contenant diverses dispositions relatives aux municipalités. (Paris, janvier 1790). Paris: Baudouin, 1790. 4pp.
Text of decree.

5543. -------- Projet de décret a discuter à la séance de l'Assemblée nationale, du 19 février 1790. Paris: Imp. Nat., [1790]. 4pp.
On maintenance of order.

5544. -------- Lettres-patentes du roi, qui sanctionnent le décret de l'Assemblée nationale, sur la procédure prévôtale de Marseille, du 11 mars 1790. Marseille: Jean Mossy, 1790. 4pp.
Reprint of official text containing the stated decree.

5545. -------- Décrets...du 20 mars, publiées le lendemain. Concernant les marques distinctives des officiers des municipalités du royaume, leurs rangs; les qualités pour être declaré citoyen actif, & le serment inviolable des Bretons. Marseilles: Jean Mossy, 1790. 8pp.

5546. -------- Décret...qui annulle les procès-criminels des gabelles; & qui accorde la grace & la liberté de ceux qui sont détenus en prison ou aux galeres. Du 22 mars 1790. Marseille: P. A. Favet, [1790]. 8pp.

FRANCE. ASSEMBLEE NATIONALE CONSTITUANTE. DECRETS ET PROJETS,
continued.

5547. -------- Lettres-patentes du roi, sur les décrets de l'Assemblée nationale, des 16 & 17 de ce mois, concernant les
dettes du clergé, les assignats & les revenus des domaines
nationaux. Données à Paris, le 22 avril 1790. Marseille:
Jean Mossy, [1790]. 8pp.
        Reprint of official text of decree.

5548. -------- Décret...concernant les troupes nationales, parties
de Bordeaux pour Montauban. Du 18 mai 1790. n.p., [1790].
8pp.
        Summary of assembly debate followed by decree. (Moniteur
        has this matter occuring on 19 May.)

5549. -------- Décret...concernant la tranquillité publique. Du
2 juin 1790. Paris: Imp. Nat., 1790. 8pp.

5550. -------- Lettres-patentes du roi, sur le décret de l'Assemblée nationale, concernant la municipalité de Paris. Du 27
juin 1790. Paris: Imp. Nat., [1790]. 83pp.
        Text of decret.

5551. -------- Plan général d'organisation de l'armée, arrêté par
le roi, le 7 juillet 1790. Paris: Imp. Nat., 1790. 22pp.
        Consists entirely of Tables of organization and of ap-
        propriations.

5552. -------- Décret sur la constitution civile du clergé. Du
12 juillet, 1790. Paris: chez Baudouin, 1790. 28pp.

5553. -------- Décret sur les pensions, gratifications, et autres
récompenses nationales, prononcé dans les séances des 10, 16,
23, et 26 juillet; relu dans la séance du 3 août 1790. [Paris]:
Imp. Nat., [1790]. 20pp.

5554. -------- Réglement pour la discipline des troupes de ligne.
Proclamation du roi, sur deux décrets de l'Assemblée nationale, qui ont pour but le rétablissement de la discipline dans
les corps des troupes réglées. (8 août 1790). Marseille:
Jean Mossy, [1790]. 8pp.
        Reprint of official texts.

5555. -------- Décret sur le traitement du clergé actuel. Des 24
juillet, 3, 6 & 11 août 1790. Paris: Imp. Nat., 1790. 24pp.

5556. -------- Décret sur l'organisation judiciaire, du 16 août
1790, sanctionné par lettres-patentes du 24 du même mois.
Paris: chez Baudouin. 38pp.

5557. -------- Décret...des 16, 19 et 21 août 1790. Code pénal
pour être exécuté sur les vaisseaux, escadres et armées navales, et dans les ports et arsenaux. Paris: chez Baudouin,
[1790]. 28pp.

5558. -------- Loi relative a l'établissement de nouvelles mesures

pour les grains, suivie de la lettre du secrétaire de l'-
Académie des sciences, [Condorcet] à M. le président de l'Assemblée nationale, & de l'instruction de l'Académie des
sciences, adressée aux directoires des quatre-vingt-trois
départemens du royaume en exécution de la proclamation du
roi, du 22 août 1790, sur le décret de l'Assemblée nationale,
du 8 mai précédent, concernant les poids & mesures. Paris:
Imp. Nat., 1790. 16pp.

5559. -------- Proclamation du roi, sur les décrets de l'Assemblée
nationale, pour la constitution civile du clergé, et la fixation de son traitement. (24 août 1790). Paris: Imp. Nat.,
1790. 48pp.

5560. -------- Proclamation du roi, sur le décret de l'Assemblée
nationale, qui designe les villes où seront placés les tribunaux de districts. (28 août 1790). Paris: Imp. Nat.,
[1790]. 28pp.
          Text of décret.

5561. -------- Proclamation du roi, sur décrets de l'Assemblée
nationale, faisant suite au décret concernant l'organisation judiciaire. (11 septembre 1790). Paris: Imp. Nat.,
[1790]. 16pp.
          Text of décrets.

5562. -------- Décret...sur la désignation des biens nationaux à
vendre dès-à-présent; sur leur administration jusqu'à la
vente; sur les créanciers particuliers des différentes maisons; et sur l'indemnité de la dîme inféodée. Du 23 octobre
1790. Paris: chez Baudouin, [1790]. 52pp.

5563. -------- Décret d'aliénation au profit de la municipalité de
la ville de Chartres. Du 10 novembre 1790. [Paris]: Imp.
Nat., [1790]. 2pp.

5564. -------- Décret et instruction de l'Assemblée nationale, des
20, 22, & 23 novembre 1790, sur la contribution foncière,
acceptés par le roi, le novembre 1790, avec les modèles y annexés. Paris: Imp. Nat., 1790. 59pp.

5565. -------- Décret...sur l'enregistrement des acts civile et
judiciaire, et sur les titres de propriété. Du 5 décembre
1790. Paris: chez Baudouin, [1790]. 50pp.

5566. -------- Loi relative au droit d'enregistrement des actes
civils & judiciaires, & des titres de propriété, donnée à
Paris, le 19 décembre 1790. Décret...du 5 décembre 1790, sur
le droit d'enregistrement des actes civils & judiciaires, &
des titres de propriété, suivi du tarif des mêmes droits...
Marseille: F. Brebion, 1791. 33pp.

5567. -------- Décret sur le rachat des rentes foncières. Du 18
décembre 1790. Paris: Imp. Nat., [1790]. 26pp.

FRANCE. ASSEMBLEE NATIONALE CONSTITUANTE. DECRETS ET PROJETS,
continued.

5568. -------- Articles additionnels a la loi du 19 décembre 1790,
sur le droit d'enregistrement. Paris: Imp. Nat., [1791].
8pp.

5569. -------- Décret...concernant la constitution des assemblées
représentatives & des assemblées administratives. Paris:
Imp. Nat., 1790. 60pp.

5570. -------- Décret...qui condamne la lettre incendiaire de l'évêque
de Toulon, & pour être informé jusqu'à jugement définitif, &
ses biens sequestrés entre les mains du Directoire. Marseille:
Jean Mossy, 1790. 4pp.

5571. -------- Décret...qui supprime & abolit le costume de tous
les ordres religieux; & le nouveau code de la discipline militaire. Marseille: P. A. Favet, [1790]. 8pp.

5572. -------- Décrets...concernant la division du royaume en quatre-
vingt-trois départemens. Paris: Imp. Nat., 1790. 44pp.

5573. -------- Projet de décret. [Paris]: Imp. Nat., [1790?]. 7pp.
On collection of various "droits, ci-devant féodaux," not
suppressed.

5574. -------- Projet de décret concernant les fournitures, vivres
et fourrages de l'armée, fondé sur l'économie de l'administration, l'assurance et la facilité des approvisionnemens,
l'avantage public et particulier des départemens, la clarté
de la comptabilité, l'intérêt de l'armée & le bien général
de la nation. Paris: Imp. Nat., 1790. 2pp.

5575. -------- Projet de décret relatif aux droits sur les boissons.
Paris: Imp. Nat., [1790?]. 7pp.

5576. -------- Projet de décret, sur l'avancement du corps du génie.
Paris: Imp. Nat., [1790]. 7pp.

5577. -------- Projet de décret sur l'organisation du trésor public. Paris: Imp. Nat., 1790. 36pp.

5578. -------- Projet de décret sur la désignation des biens nationaux à vendre, dès-à-présent; sur leur administration
jusqu'à la vente; sur les créanciers particuliers des différentes maisons; et sur l'indemnité de la dîme inféodée.
Paris: Imp. Nat., 1790. 40pp.

5579. -------- Projet de décret sur la suppression de la compagnie
de la prévôté de l'hôtel, et sur sa formation et organisation
en deux compagnies de la gendarmerie nationale. Paris: Imp.
Nat., [1790]. 12pp.

5580. -------- Tarifs pour établir la contribution personnelle dans
les différentes municipalités. Paris: Imp. Nat., 1790. 23pp.
Tables of tax assessments.

5581. -------- Décret et instruction...du 13 janvier 1791, sur la
contribution mobiliaire, acceptés par le roi, le février
1791. Avec les modèles y annexés. Paris: Imp. Nat., 1791.
53pp.

5582. -------- Décret sur la circonscription des paroisses de
Paris, séance du 4 février 1791. Paris: chez Baudouin,
[1791]. 15pp.

5583. -------- Décret...pour l'établissement du timbre. Du 7
février 1791. [Paris]: Imp. Nat., [1791]. 12pp.

5584. -------- Décret...qui permet à tous citoyens de cultiver &
fabriquer du tabac dans le royaume. Du 14 février 1791. Marseille, P. A. Favet, [1791]. 4pp.

5585. -------- Loi relative au timbre, donnée à Paris, le 18 fé-
rier, 1791. [Paris]: Imp. de Gueffier, [1791]. 15pp.

5586. -------- Décret...sur les patentes, du 2 mars 1791. [Paris:
Imp. Nat., 1791]. 28pp.

5587. -------- Décret sur le recrutement, les engagemens, le ren-
gagemens et les congés. Des 7 & 9 mars 1791. [Paris]: Imp.
Nat., [1791]. 30pp.

5588. -------- Décret...concernant l'abolition de plusieurs droits
seigneuriaux, notamment de ceux qui étoient ci-devant annexés
à la justice seigneuriale, et le mode de rachat de ceux qui
ont été précédemment déclarés rachetables. Du 13 avril 1791.
Paris: Imp. Nat., [1791]. 31pp.

5589. -------- Décret concernant les invalides de la marine, du 28
& 30 avril 1791. Paris: Imp. Nat., [1791]. 15pp.

5590. -------- Décret concernant la liquidation et le remboursement de la dette de l'état, du 3 mai 1791. [Paris]: Imp.
Nat., [1791]. 39pp.

5591. -------- Décret concernant la liquidation et le remboursement
de la dette de l'état, du 13 mai 1791. [Paris: Imp. Nat.,
1791]. 32pp.

5592. -------- Décret...des 16 & 18 mai 1791, sur l'organisation de
la régie des droits d'enregistrement, et autres réunis. Paris:
Imp. Nat., [1791]. 20pp.

5593. -------- Décret concernant la liquidation & le remboursement
de la dette de l'état. Du 17 mai 1791. [Paris]: Imp. Nat.,
[1791]. 19pp.

5594. -------- Décret concernant la liquidation et le remboursement
de la dette de l'état, du 22 mai 1791. [Paris]: Imp. Nat.,
[1791]. 14pp.

FRANCE. ASSEMBLEE NATIONALE CONSTITUANTE. DECRETS ET PROJETS,
continued.

5595. -------- Décret des 24 mai, 25, 27 & 30 juin, 2, 4, 5 & 8
juillet 1791. Sur la conservation & le classement des places
de guerre & postes militaires; sur la suppression des etats-
majors des places; sur la manière de suppléer à leur service;
sur le commandement & le service des troupes de ligne en garnison; sur les rapports des troupes de ligne avec les gardes
nationales, & sur ceux du pouvoir civil avec l'autorité militaire dans les places; sur la conservation & la manutention
des établissemens & bâtimens militaires, meubles, effets,
fournitures & ustensiles à l'usage des troupes; sur les loge-
mens desdites troupes, & sur l'administration des travaux
militaires. Paris: chez Baudouin, [1791]. 56pp.
    Procès-verbal no. 695, signed J. X. Bureaux-Pusy, rap-
    porteur.

5596. -------- Décret concernant la liquidation et le remboursement de la dette de l'état, du 31 mai 1791. [Paris]: Imp.
Nat., [1791]. 16pp.

5597. -------- Décret concernant la liquidation et le remboursement
de la dette de l'état, du 7 juin 1791. [Paris]: Imp. Nat.,
[1791]. 48pp.

5598. -------- Décret concernant la liquidation et le remboursement
de la dette de l'état, du 14 juin 1791. Paris: Imp. Nat.,
[1791]. 15pp.

5599. -------- Décret concernant la liquidation et le remboursement
de la dette de l'état, du 24 juin 1791. [Paris: Imp. Nat.,
1791]. 31pp.

5600. -------- Décret...du 15 juin 1791. Instruction...décrétée
le 15 juin 1791, sur les droits de champart, terrage, agrier,
arrage, tierce, soété, complant, cens, rentes seigneuriales,
lods & ventes, reliefs, & autres droits ci-devant seigneuriaux, déclarés rachetables par le décret du 15 mars 1790,
sanctionné par le roi le 28 du même mois. [Paris, 1791].
15pp.

5601. -------- Décret sur l'organisation de la trésorerie nationale, des 30 juin, 11 juillet & 16 août 1791. Paris: Imp.
Nat., 1791. 34pp.

5602. -------- Décret concernant la liquidation et le remboursement de la dette de l'état, du 2 juillet 1791. [Paris]: Imp.
Nat., [1791]. 16pp.

5603. -------- Extrait du procès-verbal de l'Assemblée nationale,
du 7 juillet. [Paris]: Imp. Nat., [1791]. 3pp.
    Decree banning any alteration of Constitution which would
    allow the establishment of either a legislature of two
    houses or a republic. Contains also copie du discours
    du roi and réponse du président. Reflects confusion
    after king's flight.

5604. -------- Décret concernant la liquidation et le remboursement de la dette de l'état, du 9 juillet 1791. [Paris]: Imp. Nat., [1791]. 47pp.

5605. -------- Décret concernant la liquidation et le remboursement de la dette de l'état, du 10 juillet 1791. [Paris]: Imp. Nat., [1791]. 6pp.

5606. -------- Décret concernant la liquidation et le rembourse-ment de la dette de l'état, du 16 juillet 1791. [Paris]: Imp. Nat., [1791]. 14pp.

5607. -------- Décret sur la police municipale & la police correction-nelle. Du 19 juillet 1791. [Paris]: Imp. Nat., [1791]. 40pp.

5608. -------- Décret concernant la liquidation et le remboursement de la dette de l'état, du 21 juillet 1791. [Paris]: Imp. Nat., [1791]. 22pp.

5609. -------- Décret concernant la liquidation et le remboursement de la dette de l'état, du 27 juillet 1791. [Paris]: Imp. Nat., [1791]. 16pp.

5610. -------- Décret sur l'organisation des gardes nationales. Des 27 & 28 juillet 1791. [Paris]: Imp. Nat., [1791]. 16pp.

5611. -------- Décret concernant la liquidation et le remboursement de la dette de l'état, du 31 juillet 1791. [Paris]: Imp. Nat., [1791]. 5pp.

5612. -------- Décret...sur l'organisation de la garde nationale parisienne. Des 3, 4, & 5 août 1791. [Paris]: Imp. Nat., [1791]. 38pp.

5613. -------- Décret concernant la liquidation et le remboursement de la dette de l'état, du 4 août 1791. [Paris]: Imp. Nat., [1791]. 30pp.

5614. -------- Décret concernant la liquidation et le remboursement de la dette de l'état, du 11 août 1791. [Paris]: Imp. Nat., [1791]. 32pp.

5615. -------- Décret concernant la liquidation et le remboursement de la dette de l'état, du 19 août 1791. [Paris]: Imp. Nat., [1791]. 22pp.

5616. -------- Décret des 20 août, 2, 3, 4 & 15 septembre 1791 concernant l'établissement d'une nouvelle administration forestière. [Paris]: Imp. Nat., [1791]. 47pp.

5617. -------- Décret concernant la liquidation et le remboursement de la dette de l'état. Du 21 août 1791. [Paris]: Imp. Nat., [1791]. 6pp.

5618. -------- Décret concernant la liquidation et le remboursement de la dette de l'état, du 24 août 1791. [Paris]: Imp. Nat., [1791]. 38pp.

5619. -------- Décret concernant la liquidation et le remboursement de la dette de l'état, du 3 septembre 1791. [Paris]: Imp. Nat., [1791]. 22pp.

5620. -------- Décret concernant la liquidation et le remboursement de la dette de l'état, du 7 septembre 1791. [Paris]: Imp. Nat., [1791]. 24pp.

5621. -------- Projet de décret concernant les sources d'eau, les ruisseaux et petites rivières, les fleuves et rivières navi- gables, et atterissemens en dépendans, les eaux stagnantes et les eaux pluviales et d'écoulement. (11 septembre 1791). Paris: Imp. Nat., 1791. 15pp.

5622. -------- Décret concernant la liquidation et le remboursement de la dette de l'état, du 12 septembre 1791. [Paris]: Imp. Nat., [1791]. 14pp.

5623. -------- Décret pour la formation d'un corps de gardes nation- ales à cheval, destiné à marcher aux frontières, du 12 septem- bre 1791. [Paris]: Imp. Nat., [1791]. 3pp.

5624. -------- Décret sur l'organisation de la garde nationale parisienne, du 12 septembre 1791. [Paris]: Imp. Nat., [1791]. 4pp.

5625. -------- Décret...pour l'organisation de commissaires des guerres. Du 20 septembre 1791. Paris: Imp. Nat., 1791. 46pp.

5626. -------- Décret concernant la liquidation et le remboursement de la dette de l'état, du 22 septembre 1791. Paris: Imp. Nat., [1791]. 43pp.

5627. -------- Décret concernant le code pénal. Du 25 septembre 1791. Paris: Imp. Nat., 1791. 57pp.

5628. -------- Décret sur la régie des poudres et salpêtres, du 27 septembre 1791. [Paris]: Imp. Nat., [1791]. 11pp.

5629. -------- Décret...sur les biens & usages ruraux, & sur la police rurale. Du 28 septembre 1791. Paris: Imp. Nat., [1791]. 31pp.

5630. -------- Décret concernant la liquidation et le remboursement de la dette de l'état, du 29 septembre 1791. [Paris]: Imp. Nat., [1791]. 14pp.

5631. -------- Décret concernant la liquidation et le remboursement de la dette de l'état, du 29 septembre 1791. [Paris]: Imp.

Nat., [1791]. 80pp.
    Different from 5630.

5632. -------- Décret concernant les notaires, du 29 septembre 1791.
[Paris]: Imp. Nat., [1791]. 28pp.

5633. -------- Décret...concernant la répartition d'une somme de
44,200 liv. entre les employés dans les divers bureaux de
l'Assemblée nationale, an exécution du décret du 26 septembre 1791. Du 30 septembre 1791. [Paris: Imp. Nat., 1791].
8pp.

5634. -------- Décret...concernant le code pénal militaire. Du 30
septembre 1791. Paris: Imp. Nat., [1791]. 10pp.

5635. -------- Décrets...sur les remplacemens dans les troupes de
ligne; sur les mesures a prendre auprès des princes de l'empire; et sur les troubles excités sous prétexte de religion;
du 29 novembre 1791. [Paris]: Imp. Nat., [1791]. 19pp.

5636. -------- Articles omis sur les assemblées administratives et
nationale, et sur les élections. Paris: chez Baudouin, [1791].
4pp.

5637. -------- Contribution fonciere. Paris, Imp. Nat., [1791].
4pp.
    Text of articles IV to XV of decree.

5638. -------- Etat-major de la marine, et service des ports. Paris:
Imp. Nat., 1791. 5pp.
    Text of decree.

5639. -------- Projet d'articles additionnels au décret sur la contribution foncière. Paris: Imp. Nat., [1791?]. 3pp.

5640. -------- Projet d'articles a décréter, sur les hôpitaux
militaires. n.p., [1791?]. 16pp.
    Defective copy; incomplete.

5641. -------- Projet de décret. Paris: Imp. Nat., [1791?]. 8pp.
    On military punishments.

5642. -------- Projet de décret d'application pour l'administration
de la marine. [Paris: Imp. Nat., 1791]. 12pp.

5643. -------- Projet de décret, imprimé par ordre de l'Assemblée
nationale. Paris: Imp. Nat., 1791. 7pp.
    Concerning defection of (émigré) army officers and remo-
    val of other officers.

5644. -------- Projet de décret relatif aux frais des funerailles
d'Honoré-Gabriel Riquetti-Mirabeau. [Paris]: Imp. Nat.,
[1791]. 1p.
    In Opuscules sur Mirabeau, I.

FRANCE. ASSEMBLEE NATIONALE CONSTITUANTE. DECRETS ET PROJETS, continued.

5645. -------- Projet de décret sur l'avancement du corps de l'artillerie. [Paris]: Imp. Nat., [1791]. 16pp.

5646. -------- Projet de décret sur l'organisation de l'artillerie de la marine. [Paris]: Imp. Nat., [1791?]. 23pp.

5647. -------- Projet de décret sur l'organisation des bureaux de ministre de la marine. [Paris]: Imp. Nat., [1791?]. 7pp.

5648. -------- Projet de décret sur l'organisation des troupes de la marine. [Paris]: Imp. Nat., [1791]. 19pp.

5649. -------- Projet de décret sur la garde des cotes, et l'instruction des aspirans. Paris: Imp. Nat., [1791?]. 3pp.

5650. -------- Projet de décret sur les commissaires des guerres. Paris: Imp. Nat., 1791. 46pp.
      Suppression of commissaires des guerres.

5651. -------- Projet de décret sur les vicaires des églises supprimées. [Paris]: Imp. Nat., [1791]. 2pp.

5652. -------- Projet de décret sur les écoles de mathematiques et d'hydrographie de la marine. Paris: Imp. Nat., 1791. 21pp.

5653. -------- Projet de loi sur les délits les peines militaires, corrigé. Paris: Imp. Nat., 1791. 18pp.

5654. -------- Rapport et projet de décret sur le paiement des gages de 1790. [Paris]: Imp. Nat., [1791]. 6pp.

-------- See also nos. 3681, 3935, 5667, 5668, 5672, 5673, 5674, 5675, 5676, 5678, 5679, 5680, 5681, 5683, 5684, 5685, 5686, 5691, 5693, 5700, 5704, 5706, 5707, 5709, 5710, 5712, 5713, 5714, 5715, 5716, 5717, 5719, 5721, 5722, 5723, 5724, 5725, 5726, 5727, 5728, 5733, 5735, 5737, 5738, 5743, 5747, 5748, 5752, 5753, 5754, 5772, 5773, 5776, 5777, 5778, 5779, 5780, 5781, 5782, 6446, 6691.

5655. FRANCE. ASSEMBLEE NATIONALE CONSTITUANTE. INSTRUCTIONS. Instruction pour l'exécution du décret de l'Assemblée nationale, du 14 mai 1790, sur la vente des domaines nationaux. Paris: Imp. Nat., 1790. 15pp.

5656. -------- Instruction...sur la formation des nouvelles municipalités, dans toute l'étendue du royaume. Du 14 décembre 1789. Marseille: veuve Sibié, 1789. 23pp.

5657. -------- Instruction...sur les fonctions des assemblées administratives. Paris: Imp. Nat., 1790. 66pp.

5658. -------- Instruction...sur l'organisation civile du clergé. (du 21 janvier 1791). Paris: Imp. Nat., [1791]. 8pp.

5659. -------- Instruction adressée aux administrateurs de districts et de départemens, pour la liquidation des dîmes dont l'Assemblée nationale a ordonné le remboursement. Décrétée le 30 juillet 1791. Paris: Imp. Nat., 1791. 22pp.

5660. -------- Instruction sur la procédure criminelle. (29 septembre 1791). [Paris?, 1791]. 96pp.

5661. -------- Instruction...aux corps administratifs, sur divers objets concernant l'aliénation des domaines nationaux. Paris: Imp. Nat., 1791. 20pp.

-------- See also nos. 5564, 5581, 5600, 5700, 5725, 5771, 5774, 5775.

5662. FRANCE. ASSEMBLEE NATIONALE CONSTITUANTE. COMITE D'AGRICUL-TURE. Rapport fait à l'Assemblée nationale, au nom des comités d'agriculture, du commerce, & des contributions publiques. Sur la réforme du tarif des droits qui seront perçus à toutes les entrées & sorties du royaume. Paris: Imp. Nat., [1790]. 35pp.

-------- See nos. 1455, 1456, 1567, 2015, 2405, 3012, 3013, 3198, 3201, 3203, 3206, 3207, 3208, 3948, 3961, 3971, 4402, 5045.

5663. FRANCE. ASSEMBLEE NATIONALE CONSTITUANTE. COMITE D'AGRICUL-TURE ET DE COMMERCE. Plan des travaux du comité d'agriculture et de commerce, présenté a l'Assemblée nationale, le 8 mai 1790. Paris: Imp. Nat., 1790. 12pp.

5664. -------- Rapport présenté a l'Assemblée nationale, au nom du comité d'agriculture et de commerce, tant sur la suppression des chambres du commerce, des inspecteurs des manufactures, & de toute l'administration actuelle du commerce, que sur les moyens d'organiser les bureaux relatifs au commerce, faisant partie du département du ministre de l'intérieur. [Paris]: Imp. Nat., [1791]. 12pp.

5665. -------- Rapport sur l'état de la tannerie & de la corroirerie en France, & sur les moyens de les régénérer, fait a l'Assemblée nationale au nom des comités d'agriculture et de commerce, et des finances. Paris: Imp. Nat., 1791. 11pp.

-------- See nos. 1868, 1911, 1912, 1913, 2485, 3074, 3075, 3076, 3517, 3518, 4272, 4431, 4432, 4433, 4584, 4585, 4586, 4587, 5684, 5742, 5754.

5666. FRANCE. ASSEMBLEE NATIONALE CONSTITUANTE. COMITE D'ALIENA-TION. Rapport fait au nom des comités d'aliénation, féodal et ecclésiastique, sur une difficulté élevée sur l'exécution de l'article XVII du titre V du décret du 23 octobre (1790). [Paris]: Imp. Nat., [1790]. 4pp.

5667. -------- Projet de décret sur l'emploi de l'argenterie des eglises, chapitres & communautés religieuses, jugée inutile

FRANCE. ASSEMBLEE NATIONALE CONSTITUANTE. COMITE D'ALIENATION, continued.

au culte; présenté a l'Assemblée nationale, par les comités réunis d'aliénation, des domaines nationaux, & des monnoies. (Mars 3.) [Paris]: Imp. Nat., [1791?]. 4pp.

5668. -------- Articles additionnels au décret du 3 mars, sur l'emploi de l'argenterie des eglises & communautés, proposés par le comité d'aliénation. [Paris]: Imp. Nat., [1791]. 3pp.
      Sequel of no. 5667.

5669. -------- Rapport fait a l'Assemblée nationale, au nom du comité d'aliénation, sur la nécessité et les moyens de simplifier le mode du paiement des domaines nationaux, celui du seizième, revenant aux municipalités, et des frais de vente, etc. [Paris]: Imp. Nat., [1791]. 63pp.

-------- See nos. 1567, 1950, 1951, 1953, 2457, 2462, 2565, 3208, 3503, 3504, 3506, 3507, 3508, 3946, 3947, 4084, 4402, 4459, 4460, 5045, 5146, 5727, 5753, 5771, 5774, 5775.

FRANCE. ASSEMBLEE NATIONALE CONSTITUANTE. COMITE DE COMMERCE. See nos. 1455, 1456, 1567, 2087, 2485, 3012, 3013, 3198, 3201, 3202, 3203, 3206, 3207, 3208, 3961, 3971, 5045, 5662.

5670. FRANCE. ASSEMBLEE NATIONALE CONSTITUANTE. COMITE DE CONSTITUTION. Rapport du nouveau comité de constitution, fait a l'Assemblée nationale, le mardi 29 septembre 1789, sur l'établissement des bases de la représentation proportionnelle... Paris: Baudouin, 1789. 24pp.

5671. -------- Seconde partie du rapport du nouveau comité de constitution, fait a l'Assemblée nationale, le...29 septembre 1789, sur l'établissement des assemblées administratives, & des nouvelles municipalités. Versailles: Baudouin, 1789. 24pp.

5672. -------- Projet de l'organisation du pouvoir judiciaire, proposé à l'Assemblée nationale par le comité de constitution, dont l'annexe a été ordonnée au procès-verbal du 21 décembre 1789. Paris: Baudouin, [1789]. 58pp.

5673. -------- Suite du projet de l'organisation du pouvoir judiciaire, présenté à l'Assemblée nationale par le comité de constitution. Paris: Baudouin, [1789]. 58pp.

5674. -------- Observations sommaires sur le travail du comité de constitution, relatif à l'organisation du pouvoir judiciaire; projet de l'organisation du pouvoir judiciaire, proposé à l'Assemblée nationale par le comité de constitution... Paris: Baudouin, [1789]. 58pp.

5675. -------- Projet de loi contre les délits qui peuvent se commettre par la voie de l'impression et par la publication des ecrits et des gravures, etc, présenté a l'Assemblée

nationale, le 20 janvier 1790. Paris: Imp. Nat., [1790].
24pp.

5676. -------- Projet de décrets sur l'organisation de la force
publique. Présenté par le comité de constitution. Paris:
Imp. Nat., (27 novembre) 1790. 4pp.

5677. -------- Exposé sur le projet de décret, pour l'organisation de la maréchaussée et gendarmerie nationale des départemens. Paris: Imp. Nat., [1790?]. 8pp.
        Comité de constitution et comité militaire.

5678. -------- Projet de décret, relatif, a la division générale du
royaume. Paris: Imp. Nat., [1790]. 4pp.

5679. -------- Nouveau projet sur l'ordre judiciaire, conforme aux
bases décrétées par l'Assemblée nationale, proposé par le
comité de constitution. Paris: Imp. Nat., [1790?]. 39pp.

5680. -------- Projet de décret sur l'organisation de la maréchaussée, présenté par les comités de constitution et militaire.
Paris: Imp. Nat., 1790. 31pp.

5681. -------- Projet de décret sur le respect dû à la loi, proposé par le comité de constitution. [Paris]: Imp. Nat.,
[1790?]. 8pp.

5682. -------- Rapports faits au nom des comités de constitution et
de judicature. Liquidation des offices ministériels. Paris:
Imp. Nat., 1790. 38pp.

5683. -------- Projet de décret présenté par le comité de constitution, sur la petition faite à l'Assemblée nationale, le 26
avril 1791, par les administrateurs du Département de Paris.
Paris: Imp. Nat., 1790 [1791]. 8pp.
        Publication date on pamphlet (1790) is an error.

5684. -------- Additions, transpositions et changemens faits par
les comités de constitution, de legislation criminelle &
d'agriculture & commerce, aux articles relatifs aux délits,
dans le projet de décret des lois rurales. Paris: Imp.
Nat., 1791. 15pp.

5685. -------- La Constitution française, projet présenté à l'Assemblée nationale par les comités de constitution et de révision. Paris: Imp. Nat., 1791. 30pp.

5686. -------- Projet de décret additionnel sur l'ordre judiciaire,
proposé par le comité de constitution. [Paris]: Imp. Nat.,
[1791?]. 12pp.
        Concerning "juges de paix, leurs assesseurs & leurs
        greffiers."

5687. -------- Rapport des comités de constitution, et de judicature,

477

FRANCE. ASSEMBLEE NATIONALE CONSTITUANTE. COMITE DE CONSTITUTION, continued.

sur les offices de notaires. [Paris]: Imp. Nat., [1791]. 32pp.

5688. -------- Seconde partie du rapport fait au nom des comités de constitution et de judicature. Liquidation des offices ministériels. [Paris: Imp. Nat., 1791?]. 38pp.

5689. -------- Rapport sur le projet du code pénal, présenté à l'Assemblée nationale au nom des comités de constitution & de législation criminelle. Paris: Imp. Nat., 1791. 121pp.

5690. -------- Rapport sur les offices de receveurs des consignations et des commissaires aux saisies-réeles, présenté par le comité de constitution. [Paris]: Imp. Nat., [1791]. 12pp.

5691. -------- Projet de décret sur la prochaine Assemblée de revision, présenté par le comité de constitution & de révision. [Paris]: Imp. Nat., [1791]. 12pp.

-------- See also nos. 1455, 1475, 1665, 1716, 1835, 2007, 2206, 2299, 2509, 2510, 2511, 2512, 2513, 2716, 2923, 3062, 3063, 3066, 3067, 3068, 3208, 3422, 3451, 3582, 3583, 3934, 3936, 4162, 4165, 4167, 4176, 4533, 4585, 4909, 4910, 4937, 4938, 4985, 4986, 4987, 4999, 5000, 5003, 5004, 5234, 6437.

FRANCE. ASSEMBLEE NATIONALE CONSTITUANTE. COMITE DIPLOMATIQUE. See nos. 2009, 2564, 2566, 2923, 2997, 3454, 3455, 3932, 3933, 3934, 4041, 4042, 4176, 4729.

5692. FRANCE. ASSEMBLEE NATIONALE CONSTITUANTE. COMITE DE JUDICATURE. Note justificative sur le premier rapport du comité de judicature, concernant la liquidation et le rebousement [sic] des offices. Paris: Imp. Nat., 1790. 12pp.

5693. -------- Projet de décret sur le travail du comité de judicature. Paris: Imp. Nat., [1790?]. 8pp.

5694. -------- Premier rapport a l'Assemblée nationale par le comité de judicature, sur le remboursement des offices supprimés par les décrets des 4 & 11 août 1789. Paris: Imp. Nat., 1790. 17pp.

5695. -------- Résultat des rapports de liquidation d'offices, remis au comité de judicature par le commissaire du roi, directeur-général de la liquidation, le 8 juin 1791. [Paris]: Imp. Nat., [1791]. 10pp.

5696. -------- Seconde rapport du comité de judicature, sur les dettes des compagnies supprimées. Paris: Baudouin, [1791?]. 23pp.

5697. -------- Rapport...sur la liquidation des offices d'expéditionnaires en cour de Rome. Paris: Imp. Nat., 1791. 8pp.

FRANCE. ASSEMBLEE NATIONALE CONSTITUANTE. COMITE DE JUDICATURE, continued.

-------- See also nos. 3069, 3188, 3297, 4942, 4943, 5110, 5681, 5686, 5687.

FRANCE. ASSEMBLEE NATIONALE CONSTITUANTE. COMITE DE JURIS-PRUDENCE CRIMINELLE. See nos. 2716, 4176.

5698. FRANCE. ASSEMBLEE NATIONALE CONSTITUANTE. COMITE DE L'IM-POSITION. Premier rapport fait au nom du comité de l'imposi-tion. (18 août 1790). Paris: Baudouin, 1790. 11pp.
(Ordre du travail.)

5699. -------- Rapport...sur la contribution foncière. [Paris, Imp. Nat., 1790]. 23pp.

5700. -------- Projet d'instruction sur la contribution foncière, présenté par le comité de l'imposition, le 17 novembre 1790. Paris: Imp. Nat., 1790. 42pp.

5701. -------- Rapport...sur les moyens de pourvoir aux dépenses publiques & à celles des départemens, pour l'année 1791. Paris: Imp. Nat., [1790]. 12pp.

5702. -------- Rapport...sur l'établissement du droit d'enregistre-ment. (14 décembre 1790). [Paris]: Imp. Nat., [1790]. 16pp.

5703. -------- Rapport...concernant les loix constitutionnelles des finances, le 20 décembre 1790. Paris: Baudouin, 1791. 34pp.

5704. -------- Articles du comité de l'imposition, sur la contribu-tion personnelle. [Paris]: Imp. Nat., [1790]. 3pp.

5705. -------- Etat actuel des travaux du comité de l'imposition... . Paris: Imp. Nat., 1790. 8pp.

5706. -------- Projet de décret sur le droit d'enregistrement des actes civils et judiciaires, et des titres de propriété, pro-posé par le comité de l'imposition. Paris: Imp. Nat., 1790. 34pp.

5707. -------- Projet de décret pour l'établissement de timbre, proposé par le comité de l'imposition. (Janvier 1791). Paris: Imp. Nat., [1791]. 12pp.

5708. -------- Seconde rapport...sur la contribution mobiliaire. Paris: Imp. Nat., [1791?]. 15pp.

-------- See also nos. 2565, 2785, 2786, 3208, 3505, 4272, 4585.

5709. FRANCE. ASSEMBLEE NATIONALE CONSTITUANTE. COMITE DE LA GUERRE. Projet de décret proposé par le comités réunis de la guerre, de la marine et des pensions, pour la création de nouvelles pensions, en remplacement des pensions supprimées. Paris: Imp. Nat., [1790]. 8pp.

5710. FRANCE. ASSEMBLEE NATIONALE CONSTITUANTE. COMITE DE LA MARINE. Projet de loi pénale, pour être exécutée provisoirement dans les armées navales, escadres, divisions, & sur les vaisseaux de guerre; présenté à l'Assemblée nationale par le comité de la marine. (Juillet 1790.) Paris: Baudouin, 1790. 22pp.

5711. -------- Rapport sur les peines a infliger dans l'armée navale, et dans les ports et arsénaux, fait au nom du comité de la marine, dans la séance du 16 août 1790. Paris: Imp. Nat., 1790. 16pp.

5712. -------- Projet de décret sur l'avancement des gens de mer en pays & en grade sur les vaisseaux de l'état. Présenté par le comité de la marine. [Paris]: Imp. Nat., 1790. 7pp.

5713. -------- Projet de décret sur l'organisation de la marine militaire, et sur le mode d'admission et d'avancement, présenté par le comité de la marine. Paris: Imp. Nat., 1790. 14pp.

5714. -------- Projet de décret sur les classes des gens de mer, présenté par le comité de la marine. [Paris]: Imp. Nat., 1790. 7pp.

5715. -------- Projet de décret sur l'administration de la marine, présenté par le comité de la marine. [Paris]: Imp. Nat., [1791?]. 16pp.

5716. -------- Projet de décret sur l'organisation de la marine françoise, et sur le mode d'admission et d'avancement. Présenté par le comité de la marine. Paris: Imp. Nat., [1791]. 12pp.

5717. -------- Projet de décret sur la police et la justice dans les ports et arsénaux, présenté par le comité de la marine. [Paris]: Imp. Nat., [1791]. 27pp.

5718. -------- Rapport fait a l'Assemblée nationale, au nom du comité de marine; sur l'organisation de la marine militaire. [Paris]: Imp. Nat., [1791]. 27pp.

-------- See also nos. 1567, 1682, 2379, 2380, 2381, 2382, 2385, 3824, 4402, 4853, 4854, 4862, 5080, 5709.

5719. FRANCE. ASSEMBLEE NATIONALE CONSTITUANTE. COMITE DE LEGISLATION. Projet de décret proposé par le comité de législation, relativement aux crimes commis dans la ville et le territoire d'Avignon. [Paris]: Imp. Nat., [1790?]. 3pp.

FRANCE. ASSEMBLEE NATIONALE CONSTITUANTE. COMITE DE LEGISLATION CRIMINELLE. See nos. 3208, 5684, 5689.

5720. FRANCE. ASSEMBLEE NATIONALE CONSTITUANTE. COMITE DE LIQUIDATION. Mémoire concernant la comptabilité des finances, rédigé par l'agent du trésor public, sur la demande du comité central de liquidation de l'Assemblée nationale, & imprimé par son ordre. [Paris]: Imp. Nat., [1791?]. 24pp.

FRANCE. ASSEMBLEE NATIONALE CONSTITUANTE. COMITE DE LIQUIDATION, continued.

5721. -------- Nouveau projet de décret, proposé par le comité central de liquidation, concernant la liquidation des créances des particuliers sur les maisons, corps, communautes & établissemens supprimés, & sur les diocèses. Paris: Imp. Nat., [1791?]. 12pp.

5722. -------- Projet de décret proposé par le comité de liquidation concernant l'arriéré des départemens, les indemnités & les dîmes inféodées. Paris: Imp. Nat., [1791]. 6pp.

5723. -------- Projet de décret proposé par le comité établi pour la direction générale de la liquidation, concernant l'arriéré des départemens, les indemnités & les dîmes inféodées. Paris: Imp. Nat., [1791]. 6pp.

5724. -------- Deux projets de décrets et articles additionnels concernant la liquidation; proposés à l'Assemblée nationale par son comité central de liquidation. Paris: Imp. Nat., 1791. 7pp.

5725. -------- Projet d'instruction a adresser aux administrateurs de districts et de départemens, pour la liquidation des dîmes dont l'Assemblée nationale a ordonné le remboursement. Paris: Imp. Nat., 1789. [1791]. 21pp.
        Date of publication given (1789) is an error.

-------- See also nos. 1625, 1626, 1627, 1628, 1629, 2097, 2098, 2304, 2305, 2386, 3471.

5726. FRANCE. ASSEMBLEE NATIONALE CONSTITUANTE. COMITE DE MENDI-CITE. Projet de décret présenté par le comité de mendicité. Paris: Imp. Nat., 1791. 12pp.

5727. -------- Projet de décret présenté par les comités de mendicité, d'imposition, d'aliénation, et ecclésiastique. [Paris]: Imp. Nat., [1791]. 3pp.
        On maintenance of charitable establishments from income of national domains.

5728. -------- Projets de décrets présenté...par son comité de mendicité. Paris: Imp. Nat., [1791]. 36pp.
        Decree establishing general principles for public relief of needy.

5729. -------- Rapport sur la nouvelle distribution des secours proposés dans le département de Paris. Paris: Imp. Nat., 1791. 38pp.

-------- See also nos. 3089, 3202, 3208, 3512, 3514, 3515, 3516, 3517, 3518.

5730. FRANCE. ASSEMBLEE NATIONALE CONSTITUANTE. COMITE DE RECHER-CHES. Copie de l'arrêté du comité de recherches. Copie de la réponse du comité des recherches à la lettre écrite par

FRANCE. ASSEMBLEE NATIONALE CONSTITUANTE. COMITE DE RECHERCHES, continued.

M. Macaye, à M. le président de l'Assemblée nationale en date du 16 janvier 1791. Paris: Imp. Nat., 1791. 3pp.

-------- See also nos. 1406, 2009, 2923, 3454, 3514, 3516, 4042, 4176, 4729, 4852, 5146, 5147, 5148, 5149, 5150, 5151.

FRANCE. ASSEMBLEE NATIONALE CONSTITUANTE. COMITE DE REVISION. See nos. 4176, 5685, 5691.

FRANCE. ASSEMBLEE NATIONALE CONSTITUANTE. COMITE DES ASSIGNATS. See nos. 3586, 5755.

5731. FRANCE. ASSEMBLEE NATIONALE CONSTITUANTE. COMITE DES CONTRIBUTIONS PUBLIQUES. Rapport sur les patentes... le 15 février 1791. Paris: Baudouin, [1791]. 20pp.

5732. -------- Seconde rapport...sur les moyens de pourvoir aux dépenses publiques, & à celles des départemens pour l'année 1791. [Paris: Imp. Nat., 1791]. 12pp.

5733. -------- Décret sur les besoins des villes et des hopitaux, précédé du rapport... . Paris: Imp. Nat., 1791. 15pp.

5734. -------- Rapport...sur le taux de la retenue que les debiteurs de rentes ou autres prestations seront autorisés à faire à raison de la contribution foncière, en acquittant ces rentes ou prestations. Paris: Imp. Nat., 1791. 11pp.

5735. -------- Projet de décret additionnel à la loi du timbre, proposé par le comité des contributions publiques, le 9 juin 1791. [Paris]: Imp. Nat., [1791]. 3pp.

5736. -------- Rapport...sur un dégrèvement à accorder à dix-sept départemens. [Paris]: Imp. Nat., [1791]. 15pp.

5737. -------- Projet de décret proposé par le comité des contributions publiques, concernant le supplément à payer aux propriétaires pendant la durée des baux actuels, à raison de la dîme & de l'indemnité qui leur est due, à raison de la contribution substituée à celles dont les fermiers, colons & métayers etoient ci-devant chargés. Paris: Imp. Nat., 1791. 8pp.

-------- See also nos. 1405, 3075, 3076, 5662, 5742, 5754.

5738. FRANCE. ASSEMBLEE NATIONALE CONSTITUANTE. COMITE DES DIMES. Projet de décret présenté à l'Assemblée nationale, au nom du comité des dîmes. [Paris]: Imp. Nat., [1790]. 4pp.

-------- See also nos. 2221, 2222.

5739. FRANCE. ASSEMBLEE NATIONALE CONSTITUANTE. COMITE DES DOMAINES. Objets, ordre et état des travaux du comité des domaines. (7 avril 1790). Paris: Imp. Nat., [1790]. 7pp.

FRANCE. ASSEMBLEE NATIONALE CONSTITUANTE. COMITE DES DOMAINES, continued.

5740. -------- Observations du comité des domaines, sur les apanages des princes. Paris: Imp. Nat., [1790]. 56pp.
    Contains various statistical tables; annexed to assembly session of 31 July 1790.

5741. -------- Etat de consistance & des revenus des domaines à réserver au roi, suivi du projet de décret. Imprimé au nom du comité des domaines. Paris: Imp. Nat., [1791]. 16pp.

5742. -------- Rapport sur l'organisation générale de l'administration des douanes nationales, & sur la dépense qu'elle exige; présenté à l'Assemblée nationale, au nom des comités réunis des domaines, des contribution publiques, des finances, & d'agriculture & commerce. [Paris]: Imp. Nat., [1791]. 31pp.

-------- See also nos. 1455, 1456, 1566, 1567, 1568, 1569, 1570, 1571, 1572, 1869, 2276, 2380, 2562, 2563, 2564, 2565, 2566, 2782, 2783, 2784, 2785, 2786, 2787, 2788, 2789, 2996, 2997, 2998, 3013, 3113, 3202, 3208, 3517, 3518, 3948, 4272, 4584, 5667.

5743. FRANCE. ASSEMBLEE NATIONALE CONSTITUANTE. COMITE DES FINANCES. Comité des finances créé par décrets des 11, 13, et 14 juillet 1789. Liste des membres du comité des finances. Versailles: Imp. royale, 1789. 4pp.

5744. -------- Rapport des dépenses du département de la marine, fait a l'Assemblée nationale par le comité des finances. [Paris: Imp. Nat., 1789]. 36pp.

5745. -------- Apperçu general des réductions sur la dépense publique présenté à l'Assemblée nationale, au nom du comité des finances, le 29 janvier 1790. Paris: chez Baudouin, 1790. 9pp.

5746. -------- Bibliothèque du roi; rapport du comité des finances. [Paris: Imp. Nat., 1790?]. 8pp.
    List of expenses of king's library for salaries and other items.

5747. -------- Projet de décret proposé au nom du comité des finances, sur les reconstitutions. Paris: Imp. Nat., 1790. 8pp.

5748. -------- Projet de décret, proposé par le comité des finances. Paris: Imp. Nat., [1790]. 4pp.
    On clerical debts.

5749. -------- Rapport du comité des finances, sur le compte de la caisse-d'escompte avec le trésor public. Paris: Imp. Nat., 1790. 16pp.

5750. -------- Rapport fait au nom du comité des finances, sur l'organisation du trésor public. Paris: Imp. Nat., 1790. 24pp.

FRANCE. ASSEMBLEE NATIONALE CONSTITUANTE. COMITE DES FINANCES, continued.

5751. -------- Etat des dépenses publiques pour l'année 1791. Publié au nom du comité des finances, et suite du rapport du 6 février 1791. Paris: Imp. Nat., 1791. 29pp.

5752. -------- Articles additionnels sur les ponts et chaussées, proposés par le comité des finances. Paris: Imp. Nat., 1791. 8pp.

5753. -------- Projet de décret, proposé au nom des comités des finances et d'aliénation, sur les dîmes inféodées. Paris: Imp. Nat., [1791?]. 3pp.

5754. -------- Projet d'état du service de la poste aux lettres, pour 1792. Proposé par les comités des finances, des contributions publiques, d'agriculture et de commerce. Paris: Imp. Nat., 1791. 29pp.

5755. -------- Rapport au nom des comités des finances, des rapports et des assignats, réunis. Paris: Imp. Nat., 1791. 8pp.
      On counterfeit assignats.

5756. -------- Rapport...sur les dettes des pays d'états. [Paris]: Imp. Nat., [1791]. 30pp.

-------- See also nos. 1403, 1404, 1425, 1427, 1428, 1567, 1571, 1774, 2565, 2614, 2785, 2786, 3066, 3089, 3323, 3325, 3504, 3517, 3518, 3566, 3606, 3610, 3611, 3612, 3745, 4078, 4079, 4080, 4081, 4082, 4083, 4084, 4085, 4086, 4087, 4195, 4196, 4272, 4402, 4585, 5100, 5102, 5665, 5742.

5757. FRANCE. ASSEMBLEE NATIONALE CONSTITUANTE. COMITE DES MON-NOIES. Note du comité des monnoies. Paris: Imp. Nat., [1790?]. 3pp.
      On coinage of money of small denomination.

5758. -------- Rapport...sur l'organisation des monnoies. Paris: Imp. Nat., [1790]. 27pp.

5759. -------- Seconde rapport...du 11 novembre 1790. Paris: Imp. Nat., 1790. 22pp.

5760. -------- Résumé des rapports... . Paris: Imp. Nat., 1790. 26pp.

-------- See also nos. 1688, 1689, 2390, 2391, 3972, 5145, 5667.

5761. FRANCE. ASSEMBLEE NATIONALE CONSTITUANTE. COMITE DES PENSIONS. Rapport...sur une lettre adressée à l'Assemblée nationale, par M. Necker, le 4 avril 1790. (6 avril 1790). Paris: Imp. Nat., [1790]. 20pp.

5762. -------- Livre rouge. (7 avril 1790) Paris: Baudouin, 1790. 39pp.

FRANCE. ASSEMBLEE NATIONALE CONSTITUANTE. COMITE DES PENSIONS, continued.

5763. -------- Ordre de travail du comité des pensions. Paris: Imp. Nat., [1790]. 8pp.

5764. -------- Réponse aux observations de M. Necker, et de M. de Montmorin, relativement au Livre rouge; suivie des états de comptant de l'année 1783, et de la correspondance entre le comité des pensions et les ministres et ordonnateurs. (25 avril 1790.) Paris: Imp. Nat., 1790. 32pp.

5765. -------- Troisième rapport...sur le parti à prendre par l'Assemblée nationale au sujet des pensions existantes. (1 juillet 1790.) [Paris]: Imp. Nat., 1790. 11pp.

5766. -------- Addition au Livre rouge, ou démonstration de la vérité de ce qui a été dit dans l'avertissement imprimé en tête du dépouillement de ce livre, page 4, ligne 11 & suivantes. (10 avril 1790.) Paris: Imp. Nat., [1790]. 8pp.

5767. -------- Rapports du comité des pensions a l'Assemblée nationale. [Paris: Imp. Nat., 1790]. 161pp.

5768. -------- Véritable Livre rouge...contenant la liste des pensions & traitemens secrets sur le trésor-royal. Paris: Baudouin, 1790. 40pp.
        Another edition of no. 5762.

        -------- See also nos. 1771, 4272, 5709.

FRANCE. ASSEMBLEE NATIONALE CONSTITUANTE. COMITE DES RAPPORTS. See nos. 1406, 2007, 2009, 2011, 2923, 3187, 3514, 3516, 4099, 4174, 4175, 4729, 5077, 5146, 5755.

FRANCE. ASSEMBLEE NATIONALE CONSTITUANTE. COMITE DE SALUBRITE. See nos. 3141, 4837, 4838.

5769. FRANCE. ASSEMBLEE NATIONALE CONSTITUANTE. COMITE DES SUBSISTANCES. Rapport du comité des subsistances, présenté a l'Assemblée nationale, le 22 août 1789. Versailles: Baudouin, [1789]. 3pp.

5770. FRANCE. ASSEMBLEE NATIONALE CONSTITUANTE. COMITE ECCLESIASTIQUE. Liste de messieurs du comité ecclésiastique. Paris: Imp. Nat., [1789]. 2pp.

5771. -------- Instruction...concernant la conservation des manuscrits, chartes, sceaux, livres imprimés, monumens de l'antiquité & du moyen age, statues, tableaux, dessins & autres objets relatifs aux beaux arts, aux arts mécaniques, à l'histoire naturelle, aux moeurs & usages de différens peuples, tant anciens que modernes, provenant du mobilier des maisons ecclésiastiques, et faisant partie des biens nationaux. (le 15 décembre 1790.) [Paris]: Imp. Nat., [1790]. 12pp.
        Comité ecclésiastique et comité d'aliénation.

FRANCE. ASSEMBLEE NATIONALE CONSTITUANTE. COMITE ECCLESIASTIQUE,
continued.

5772. -------- Projet de décret sur la vente des biens des fabriques.
[Paris]: Imp. Nat., [1790]. 3pp.

5773. -------- Suite des réglements proposés par le comité ecclésiastique, sur les ordres religieux & sur les chanoinesses
séculières. Paris: Imp. Nat., [1790]. 16pp.

5774. -------- Instruction...concernant les châsses, reliquaires
& autres pièces d'orfévrerie provenant du mobilier des maisons ecclésiastiques, & destines à la fonte. (20 mars 1791).
Paris: Imp. Nat., [1791]. 3pp.
        With comité d'aliénation.

5775. -------- Instruction...pour la manière de faire les états
et notices des monumens de peinture, sculpture, gravure,
dessin, etc.; provenant du mobilier des maisons ecclésiastiques supprimées, et dont l'envoi est demandé promptement
par les comités réunis d'administration ecclésiastique et
d'aliénation des biens nationaux. (1 juillet 1791). [Paris]:
Imp. Nat., [1791]. 3pp.

5776. -------- Projet de décret proposé par le comité ecclésiastique, concernant la liquidation des créances particulières
sur les maisons & corps ecclésiastiques supprimés. [Paris]:
Imp. Nat., [1791]. 11pp.

        -------- See also nos. 1835, 1953, 2009, 2565, 2738, 2741,
2742, 2816, 3470, 3632, 3880, 3884, 4039, 4040, 4729, 5032,
5146, 5666, 5727.

        FRANCE. ASSEMBLEE NATIONALE CONSTITUANTE. COMITE DES DROITS
FEODAUX. See no. 3942.

5777. FRANCE. ASSEMBLEE NATIONALE CONSTITUANTE. COMITE FEODAL. Articles additionnels aux décrets des 3 mai & 18 décembre 1790,
présentés par le comité feodal. [Paris]: Imp. Nat., [1790].
6pp.

5778. -------- Articles proposés par le comité féodal, pour être
ajoutés à la suite de l'article II du titre III du décret
concernant les droits féodaux. Paris: Imp. Nat., [1790?].
1p.

5779. -------- Projet de décret sur le mode & le taux du rachat
des droits ci-devant seigneuriaux, soit fixes, soit casuels,
dont sont grevés les biens possédés à titre de bail emphytéotique, ou de rente foncière non-perpétuelle; presenté
par le comité féodal. [Paris]: Imp. Nat., [1791]. 10pp.

        -------- See also nos. 1455, 1456, 1571, 2565, 3013, 3202,
3208, 3941, 3943, 3944, 3945, 3948, 3949, 5039, 5041, 5042,
5043, 5045, 5046, 5666.

5780. FRANCE. ASSEMBLEE NATIONALE CONSTITUANTE. COMITE MILITAIRE.

FRANCE. ASSEMBLEE NATIONALE CONSTITUANTE. COMITE MILITAIRE, continued.

Projet de décret proposé par le comité militaire. Paris:
Imp. Nat., [1790?]. 4pp.
    On organization of corps de l'artillerie.

5781. -------- Projet de décret présenté au nom du comité militaire,
sur les invalides. (Avril 1791). Paris: Imp. Nat., [1791].
7pp.

5782. -------- Projet d'articles additionnels pour la composition
actuelle de la gendarmerie nationale, présenté au nom du
comité militaire. [Paris]: Imp. Nat., [1791]. 7pp.

5783. -------- Rapport sur le remboursement des charges, offices &
emplois militaires. [Paris, 1791]. 50pp.

-------- See also nos. 1656, 1954, 1955, 1956, 1957, 1958,
2005, 2008, 2009, 2033, 2195, 2613, 2615, 2616, 2778, 2779,
2923, 3450, 3451, 3453, 3454, 3455, 3935, 3936, 4042, 4174,
4176, 4226, 4229, 4231, 4533, 4729, 4837, 4838, 5677, 5680.

5784. FRANCE. ASSEMBLEE NATIONALE CONSTITUANTE. SPECIAL COM-
MITTEES. Distribution du local de l'archevêché de Paris,
destiné provisoirement aux séances et travaux de l'Assemblée
nationale, par les six commissaires qu'elle a choisis, et
revêtus de pouvoirs, à cet effet, le 10 et le 11 octobre
1789. Paris: Baudouin, 1789. 8pp.

5785. -------- Compte rendu a l'Assemblée nationale, par les six
commissaires qu'elle a nommés et revêtus de pouvoirs, pour
choisir un local, le 10 et le 11 octobre 1789; et qu'elle a
chargés de nouveaux ordres, dans la séance du 19. Paris:
Baudouin, [1789]. 9pp.

5786. -------- Bureau pour la liquidation des offices & dettes des
compagnies, des cautionnemens, pensions, recouvremens de
créances dues par l'etat, ou par l'arriéré des départemens,
&c. &c. [Paris]: Clousier, [1790].

5787. -------- Rapport des commissaires...envoyés dans les départemens du Rhin & des Vosges. [Paris, 1790].
    (Signed: Custine, Chasset, Regnier de Nanci).

5788. -------- Rapport du comité d'emplacement, sur la destina-
tion des édifices publics de Paris. Paris: Imp. Nat., 1791.
16pp.

5789. -------- Rapport fait au nom des comités de l'extraordinaire
& de l'organisation de la direction générale de liquidation
au sujet d'une créance réclamée par M. d'Orléans. [Paris].
Imp. Nat., [1791]. 30pp.
    Recommends payment of 4,158,850 livres to M. d'Orléans.
    (Tourneux, III, 12542).

-------- See also nos. 1663, 1664, 1952, 2150, 2565, 3333,
3608, 3932, 3933, 3934, 4501, 4502, 5044.

5790. FRANCE. ASSEMBLEE NATIONALE CONSTITUANTE. DEPUTES. Déclaration d'une partie de l'Assemblée nationale, sur le décret rendu le 13 avril 1790, concernant la religion. Suivie d'une lettre de M. de Montlosier. Paris: Gattey, [1790]. 40pp.
Protest of 287 deputies against continued ~efusal of Assembly to decree that "la religion, catholique, apostolique et romaine, est la religion de l'état."

5791. -------- Déclaration d'une partie de l'Assemblée nationale, sur le décret rendu le 13 avril 1790... Paris, [1790]. 26pp.
Different edition of 5790.

5792. -------- Compte rendu par une partie des membres de l'assemblée nationale, de leur opinion sur le rapport de la procédure du châtelet et sur le projet de décret proposé par le comité des rapports et adopté par l'assemblée nationale dans la séance du 2 octobre 1790. [Paris?], 1790. 23pp.

5793. -------- Lettre des évêques députés a l'Assemblée nationale, en réponse au bref du ɪ ɪpe, en date du 10 mars 1791. Paris: Guerbart, [1791]. 64pp.
Pledging obedience to pope; signed by 30 bishops.

5794. -------- Développement des principes de plusieurs députés laics. Troisième édition. Paris: Bureau de l'Ami du Roi, 1791. 47pp.
Opposing clerical oath; signed by 101 deputies.

5795. -------- Déclarations de deux cents quatre-vingt-dix députés. Sur les décrets qui suspendent l'exercice de l'autorité royale, et qui portent atteinte à l'inviolabilité de la personne sacrée du roi. (29 in 1789). Paris: Bureau de l'Ami du Roi, 1791. 30pp.
In support of royal prerogatives; after flight of Royal Family.

5796. -------- Compte rendu par une partie des députés a leurs commettans. Seconde edition. Paris: Imp. de Guerbart, 1791. 75pp.
Signed by 107 clerical deputies, protesting various aspects ɔf constitution.

5797. -------- Déclaration d'une partie des députés aux Etats-généraux, touchant l'acte constitutionel et l'état du royaume. [Paris, 1791]. 66pp.
Anti-revolution, dated 31 August 1791, signed mostly by clerical and noble deputies.

5798. FRANCE. ASSEMBLEE NATIONALE CONSTITUANTE. MISCELLANEOUS PIECES. Etat des pensions à la charge de la ferme générale des messageries. [Paris, 1791]. 4pp and 3pp.

5799. -------- Etat nominatif des pensions sur le trésor royal, imprimé par ordre de l'Assemblée nationale. Tome premier. Paris: Imp. Nat., 1789. iɟi & 32pp.

5800. -------- Etat nominatif des pensions sur le trésor royal,

imprimé par ordre de l'Assemblée nationale. Tome premier. Paris: Imp. Nat., 1789. 32pp.
Slightly different edition of 5799.

5801. -------- Liste des évêques, députés a l'Assemblée nationale, qui ont signé l'exposition des principes sur la constitution du clergé; des autres ecclésiastiques députés qui y ont adhéré, & des évêques qui ont envoyé leur adhésion. [Paris]: Imp. du Journal de Louis XVI, [1790]. 13pp.

5802. -------- Liste, par ordre alphabétique de bailliages et sénéchaussées, de MM. les députés a l'Assemblée nationale. Paris: Baudouin, [1789]. 79pp.

5803. -------- Notions succintes pour l'intelligence des discussions monétaires. Paris: Imp. Nat., [1790?]. 8pp.
Definitions of terms, apparently for the use of deputies in their consideration of decrees on coinage, seigneuriage, etc.

5804. -------- Procès-verbaux de dépôts faits aux Archives nationales, des objets qui ont servi à la fabrication des 400,000,000 d'assignats de la première création. (30 décembre 1790). Paris: Imp. Nat., [1790]. 8pp.

5805. -------- Procès-verbal du transport de l'oriflamme de l'armée françoise, a la salle de l'Assemblée nationale. (15 juillet 1790). Paris: Baudouin, [1790]. 4pp.

5806. -------- Réflexions sur la fourniture des vivres de la marine. (5 septembre 1791) Paris: Imp. Nat., [1791]. 6pp.

5807. -------- Relation de ce qui s'est passé au procès de Milord Preston & du sieur Jean Ashton, leur conviction & condamnation, pour crime de haute-trahison contre leurs majestés le roi Guillaume & la reine Marie. (Pour avoir conspiré contre la vie de leurs majestés, tâché de les deposer, de changer le gouvernement présent, de faire envahir le royaume d'Angleterre par le roi de France, & exciter une rebellion contre leurs majestés). Avec plusieurs lettres & des mémoires très-curieux du roi Jacques au roi de France au pape & à divers ministres. (16/26 janvier 1691) Paris: Imp. Nat., (26 janvier) 1791. 157pp.
Reprinted by order of the National Assembly.

5808. FRANCE. ASSEMBLEE NATIONALE LEGISLATIVE. REPORTS OF MEETINGS. Procès-verbal de l'Assemblée nationale. Du 10 août 1792. [Paris]: Imp. Nat., [1791]. 26pp.

5809. -------- Extrait du procès-verbal de l'Assemblée nationale, du 17 septembre 1792, séance du matin. [Paris]: Imp. Nat., [1792]. 2pp.
Brief letter alleging formation of a plot to destroy Paris.

5810. FRANCE. ASSEMBLEE NATIONALE LEGISLATIVE. ADDRESSES. Arrêté pris par les ouvriers de l'imprimerie de M. Panckoucke,
imprimé par ordre de l'Assemblée nationale. [Paris, 1792?].
4pp.
Decision of the printers to pay for five soldiers to
represent them on the battle field.

5811. -------- Déclaration de l'Assemblée nationale, dont l'impression & l'envoi ont été ordonnés dans les quatre-vingt-trois
départemens. Paris: Imp. Nat., 1791. 7pp.
Reaffirming renunciation of "aggressive" war, maintenance of right of asylum, and preparation for defense
of the realm and the constitution.

5812. -------- L'Assemblée nationale aux français. Paris: Imp.
Nat., [1791]. 28pp.
On eve of declaration of war on Empire.

5813. -------- Acte du Corps législatif, du 31 juillet 1792, l'an
4e. de la liberté. [Paris]: Imp. Nat., [1792]. 2pp.
Address to National Guard of Paris and the departments
urging them not to give ear to the agents of discord.

5814. -------- Traduction de l'adresse des Amis de la liberté a
Newry en Irlande, lue par M. Français à la séance du 18 août
1792... [Paris]: Imp. Nat., [1792]. 2pp.

5815. -------- Adresse de l'Assemblée nationale aux français...du
19 août 1792... Paris: Imp. Nat., [1792]. 4pp.

5816. -------- Adresse de l'Assemblée nationale aux français...
(3 septembre 1792). Paris: Imp. Nat., [1792]. 4pp.

5817. FRANCE. ASSEMBLEE NATIONALE LEGISLATIVE. DECRETS ET PROJETS.
Règlement sur le service des huissiers de l'Assemblée nationale. Du 5 mai 1792... [Paris]: Imp. Nat., [1792]. 7pp.

5818. -------- Décret concernant l'indemnité à accorder aux gardes
nationaux volontaires, venus à Paris pour se rendre au camp
de réserve ou aux frontières. Du 11 juillet 1792... [Paris]:
Imp. Nat., [1792]. 3pp.

5819. -------- Commémoration nationale du quatorze juillet. Décret du Corps législatif, sur le cérémonial de la fédération,
du 12 juillet 1792. Paris: chez Dubosquet, [1792]. 12pp.

5820. -------- Acte du Corps législatif, sur la formation de la
Convention nationale; du 11 août 1792, l'an 4. de la liberté.
[Paris]: Imp. Nat., [1792]. 7pp.

5821. -------- Décret de l'Assemblée nationale, du 16 août 1792.
(Pieces trouvées dans le cabinet du Roi). [Paris]: Imp.
Nat., [1792]. 15pp.

5822. -------- Décret d'application, n.p., [1792?]. 7pp.
First article (28 sections) concerning personnel of
French navy.

FRANCE. ASSEMBLEE NATIONALE LEGISLATIVE. DECRETS ET PROJETS, continued.

-------- See also nos. 5825, 5826, 5829, 5830.

5823. FRANCE. ASSEMBLEE NATIONALE LEGISLATIVE. INSTRUCTIONS.
Instruction sur la levée des plans de masse, de détail, et
des villes, ordonnées par la loi du 23 septembre 1791; suivie
du jugement du l'académie des sciences sur cette instruction:
présentés le 21 mai 1792. [Paris]: Imp. Nat., [1792].
23pp.
        Table of new linear measures appended.

FRANCE. ASSEMBLEE NATIONALE LEGISLATIVE. COMITE D'AGRICUL-
TURE. See nos. 2087, 2405, 3365, 3519, 3665, 4151, 4637.

5824. FRANCE. ASSEMBLEE NATIONALE LEGISLATIVE. COMITE CENTRAL.
Résultat de la première délibération du comité central...sur
le rapport de M. Deliars. [Paris]: Imp. Nat., [1792?]. 4pp.

FRANCE. ASSEMBLEE NATIONALE LEGISLATIVE. COMITE D'INSPECTION.
See nos. 1749, 1750.

5825. FRANCE. ASSEMBLEE NATIONALE LEGISLATIVE. COMITE D'INSTRUC-
TION PUBLIQUE. Rapport et projet de décret, sur le secours
provisoire à accorder à l'Académie de Dijon. [Paris]: Imp.
Nat., [1792]. 6pp.

-------- See also nos. 2966, 4288, 4510, 5117.

FRANCE. ASSEMBLEE NATIONALE LEGISLATIVE. COMITE DE COMMERCE.
See nos. 2086, 2087, 2551, 2899, 2902, 2903, 2920, 3883, 4150,
4151, 4665.

FRANCE. ASSEMBLEE NATIONALE LEGISLATIVE. COMITE DE DIVI-
SION. See nos. 1392, 1393, 1394, 1395, 1396, 1397, 1398,
2164, 2165, 2166, 2167, 2168, 2169, 2170, 2171, 2172, 2173,
2174, 2175, 2176, 2575, 2576, 2964, 3044, 3045, 3657, 3658,
3858, 4390, 4391, 4392, 4393, 4394, 4395, 4425, 4426, 4957,
4959, 4960, 4961, 4962, 4963.

FRANCE. ASSEMBLEE NATIONALE LEGISLATIVE. COMITE DE L'EX-
TRAORDINAIRE DES FINANCES. See nos. 1532, 2058, 2059, 2060,
2133, 2134, 2239, 2278, 2521, 2700, 2777, 2885, 2988, 3838,
3843, 4579, 4580.

FRANCE. ASSEMBLEE NATIONALE LEGISLATIVE. COMITE DE L'ORDI-
NAIRE DES FINANCES. See nos. 1505, 1506, 2058, 2059, 2060,
2084, 2700, 2885, 3346, 3376, 3377, 3378, 3379, 3380, 3381,
3383, 3446, 3447, 3658, 3810, 3827, 3829, 3838, 4579, 4580,
5049.

FRANCE. ASSEMBLEE NATIONALE LEGISLATIVE. COMITE DE LA MARINE.
See nos. 2158, 2159, 2160, 3095, 3096, 3806, 4807, 4808.

FRANCE. ASSEMBLEE NATIONALE LEGISLATIVE. COMITE DE LA TRE-
SORERIE NATIONALE. See no. 2083.

5826. FRANCE. ASSEMBLEE NATIONALE LEGISLATIVE. COMITE DE LEGISLA-
TION. Projet de décret relatif aux troubles excités sous
prétexte de religion, proposé par la troisième section du
comité de legislation, et auquel l'Assemblée nationale a
accordé la priorité par décret du 16 novembre... [Paris]:
Imp. Nat., [1791]. 10pp.

-------- See also nos. 1874, 1875, 1876, 1877, 2111, 2400,
2401, 2402, 2669, 2918, 3058, 3144, 3145, 3146, 3147, 3189,
3429, 3658, 3735, 3887, 4180, 4494, 4562, 4721, 4796, 4928,
5098, 5156.

5827. FRANCE. ASSEMBLEE NATIONALE LEGISLATIVE. COMITE DE LIQUIDA-
TION. Résultat des procès-verbaux de liquidation d'offices
de judicature, d'offices ministériels & de perruquiers, en
exécution du décret du 17 décembre 1791. [Paris]: Imp.
Nat., [1792]. 2pp.

5828. -------- Résultat des procès-verbaux de liquidation d'offices
de judicature et ministériels, en exécution du décret du 17
décembre 1791. [Paris]: Imp. Nat., [1791].

-------- See also nos. 1411, 2430, 2431, 2432, 2433, 2434,
2760, 3248, 3249, 3250, 3717, 4124 4125, 4126, 4127, 4128,
4379, 4553, 4554, 4555, 4556, 4558, 4622, 4883, 4884, 4885.

FRANCE. ASSEMBLEE NATIONALE LEGISLATIVE. COMITE DES SECOURS
PUBLICS. See no. 4945.

5829. FRANCE. ASSEMBLEE NATIONALE LEGISLATIVE. COMITE DE SURVEIL-
LANCE. Projet de décret des comités réunis de surveillance.
militaire & diplomatique, relativement aux rassemblemens de
soi-distant Brabançons, formés dans le Département du Nord.
[Paris]: Imp. Nat., [1791]. 2pp.

-------- See also nos. 3602, 4963.

FRANCE. ASSEMBLEE NATIONALE LEGISLATIVE. COMITE DES ASSIGNATS
ET MONNOIES. See nos. 1452, 1685, 2580, 2581, 3545, 3546,
3547, 4069, 4494, 4578, 4579, 4580.

FRANCE. ASSEMBLEE NATIONALE LEGISLATIVE. COMITE DES DEPENSES
PUBLIQUES. See no. 3375.

FRANCE. ASSEMBLEE NATIONALE LEGISLATIVE. COMITE DES DOMAINES.
See nos. 2760, 2884, 3552, 3735, 5138, 5139.

FRANCE. ASSEMBLEE NATIONALE LEGISLATIVE. COMITE DES FINANCES.
See nos. 2884, 3735.

FRANCE. ASSEMBLEE NATIONALE LEGISLATIVE. COMITE DES PETI-
TIONS. See nos. 2362, 2505, 2827, 3070.

FRANCE. ASSEMBLEE NATIONALE LEGISLATIVE. COMITE DES SECOURS.
See no. 2362.

FRANCE. ASSEMBLEE NATIONALE LEGISLATIVE. COMITE DIPLOMATIQUE.

FRANCE. ASSEMBLEE NATIONALE LEGISLATIVE. COMITE DIPLOMATIQUE, continued.

See nos. 1978, 2086, 2669, 2988, 3316, 3317, 3801, 4562, 4566, 5829.

FRANCE. ASSEMBLEE NATIONALE LEGISLATIVE. COMITE FEODAL. See no. 4589.

5830. FRANCE. ASSEMBLEE NATIONALE LEGISLATIVE. COMITE MILITAIRE. Projet de règlement sur le logement et casernement des troupes, présenté...par le ministre de la guerre, en exécution de la loi du 12 octobre 1791.... Paris: Imp. Nat., 1792. 48pp. [pp. 1-25].
        Bound with: Rapport [& projet de décret]...au nom du comité militaire sur le projet de règlement présenté par le Ministre de la guerre, concernant le logement et casernement, en exécution de la loi du 12 octobre 1791; le 13 avril 1792, par Claude Hugau (pp. 26-48}.

        -------- See also nos. 1385, 1386, 1666, 1667, 1668, 1755, 1793, 1794, 1795, 1796, 2076, 2113, 2116, 2358, 2368, 2369, 2405, 2504, 2667, 2668, 2669, 2670, 2671, 2672, 2706, 2988, 3219, 3220, 3336, 3353, 3354, 3357, 3359, 3360, 3361, 3362, 3363, 3364, 3365, 3381, 3382, 3738, 3739, 3838, 4288, 4562, 5829.

FRANCE. ASSEMBLEE NATIONALE LEGISLATIVE. SPECIAL COMMITTEES. See nos. 1801, 2220, 2437, 2579, 2900, 3119, 3228, 3838, 4927, 4929.

5831. FRANCE. ASSEMBLEE NATIONALE LEGISLATIVE. MISCELLANEOUS PIECES. Bureaux de la guerre. Etat général de la formation des bureaux de la guerre, et des traitemens dont ils jouissent, a compter du premier octobre 1791: en vertu du décret du 19 septembre précedent. Paris: Imp. Nat., [1792]. 12pp.

5832. -------- Calculs, évaluations, explications, de L. C. Sur le taux et le produit des contributions publiques. [Paris]: Imp. Nat., [1792?]. 8pp.
        Concerned principally with contribution foncière.

5833. -------- Compte rendu au Corps législatif, par la commission générale des monnoies, le 6 juillet 1792... Paris: ·Imp. Nat., [1792]. 14pp.

5834. -------- Correspondance des princes français, émigrés, avec le sieur du Saillans, chef de la conspiration du Midi, et autres pièces relatives à cette conspiration lues à l'Assemblée nationale, le 18 juillet 1792. Paris: Imp. Nat., 1792. 70pp.

5835. -------- Liste de MM. les deputés a l'Assemblée nationale legislative de 1791. Par ordre de départemens. n.p., [1791]. 26pp.

5836. -------- Mémoire sur les principes et les avantages de l'établissement des payeurs généraux. Envoyé par les commissaires de la trésorerie à l'Assemblée nationale, & imprimé par son ordre. Paris: Imp. Nat., 1792. 15pp.

5837. -------- Message envoyé par l'Assemblée nationale au roi, le 17 décembre 1791, relatif au discours prononcé par sa majesté le 14 décembre précédent; réponse du roi. [Paris]: Imp. Nat., [1791]. 3pp.
        In response to certain provacative remarks of king directed against potential enemies of France.

5838. -------- Plan d'organisation du bureau de comptabilité. (Paris, 3 décembre 1791). [Paris]: Imp. Nat., [1791]. 22pp.

5839. -------- Pièce trouvée dans un des sécrétaires du cabinet du roi par M. M. les commissaires envoyés aux Tuilleries... [Paris]: Imp. Nat., 1792. 6pp.

5840. -------- Pièces trouvées dans le secrétaire du roi, lues a l'Assemblée nationale, le 15 août 1792... [Paris]: Imp. Nat., [1792]. 4pp.

5841. -------- Diverses pièces inventoriées chez M. de Laporte, administrateur de la liste civile, lues à l'Assemblée nationale, le...17 août 1792...Paris: Imp. Nat., [1792]. 7pp.

5842. -------- Pieces trouvées dans les papiers de MM. de Montmorin, Laporte, intendans de la liste civile, d'Abancourt, ex-ministre, et à l'Hôtel Massiac, dont les originaux sont en dépôt au comité de surveillance de l'Assemblée nationale ...cinquième recueil. Paris: Imp. Nat., [1792?]. 16pp.

5843. -------- Sixième et septième recueils de pièces trouvées dans les papiers du sieur de Laporte, intendant de la liste civile, déposées en originaux au comité général de surveillance... [Paris]: Imp. Nat., [1792]. 20pp.

5844. -------- Huitième recueil de pièces inventoriées chez M. de Laporte, intendant de la liste civile... [Paris]: Imp. Nat., [1792]. 8pp.

5845. -------- Neuvième recueil de pièces trouvées chez M. de Laporte, intendant de la liste civile... premiere partie. [Paris: Imp. Nat., 1792]. 26pp.

5846. -------- Neuvième recueil de pièces trouvées chez M. de Laporte, intendant de la liste civile...seconde partie. [Paris]: Imp. Nat., [1792]. 11pp.

5847. -------- Dixième recueil de pièces trouvées chez M. Laporte, intendant de la liste-civile... Paris: Imp. Nat., 1792. 42pp.

5848. -------- Onzième recueil de pieces trouvées chez M. de

Laporte...correspondance entre lui et le sieur Morizot... et la ci-devant marquise de Gresigny... [Paris]: Imp. Nat., [1792]. 18pp.

5849. -------- Douzième recueil. Plan d'une constitution libre, trouvé chez M. Laporte...précédé du procès verbal de l'inventaire de cette pièce...(25 août 1792). [Paris]: Imp. Nat., [1792]. 60pp.

5850. -------- Treizième recueil de pièces trouvées chez M. de Laporte, intendant de la liste civile... [Paris]: Imp. Nat., [1792]. 28pp.

5851. -------- Quatorzieme recueil de pieces trouvées chez M. de Laporte, intendant de la liste civile... Paris: Imp. Nat., [1792]. 4pp.

5852. -------- Quinzieme recueil de pieces trouvées chez M. Laporte, intendant de la liste civile... [Paris]: Imp. Nat., [1792]. 10pp.

5853. -------- Tableau comparatif des sept appels nominaux qui ont eu lieu sur différentes questions importantes, depuis le commencement de la session, jusqu'au 10 août 1792, l'an IV de la liberté, le Ier. de l'égalité. Paris: Chaudrille, [1792]. 32pp.

5854. FRANCE. CONVENTION NATIONALE. REPORTS OF MEETINGS. Extrait du procès-verbal de la Convention nationale, séance du 21 septembre 1792... [Paris]: Imp. Nat., [1792]. 8pp.
    First meeting of National Convention.

5855. -------- Procès-verbal de la Convention nationale. Séance du mardi 11 décembre 1792... [Paris]: Imp. Nat., [1792]. 27pp.

5856. -------- Extrait du procès-verbal de la Convention nationale, du mardi 12 mars 1793...; discours improvisé du citoyen Max. Isnard. Marseille: chez Ant-Hré. Jouve et Co. [1793]. 12pp.
    Reception of delegation from section of Paris, presenting soldiers about to leave for frontiers.

5857. -------- Procès-verbaux de la Convention nationale, séances des 27, 31 mai & 2 juin 1793... Paris: Imp. Nat., 1793. 47pp.
    Arrest of Girondin leaders.

5858. -------- Procès-verbal de la Convention nationale, séance du septidi 17 brumaire, & extrait de celui de la séance du 20 du même mois, l'an deuxième... Paris: Imp. Nat., an 2 (1793). 34pp.

5859. -------- Extrait du procès-verbal de la séance de la Convention nationale, du 17 prairial, an III, dans laquelle les citoyens Van-Grasveld et de Sitter, ont été reconnus et proclamés ambassadeurs extraordinaires de la République des Provinces-Unies, auprès de la République française. Tours: Pellisson, fils, et Jusseraud. [1795]. 8pp.

5860. FRANCE. CONVENTION NATIONALE. DECLARATION DES DROITS ET CONSTITUTION (1793). Acte constitutionnel précédé de la déclaration des droits de l'homme et du citoyen; présenté au peuple français par la Convention nationale le 24 juin 1793... Paris: Imp. Nat., 1793. 16pp.

5861. -------- Acte constitutionnel, précédé de la déclaration des droits de l'homme et du citoyen, presenté au peuple français, par la Convention nationale, le 24 juin 1793, l'an deuxième de la république. [Paris?]: Imp. des 86 departemens et de la Société des Jacobins, [1793]. 8pp.
        Different edition of 5860.

5862. FRANCE. CONVENTION NATIONALE. DECLARATION DES DROITS ET CONSTITUTION (1795). Projet de constitution pour la République française; présenté par la commission des onze dans la séance du 5 messidor, l'an 3. Paris: Imp. Nat., (messidor) an III (1795). 46pp.

5863. -------- Constitution de la République français proposée au peuple française par la Convention nationale, précédée de la declaration des droits & des devoirs de l'homme & du citoyen. (6 fructidor an 3). Marseille: Imp. de Jouve et Compagnie, an III (1795). 60pp.

    -------- See also nos. 5953, 5954.

5864. FRANCE. CONVENTION NATIONALE. PROCES DE LOUIS XVI. Appel nominal, extrait du procès-verbal de la séance permanente de la Convention nationale, des 16 et 17 janvier 1793...sur cette question: Quelle peine sera infligée à Louis? Paris: Imp. Nat., [1793]. 43pp.

5865. -------- Appels nominaux faits dans les séances des 15 & 19 janvier 1793...sur ces trois questions: 1. Louis Capet est-il coupable de conspiration contre la liberté publique, & d'attentats contre la sûreté générale de l'état? 2. Le Jugement de la Convention nationale contre Louis Capet sera-t-il soumis à la ratification du peuple? 3. Y aura-t-il un sursis, oui ou non, à l'exécution du décret qui condamne Louis Capet?... Paris: Imp. Nat., 1793. 71pp.

5866. -------- Commission extraordinaire des vingt-quatre, établie par décret du premier octobre... [Paris]: Imp. Nat., [1792]. 2pp.
        Declaration concerning the printing of the civil list by Baudouin.

5867. -------- Inventaires des pièces recueillies par la commission des vingt-un, concernant les crimes de Louis Capet; & procès-

verbaux de la remise qui lui e été faite au Temple des copies
des mêmes pièces, & de la communication qui lui a été donnée
des originaux de celles inférées au deuxième & troisième inventaires... [Paris: Imp. Nat., 1792]. 26pp.

5868. -------- Opinions sur le jugement de Louis XVI, ci-devant roi
des français... Paris: Imp. Nat., 1792. 68pp.
    Contents: Opinions of A. Conte, A.B.J. Robespierre,
    T. Berlier, J. C. Poullain-Grandprey, Cartigoyte, C.
    F. Oudot, Bouquier, Girault, & Condorcet.

5869. -------- Opinions sur le jugement de Louis XVI, ci-devant
roi des français... Paris: Imp. Nat., 1792. 81pp.
    Contents: Opinions of Lakanal, Petit, Ichon, Rouzet,
    Daunou, Brival, Birotteau, Julien, Guiter, Thibaudeau,
    Laboissière, Monmayou, Dugué-d'Assé, Cavaignac, Péniéres,
    Mazade, Pointe.

5870. -------- Opinions sur le jugement de Louis XVI, ci-devant
roi des français... Paris: Imp. Nat., 1792. 66pp.
    Contents: Opinions of Manuel, Prost, Mellinet, Paganel,
    Camus, Leclerc, Ricord, Poultier, & Carra.

5871. -------- Recueil des pièces justificatives de l'acte énon-
ciatif des crimes de Louis Capet, réunies par la commission
des vingt-un...pièces comprises au premier inventaire.
[Paris: Imp. Nat., 1793]. 172pp.

5872. -------- Recueil des pièces justificatives de l'acte énoncia-
tif des crimes de Louis Capet...pièces comprises au second
inventaire... [Paris]: Imp. Nat., [1793]. 210pp.

5873. -------- Recueil des pièces justificatives de l'acte énoncia-
tif des crimes de Louis Capet...pièces comprises au troisième
inventaire... Paris: Imp. Nat., [1793]. 64pp.

5874. -------- Second recueil. Pièces justificatives des crimes
commis par le ci-devant roi. Premier cahier, a l'appui du
rapport fait au nom de la commission-extraordinaire des vingt-
quatre, par Valazé...Paris: Imp. Nat., 1793. 121pp.
    Avis: Le premier recueil est composé des dix-sept ca-
    hiers des pièces trouvées chez Laporte, et autres; see
    nos. 5066, 5841 to 5852.

5875. -------- Troisième recueil, pièces imprimées d'après le décret...du 5 décembre 1792...déposée à la commission extraordinaire des douze, établie pour le dépouillement des papiers
trouvés dans l'armoire de fer au château des Tuileries, et
cotés par le ministre de l'intérieur, et les secrétaires, lors
de la remise qu'il en fit sur le bureau de la convention.
[Paris: Imp. Nat., 1793]. 368pp.

5876. -------- Troisième recueil, pièces imprimées d'après le
décret...du 5 décembre 1792...Tome second. Paris: Imp. Nat.,
1793. 292pp.

5877.　-------- Quatrième recueil. Pièces imprimées d'apres pièces trouvées dans l'armoire de fer, avec l'inventaire qui en a été fait à la commission chargée de l'examen desdites pièces. Ces pièces font suite au rapport...par Borie...Tome troisième... [Paris: Imp. Nat., 1792?]. 183pp.

5878.　-------- Relation de l'exécution à mort de Louis XVI...qui s'est faite à Paris le 21 janvier 1793...précédé du jugement rendu contre lui par la Convention nationale, suivi d'un détail exact de toutes les circonstances qui ont eu lieu avant & après cette exécution, avec le testament qu'il a fait quelque temps avant d'être conduit au supplice. Paris: Imp. Nat., [1793]. 8pp.

　　　　-------- See also nos. 690, 3042, 4839, 4840, 5839 to 5852.

5879. FRANCE. CONVENTION NATIONALE. ADDRESSES ORDERED TO BE PRINTED. Adresse de la Convention nationale aux français...du 26 juin 1793... [Paris]: Imp. Nat., [1793]. 10pp.

5880.　-------- Adresse de la Convention nationale aux français, séance du 14 août 1793... [Paris]: Imp. Nat., [1793]. 2pp.

5881.　-------- Adresse de la Convention nationale au peuple français, du 16 prairial, l'an second... [Paris]: Imp. Nat., [1794]. 7pp.

5882.　-------- La Convention nationale au peuple françois. Imprimé par ordre de la Convention nationale, et envoyé aux 85 départemens, aux municipalités, aux sociétés populaires & aux armées. Paris: Imp. Nat., [1792]. 8pp.
　　　　After Valmy but, apparently, before war with England.

5883.　-------- La Convention nationale aux armées françaises, 19 octobre 1792... [Paris]: Imp. Nat., [1792]. 1p.

5884.　-------- La Convention nationale aux français. Imprimé par ordre de la Convention. [Paris]: Imp. Nat., [1793]. 6pp.
　　　　After execution of King.

5885.　-------- La Convention nationale aux françois, des départemens méridionaux, du 6 septembre 1793... [Paris]: Imp. Nat., [1793]. 3pp.

5886.　-------- La Convention nationale au peuple français. Séance du 18 vendémiaire, l'an III de la République une & indivisible. Paris: Imp. Nat., an III (1794). 8pp.
　　　　Plea for calmness and for vigilance against agents of discord.

5887.　-------- Adresse a la Convention nationale, au nom d'une infinité de peres & meres chargés de familles, & dont plusieurs sont à la veille d'être ruinés par des enfans nés hors le mariage. [Paris]: Belin, [1793?]. 16pp.
　　　　Opposes certain provisions of law of 12 brumaire, [an 2].

5888. -------- Adresse a la Convention nationale de France par des sociétés de Bretons unies dans une cause commune, c'est-à-dire pour obtenir une représentation juste, égale & impartiale dans le Parlement, lue à la séance du 7 novembre 1792... Paris: Imp. Nat., 1792.
     By British societies: Constitutional Society of Manchester, Reform Society of Manchester, Revolution Society of Norwick, Constitutional Whigs. (Signed: Margacot président & Thomas Hardy, secrétaire).

5889. -------- Adresse d'une société angloise a la Convention nationale, suivie de la réponse du président, [Grégoire], lue à la séance du 22 novembre 1792... Melun: Tarbé, [1792]. 15pp.
     Bound with: Adresse de la section de la rue Beaubourg, (actuellement section de la Réunion)...(pp.12-15).

5890. -------- Adresse des députés du peuple belge a la Convention nationale, avec la réponse du président, [Barrère], extrait du procès-verbal de la Convention nationale, du mardi 4 décembre 1792... [Paris]: Imp. Nat., [1792]. 14pp.

5891. -------- Adresse des fédérés de divers départemens réunis à Paris... [Paris]: Imp. Nat., [1792?]. 4pp.
     Six signatures.

5892. -------- Adresse des savoisiens résidans a Paris, le 14 octobre, 1792...suivie de la réponse du président [Delacroix]. [Paris]: Imp. Nat., [1792]. 3pp.

5893. -------- L'Assemblée nationale des Allobroges, a la Convention nationale de France; extrait du procès-verbal de la seconde séance de l'assemblée des députés des communes de la Savoie, le 22 octobre 1792; extrait du procès-verbal de la séance du 29 octobre 1792. Paris: Imp. Nat., 1792. 11pp.

5894. -------- Discours des patriotes bataves, prononcé à la barre de la Convention nationale, le 6 février 1793, l'an deuxième de la république française; réponse du président [Rabaut de St. Etienne]. Paris: Imp. Nat., [1793]. 4pp.

5895. -------- Extrait du procès-verbal de la Convention nationale du 8 août 1793. [Paris]: Imp. Nat., [1793]. 8pp.
     Patriotic discourses ordered printed.

5896. FRANCE. CONVENTION NATIONALE. DECRETS ET PROJETS DE DECRETS. Décret...du 21 février 1793...relatif à l'organisation de l'armée, & aux pensions de retraite & traitement de tout militaire, de quelque grade qu'il soit, suivi d'une lettre de Dubois-Crancé, à l'armée, & de l'arrêté des representants du peuple à l'armée des alpes, du 20 mai 1793....Grenoble: Imp. d'Allier, [1793]. 30pp.

5897. -------- Décrets...du 12 mai 1793; 1. Organisation des

> tribunaux criminels militaires; 2. Code pénal militaire.
> Metz: chez Collignon, [1793]. 44pp.
>   Official texts.

5898.   -------- Décrets...des 7, 13 et 14 septembre 1793...qui
étend aux Anglais les mesures prises contre les Espagnols et
autres étrangers, avec le pays desquels la République est en
guerre... [Paris?]: Imp. du Journal de la Montagne, [1793?].
3pp.

5899.   -------- Décret...du 16.e jour de brumaire, an second...por-
tant que les baux des biens nationaux produisant des grains,
du foin ou des légumes à gousse, seront désormais payés en
nature. Paris: Imp. Nat. exécutive du Louvre, an IIe (1793).
8pp.

5900.   -------- Décret...du 11.e jour de frimaire, an second...
qui casse tous les arrêtés relatifs aux echanges forcés des
matières & monnoies d'or & d'argent. [Paris?]: Imp. des administrations nationales, [1793]. 2pp.

5901.   -------- Décret...du 12.e jour de frimaire, an second...qui
ordonne de rassembler, dans des dépôts, les parchemins, livres
et manuscrits qui seroient donnés librement, pour être brûlés.
[Paris?]: Imp. du Journal de la Montagne, [1793?]. 2pp.

5902.   -------- Décret...du 14.e jour de frimaire, an 2.e...qui
défend aux autorités constituées, autres que les représentans
du peuple & tribunaux, d'intituler leurs actes, au nom du
peuple français. Paris: Imp. Nat. exécutive du Louvre, an
IIe (1793). 4pp.

5903.   -------- Décret...du 14 frimaire, an 2e de la république.
Qui prescrit des mesures pour multiplier les fabriques de
salpêtre. [Dijon]: Imp. de P. Causse, [1793]. 23pp.
    Official text.

5904.   -------- Décret...du 17.e jour de frimaire, an second...qui
ordonne le séquestre des biens des pères & mères dont les enfans sont émigrés. Paris: Imp. Nat. exécutive du Louvre, an
IIe (1793). 2pp.

5905.   -------- Décret...du 18.e jour de frimaire, an second...qui
met tous les cordonniers de la république en réquisition,
pour le service des armées. [Paris]: Imp. des administrations nationales, [1793]. 4pp.

5906.   -------- Décret sur la liberté des cultes. Extrait du procès-
verbal de la Convention nationale, du 18 frimaire, an 2e.
[Paris]: Imp. Nat., [1793]. 3pp.

5907.   -------- Décret...du 24.e jour de frimaire, an second...por-
tant que les assignats démonétisés ne seront plus reçus dans

les caisses publiques après le 11 nivôse. Paris: Imp. Nat. exécutive du Louvre, an IIe (1793). 4pp.

5908. -------- Décret...du 26.e jour de frimaire, an second... portant des peines contre les fonctionnaires publics, fournisseurs ou entrepreneurs qui auront touché deux fois leur traitement, ou auront perçu des sommes plus fortes que celles qui leur revenoient. Paris: Imp. Nat. exécutive du Louvre, an IIe (1793). 2pp.

5909. -------- Décret...du 26e jour de frimaire, an second... relative à l'administration & à la vente des biens confisqués an profit de la république. Paris: Imp. Nat. exécutive du Louvre, an IIe (1793). 4pp.

5910. -------- Décret...du 27.e jour de frimaire, an second... relative aux commissaires du conseil exécutif ou autres qui, après la révocation de leurs pouvoirs, auroient continué leurs fonctions; & aux citoyens incorporés dans les armées soi-distant révolutionnaires, qui ne se seroient pas séparés après le licenciement prononcé par la loi du 14 de ce mois. Paris: Imp. Nat. exécutive du Louvre, an II^e(1793). 2pp.

5911. -------- Décret...du 9.e jour de nivôse an 2e...qui étend aux familles de tout ceux qui auront été tués aux armées, les secours accordés aux veuves & enfans des militaires. Paris: Imp. Nat. exécutive du Louvre, an II (1793). 2pp.

5912. -------- Projets de décrets. [Paris]. Imp. Nat., [1793]. 8pp.
On (1) establishment of an économat national, (2) organization of the ministry of war, (3) details of administration and supply of armies in time of war.

5913. -------- Décret...du 12 nivôse, an second...portant que les armées de la Moselle & du Rhin, la garnison & les citoyens de Landau ont bien mérité de la patrie. n.p., [1793]. 2pp.

5914. -------- Décret...du 13.e jour des nivôse, an second...relatif à la réforme des chevaux employés au service de la république. [Paris]: Imp. des administrations nat., an IIe (1793). 12pp.

5915. -------- Décret...du 23.e jour de nivôse, an second...relatif à la culture de la pomme de terre. Paris: Imp. Nat. exécutive du Louvre, an IIe (1794). 2pp.

5916. -------- Décret...du 23.e jour de nivôse, an second...relatif à la culture des terres des défenseurs de la patrie. Paris: Imp. Nat. exécutive du Louvre, an IIe (1794). 2pp.

5917. -------- Décret...du 28.e jour de nivôse, an 2.e...interprétatif des lois du 25 août 1792 & du 9 brumaire dernier,

relatives aux droits ci-devant féodaux. Paris: Imp. Nat.
exécutive du Louvre, an IIe (1794). 4pp.

5918. -------- Décret...du 3.e jour de pluviôse, an second...rela-
tif aux arbres de la liberté. Paris: Imp. Nat. exécutive du
Louvre, an IIe (1794). 2pp.

5919. -------- Décret...du 4.e jour de pluviôse, an second...rela-
tif aux réparations des ponts & grandes routes, & aux fonds
destinés à ces travaux. Paris: Imp. Nat. exécutive du Louvre,
an IIe (1794). 2pp.

5920. -------- Décret...du 6.e jour de pluviôse, an second...rela-
tif aux titres ou procédures qui se trouvent sous les scellés.
[Paris]: Imp. des administrations nat., [1794]. 2pp.

5921. -------- Décret...du 7.e jour de pluviôse, an second...qui
met en réquisition, pour le service de la République, toutes
les armes de calibre de guerre. [Paris]: Imp. des administrations nat., [1794]. 4pp.

5922. -------- Décret...du 8.e jour de pluviôse, an second...qui
ordonne un rapport sur la confection d'un grand livre des
propriétés territoriales, & fait défense d'insérer dans les
actes aucunes clauses ou expressions tendant à rappeler le
régime féodal ou nobiliaire. Paris: Imp. Nat. exécutive du
Louvre, an IIe (1794). 2pp.

5923. -------- Décret...du 9.e jour de pluviôse, an second...qui
ordonne un concours pour des ouvrages destinés à l'instruction
publique. Paris: Imp. Nat. exécutive du Louvre, an IIe (1794).
2pp.

5924. -------- Décret...du 9.e jour de pluviôse, an second...qui
ordonne un concours pour des ouvrages destinés à l'instruction
publique. [Paris]: Imp. des administrations nat., [1794].
4pp.
        Different edition of 5923.

5925. -------- Décret...du 13.e jour de pluviôse, an 2.e...contenant
une correction du décret du 20 septembre dernier, relatif aux
certificats de civisme. Paris: Imp. Nat. exécutive du Louvre,
an IIe (1794). 2pp.

5926. -------- Décret...du 13.e jour de pluviôse, an 2.e...portant
que ceux qui entraveront les mesures prises pour la fabrication extraordinaire du salpêtre & de la poudre, seront traités
comme suspects. Paris: Imp. Nat. exécutive du Louvre, an IIe
(1794). 2pp.

5927. -------- Décret...du 13.e jour de pluviôse, an second...qui
ordonne la réparation d'un secours de dix millions dans toutes
les communes de la République. Paris: Imp. Nat. exécutive
du Louvre, an IIe (1794). 4pp.

FRANCE. CONVENTION NATIONALE. DECRETS ET PROJETS DE DECRETS, continued.

5928. -------- Décret...du 21 pluviôse, l'an second...qui règle le mode de paiement des pensions, indemnités & secours accordés aux défenseurs de la patrie & à leurs familles. Paris: Imp. Nat., [1794]. 11pp.

5929. -------- Décret...des 8 et 27.e jours de pluviôse, an second ...relatif à l'etablissement de bibliothèques publiques, dans les districts... [Paris]: Imp. des 86 Départemens, [1794]. 4pp.

5930. -------- Décret...du 13.e jour de ventôse, an second...qui ordonne la confection et l'envoi au comité de salut public d'un état des patriotes indigens. [Paris]: Imp. des 86 Départemens, [1794]. 3pp.

5931. -------- Décret...du 22.e jour de frimaire, an second... relatif à la poursuite des individus qui entravent ou veulent faire rétrograder la Révolution républicaine. [Paris?, 1793?]. 2pp.

5932. -------- Décret...du 30.e jour de ventôse, an second...interprétatif du décret sur la fixation des marchandises soumises à la loi du maximum. [Paris]: Imp. des administrations nat., [1794]. 1p.

5933. -------- Décret...du 1er. jour de germinal, an second... relatif à la remise des contrats et titres des rentes viagères qui ont été déclarées dettes nationales. [Paris]: Imp. des administrations nat., [1794]. 8pp.

5934. -------- Décret...du 1er. jour de germinal, an second...relatif à la remise des contrats et titres des rentes viagères qui ont été déclarées dettes nationales. [Paris]: Imp. des 86 départemens, [1794]. 8pp.
      Different edition of 5933.

5935. -------- Décret...du deuxième jour de germinal, an second... qui fixe le mode de payement des frais de transport des grains mis en vente. [Paris]: Imp. des 86 Départemens, [1794]. 3pp.

5936. -------- Décret...du 2.e jour de germinal, an 2.e...qui interdit la faculté de négocier, vendre, céder, transporter ou partager aucun titre de rente viagère sur la République. [Paris]: Imp. des administrations nat., [1794]. 2pp.

5937. -------- Décret...du 2.e jour de germinal, an second...qui interdit la faculté de négocier, vendre, céder, transporter ou partager aucun titre de rente viagère sur la République. [Paris]: Imp. des 86 Départemens, [1794]. 2pp.
      Different edition of 5936.

5938. -------- Décret...du 14e. jour de germinal, an 2e...relatif aux mandats d'amener qui seront délivrés contre les personnes prévenues de malversations dans la garde ou vente des biens

FRANCE. CONVENTION NATIONALE. DECRETS ET PROJETS DE DECRETS, continued.

nationaux, d'embauchage, de complicité d'émigration, et de fabrication ou introduction des faux assignats ou de fausse monnoie. [Paris]: Imp. des administrations nat., [1794]. 4pp.

5939. -------- Décret...du 16e. jour de germinal, an second... relatif aux comptes à rendre par les receveurs des consignations et commissaires aux saisies réelles. [Paris]: Imp. des 86 Départemens, [1794]. 4pp.

5940. -------- Décret...du 18e. jour de germinal, an second...relatif aux réquisitions de la commission des subsistances et des approvisionnemens. [Paris]: Imp. des 86 Départemens, [1794]. 2pp.

5941. -------- Décret...du 22e jour de germinal, an second...qui determine l'empreinte du sceau que portera en filigrane le papier destiné à l'impression des lois... [Paris]: Imp. de Quiber-Pallissaux, [1794]. 2pp.

5942. -------- Décret...du 22e. jour de germinal, an second... relatif aux recéleurs d'ecclésiastiques sujets à la déportation. [Paris]: Imp. de Quiber-Pallissaux, [1794]. 2pp.

5943. -------- Décret...des 27e. et 28e. jours de germinal, an second...concernant la répression des conspirateurs, l'éloignement des nobles et la police générale de la République. [Paris]: Imp. des 86 départemens, [1794]. 4pp.

5944. -------- Décrets...des 27 et 28.e jours de germinal, an second...concernant la répression des conspirateurs, l'éloignement des nobles, et la police générale de la République. [Paris]: Imp. des administrations nat., [1794]. 8pp.
Different edition of 5943.

5945. -------- Décret...du 29e. jour de germinal, an 2e...contenant une nouvelle rédaction de l'article VIII du décret du 27 germinal sur la police générale. [Paris]: Imp. de Quiber-Pallissaux, [1794]. 2pp.

5946. -------- Décret...du 1er. jour de floréal, an second...relatif à l'affermissement de la République démocratique. [Paris]: Imp. de Quiber-Pallissaux, [1794]. 1p.

-------- See also nos. 2471, 2472, 3102, 3104, 3106, 3886, 5948, 5949, 5951, 5962, 5971, 5972, 5979, 6445.

5947. FRANCE. CONVENTION NATIONALE. COMITE D'AGRICULTURE ET DES ARTS. Instruction....pour parvenir à opérer la refonte du papier imprimé & écrit,... (4 prairial, an II) [Paris, 1794]. 14pp.

5948. FRANCE. CONVENTION NATIONALE. COMITE D'ALIENATION DES DOMAINES NATIONAUX. Projet de décret...[Paris]: Imp. Nat.,

FRANCE. CONVENTION NATIONALE. COMITE D'ALIENATION DES DOMAINES
NATIONAUX, continued.

>[1792]. 2pp.
>Liquidation of administration expenses of national
>domains.

-------- See also nos. 2471, 2472, 3886, 5979.

5949. FRANCE. CONVENTION NATIONALE. COMITE D'INSTRUCTION PUBLIQUE.
Projet de décret présenté au nom des comités d'instruction
publique et des finances, pour les écoles nationales. [Paris]:
Imp. Nat., [1793?]. 2pp.
On salary of teachers.

5950. -------- Recueil d'hymnes, odes, etc., relatifs aux fêtes
décadaires. Imprimés par ordre de la commission de l'instruction publique. [Paris, 1794]. 18pp.
Pieces by Desorgues, Dantilly, Legouve, and Désaugiers.

5951. -------- Rapport sur les encouragemens, récompenses et pensions à accorder aux savans, aux gens de lettres & aux artistes; (17 vendémiaire, an 3). Suivi du décret de la Convention nationale. Paris: Imp. Nat., an III, (1794). 22pp.

5952. -------- Extrait des registres du comité d'instruction publique. Règlement de police pour les ecoles centrales insti-
tuées par la loi du 8 ventôse, l'an troisième de la Republique.
Poitiers: Imp. de Chevrier, [1795]. 4pp.

-------- See also nos. 1450, 2249, 2250, 2428, 2881, 2882,
2888, 2889, 2891, 3407, 3408, 3409, 3886, 3890, 4373, 4485,
4966, 5124, 5125, 5957, 5959, 5960, 5961, 5962, 5979.

FRANCE. CONVENTION NATIONALE. COMITE DE COMMERCE. See no.
3023.

5953. FRANCE. CONVENTION NATIONALE. COMITE DE CONSTITUTION. Plan
de constitution présenté a la Convention nationale, les 15 &
16 février 1793... Paris: Imp. Nat., 1793. 50pp.
Signed: Condorcet, Gensonné, B. Barrere, Barbaroux,
Thomas Payne, Pétion, Vergniaud, Emmanuel Sieyes.

5954. -------- Projet de Déclaration des droits naturels, civils
et politiques des hommes. Projet de Constitution française.
[Paris]: Baudouin, 1793. 47pp.

-------- See also no. 3102.

FRANCE. CONVENTION NATIONALE. COMITE DE DEFENSE GENERALE.
See nos. 1996, 2080.

FRANCE. CONVENTION NATIONALE. COMITE DE LA GUERRE. See nos.
2250, 2836, 3407, 4257.

FRANCE. CONVENTION NATIONALE. COMITE DE LA MARINE ET DES
COLONIES. See nos. 1838, 1839, 3407.

5955. FRANCE. CONVENTION NATIONALE. COMITE DE LEGISLATION. Le comité de législation aux tribunaux criminels des départemens, aux municipalités, & corps administratifs. Port-Brieuc: chez J. M. Beauchemin, [1795]. 8pp.

-------- See also nos. 1497, 1849, 2081, 2251, 2252, 2493, 3193, 3476, 3484, 3719, 3802, 3803, 4257, 4723.

FRANCE. CONVENTION NATIONALE. COMITE DE LIQUIDATION. See nos. 2318, 3580.

FRANCE. CONVENTION NATIONALE. COMITE DE PETITIONS ET DE CORRESPONDANCE. See nos. 2857, 2858.

5956. FRANCE. CONVENTION NATIONALE. COMITE DE SALUT PUBLIC. Proclamation de la Convention nationale, sur la conjuration découverte; au peuple français, présentée par le comité de salut public, décrétée dans la séance du 2 germinal, l'an II. Paris: Imp. Nat., [1794]. 12pp.

5957. -------- Commission de l'instruction publique. Architecture rurale. Extrait du registre des arrêtés du comité de salut public de la Convention nationale, du treizième jour du mois floreal, l'an deuxième de la République française, une et indivisible. [Paris?, 1794]. 2pp.

5958. -------- Rapport...sur la fête du 10 août de l'an deuxième... (23 thermidor, an 2). Paris: Imp. Nat., [1794]. 3pp.

5959. -------- Programmes de l'enseignement polytechnique de l'école centrale des travaux publics, établie en vertu des décrets... des 21 ventôse, an [2], & 7 vendémiaire, [an 3]...(Convention nationale, comités de salut public, d'instruction publique, & des travaux publics). Paris: Imp. Nat., an 3 [1795]. [75pp.].
    12 separate programs of subjects taught (mathematics, architecture, physics, chemistry, mechanics). See also Tourneaux III, 17484.

5960. -------- Développemens sur l'enseignement adopté pour l'école centrale des travaux publics, décrétée...le 21 ventôse an 2e...pour servir de suite au rapport concernant cette école, fait...les 3 & 7 vendémiaire, an 3.... [Paris]: Imp. Nat., [1794]. 28pp.

5961. -------- Organisation de l'école centrale des travaux publics. Du 6 frimaire, an 3. n.p., [1794]. 31pp.
    Reprint of official report of committees (Salut public, Instruction publique, Travaux publics).

5962. -------- Rapport et décret de la Convention nationale, sur les écoles de santé de Paris, Montpellier et Strasbourg. Du 14 frimaire, an 3. [Paris]: Imp. du comité de salut public, [1794]. 31pp.

5963. -------- Rapport fait dans la séance du 3 ventôse, au nom des comités de salut public, de sûreté générale et de

législation, réunis, sur la liberté des cultes. [Paris, 1795].
pp. 3, 4, 17 & 18.
    Defective copy. Separation of church & state.

5964. -------- Arrêté...qui interdit aux amidoniers la faculté
d'employer des grains propres à la nourriture de l'homme. Du
22 ventôse, l'an troisiéme... Extrait du registre des arretés
du comité de salut public, qui défend de convertir la pomme
de terre en fécule. Du 5 ventôse, l'an troisième... Paris:
Imp. Nat., [1795]. 4pp.

5965. -------- Extrait du registre des arretés du comité de salut
public de la Convention nationale. Du 24 messidor l'an 3...
Paris: Imp. de la République, an III (1795). 3pp.
    Prohibiting local officials from seizing grains and
    cereals passing through their towns.

5966. -------- Extrait du registre des arrêtés du comité de salut
public de la Convention nationale. Du 5 fructidor, l'an 3....
Clermont-Ferrand: Imp. de J. B. Bertet, [1795]. 4pp.
    Regulations for granting of convalescent leaves to sol-
    diers. Signatures in ink.

5967. -------- Arrêté du comité de salut public de la Convention
nationale, qui ordonne la confiscation & la vente des grains
saisis en contravention à l'arrêté du 8 fructidor. Du 27
fructidor, l'an troisieme... Versailles: Imp. du Département de Seine & Oise, [1795]. 2pp.

    -------- See also nos. 1573 through 1592, 1766, 1768, 1769,
1849, 2085, 2114, 2115, 2251, 2252, 2253, 2254, 2317, 2318
2421, 2422, 2588, 2836, 2888, 2889, 2891, 3260, 3338, 3718,
3719, 3803, 3951, 4485, 4486, 4632, 4633, 4634, 4635, 4636,
4707, 4708, 4709, 4710, 4711, 5033, 5063, 5171, 5979.

FRANCE. CONVENTION NATIONALE. COMITE DES SECOURS. See no.
2318.

5968. FRANCE. CONVENTION NATIONALE. COMITE DE SURETE GENERALE.
Compte définitif que rend le comité de sureté générale a la
Convention nationale. [Paris]: Imp. Nat., [1793?]. 3pp.
    Concerning disposition of a few articles which came in
    various ways into hands of committee.

5969. -------- Explication...sur l'arrestation du sieur de Poix,
& la disparution de ses papiers & sa personne. [Paris]:
Imp. Nat., [1792]. 4pp.

5970. -------- Arrête...qui ordonne la traduction de Lemaître
et complices au conseil militaire établi à la section Lepelletier. Paris: Imp. de la Rép., [1795]. 15pp.

    -------- See also nos. 1408, 1591, 1849, 2080, 2251, 2252,
2253, 2254, 2421, 2422, 2492, 2588, 2654, 3194, 3338, 3719,
3803, 3951, 4686, 4707, 4710, 4711, 5063, 5171, 5963.

FRANCE. CONVENTION NATIONALE. COMITE DES DECRETS. See no. 2588.

5971. FRANCE. CONVENTION NATIONALE. COMITE DES FINANCES. Projet de décret présenté a la Convention nationale... [Paris]: Imp. Nat., [1793?]. 2pp.
Establishing sum to re-imburse French cities for advances made to French citizens forced to leave Spain.

5972. -------- Projets de décrets... [Paris]: Imp. Nat., [1793]. 3pp.
Four projects on (1) payment of expenses of army sent to Orléans, (2) requesting minister of justice to determine quality of translations into idiom of Gascony of various laws made by a citizen Dugass, (3) payment of postillions of mail-carriers, (4) extending to caissier général of national treasury the right to receive free of charge letters and packets addressed to him.

5973. -------- Rapports...et lois sur la dette publique, sur sa consolidation, sur l'emprunt volontaire & sur l'emprunt forcé, suivis de l'instruction sur l'emprunt forcé. Paris: Imp. Nat., 1793. 230pp.
Contains reports by Cambon and Ramel.

-------- See also nos. 1508, 2881, 3010, 3011, 3407, 3775, 3811, 3812, 3813, 3823, 3886, 4257, 4573, 4574, 4575, 4966, 5979.

FRANCE. CONVENTION NATIONALE. COMITE DES INSPECTEURS. See no. 2249.

FRANCE. CONVENTION NATIONALE. COMITE DES SECOURS PUBLICS. See nos. 1671, 1812, 3797.

5974. FRANCE. CONVENTION NATIONALE. COMITE DES TRAVAUX PUBLICS. Arrêté...pour centraliser la surveillance des travaux publics, conformément à la loi du 12 germinal et celle du 7 fructidor, l'an II. Paris: Imp. Nat., an III (1795). 4pp.

-------- See also nos. 2889, 4485, 5959, 5960.

FRANCE. CONVENTION NATIONALE. COMITE DIPLOMATIQUE. See nos. 1996, 3102, 3194, 4257.

FRANCE. CONVENTION NATIONALE. COMMISSION DES ONZE. See nos. 1635, 1636, 1843, 1848, 4485.

5975. FRANCE. CONVENTION NATIONALE. SPECIAL COMMITTEES. Instruction abrégée sur les mesures déduites de la grandeur de la terre, uniformes pour toute la République, et sur les calculs relatifs à leur division décimale; par la commission temporaire des poids et mesures républicaines, en exécution des décrets de la Convention nationale. Edition originale. Montelimar: Fr. Mistral, an II (1793). 148pp.

5976. -------- Instruction adressée aux autorités constituées des

départemens de Rhône et de Loire, et principalement aux municipalités des campagnes, et aux comités révolutionnaires,
par la commission temporaire de surveillance républicaine,
établie à Ville-Affranchie par les représentans du peuple.
Ville-Affranchie: Tournachon-Molin, [1793]. 22pp.

5977. -------- Pieces remises, à cinq époques différentes, par
les comités réunis, à la commission des vingt-un. Paris:
Imp. Nat., [1794]. 116pp.

5978. -------- Rapport...par la commission des vingt-un, pour
examiner la conduit du représentant du peuple Carrier, crée
8 brumaire, an III. [Paris]: Imp. Nat., [1795]. 48pp.

5979. -------- Rapport et projet de décret, présentés au nom de la
commission des archives et des cinq comités de salut public,
des domaines et d'aliénation, de législation, d'instruction
publique, et des finances; concernant l'organisation des archives de la République, le triage, le classement & la desti-
nation des titres, chartes & pièces manuscrites, & les relations des divers dépôts qui les renferment avec les archives.
[Paris]: Imp. Nat., [1793?]. 26pp.

-------- See also nos. 1940, 2355, 2515, 3072, 4916, 5066,
5862, 5869, 5871, 5874, 5875, 5876, 5877.

5980. FRANCE. CONVENTION NATIONALE. DEPUTES. Lettre des citoyens
députés par le Département de la Côte-d'Or à la Convention
nationale, aux citoyens du même département. (Paris, 14
février 1793). n.p., [1793]. 8pp.
        Signed: Basire, Guyton, Oudot, Guiot, Lambert, Marey,
Rameau, T. Berlier.

5981. -------- Pièces imprimées par ordre de la Convention nationale. Séance du premier brumaire, an 3. [Paris]: Imp. Nat.,
[1794]. 6pp.
        Petition in support of Girondins after coup of 1 and 2
June, 1793, here reprinted. Signed by 73 deputies.

5982. -------- Les représentans du peuple, détenus à la maison
d'arrêt des Ecossais, en éxécution du décret de la Convention
nationale, du 3 octobre 1793, (v.s.) à leurs collegues les
représentans du peuple, siégeant à la Convention nationale,
et au peuple français. [Paris]: Imp. de F. Porte, [1794].
28pp.
        Signed: Blaux, Faure, Varlet, Dubusc, V. C. Corbel,
Chastellain, Lebreton, Saladin.

5983. -------- Les représentans du peuple, mis en arrestation, par
décret du 3 octobre 1793, vieux style. Détenus dans la maison
d'arret des Carmes, à la Convention nationale et au peuple
français. Paris: Chez tours les Marchands de nouveautés,
an 3 (1794). 23pp.

FRANCE. CONVENTION NATIONALE. DEPUTES, continued.

Signed: Hecquet, Blad, Bohan, Queinnec, Obelin, Dabray,
Henry Fleury, Laurence, Vincent et Ruault.

5984. FRANCE. CONVENTION NATIONALE. MISCELLANEOUS PIECES. Appel
nominal...à la suite du rapport du comité de législation, sur
la question: Y a-t-il lieu à accusation contre Marat...?
(13 & 14 avril 1793). Paris: Imp. Nat., [1793]. 78pp.

5985. -------- Appel...sur cette question: Y a-t-il lieu à accusation, oui ou non, contre le citoyen Carrier, représentant du
peuple? (3 & 4 frimaire, an 3). Paris: Imp. Nat., [1794].
37pp.

5986. -------- Calendrier de la République française, précédé du
decret sur l'ère, le commencement et l'organisation de l'année,
et les noms des jours et des mois, avec une instruction qui
en fait connoître les principes et l'usage. Imprimé par ordre de la Convention nationale. Dijon: Imp. de P. Causse,
an III (1793). 74pp.

5987. -------- Le dix août 1793, ode patriotique. [Paris]: Imp.
Nat., [1793]. 4pp.

5988. -------- Exposé historique des motifs qui ont amené la rupture entre la république & S. M. Britannique. n.p., [1793].
95pp.
Collection of documents to justify rupture with Great
Britain.

5989. -------- Extrait d'un livre d'ordre ou Journal militaire,
trouvé sur un émigré, et dont la Convention nationale a
ordonné l'impression & l'envoi aux 83 départemens, par décret du 4 octobre 1792. Marseille: Imp. de Jean Mossy,
1792. 68pp.

5990. -------- Liste des citoyens députés à la Convention nationale. Paris: Imp. Nat., [1792]. 19pp.

5991. -------- Liste formée en exécution de l'article II du décret
de la Convention nationale, du 13 fructidor de l'an troisième,
des membres de la Convention qui y sont en activité. [Paris,
1795]. 11pp.

5992. -------- Pièces relatives à la prise de Mons par le lieutenant-
général Dumouriez, général de l'armée du Nord .. . [Paris]:
Imp. Nat., [1792]. 15pp.

5993. -------- Procès-verbal des monumens, de la marche, et des discours de la fête consacrée à l'inauguration de la Constitution de la Republique française, le 10 août 1793. n.p., [1793].
16pp.

5994. -------- Procès-verbal ordonné par la Convention nationale,
des faits relatifs aux funérailles de Michel Lepelletier,
député à la Convention nationale, assassiné, le 20 janvier

1793,.. pour avoir voté la mort du tyran...(24 janvier 1793).
[Paris]: Imp. Nat., [1793]. 7pp.
    Contents: Speeches by Le Pelletier's brother, Barère,
and Vergniaud.

5995. -------- Rapport sur l'état actuel de Paris. [Paris, 1793].
12pp.

5996. -------- Recueil de la correspondance saisie chez Lemaître,
et dont la convention ordonné l'impression. Paris: Imp. de
la république, (brumaire) an IV (1795).
    Consists principally of letters to Lemaître.

5997. -------- Recueil de pièces relatives à l'émigré Geslin, con-
damné à mort et exécuté à Paris le 6 nivôse de l'an IV, ou
trouvées sur lui lors de son arrestation à Tillières, le 2
du même mois. Paris: Imp. de la Rép., (nivôse) an IV
(1795?). 36pp.

5998. -------- Texte et nouvelle traduction des lettre et notes
anglaises trouvées dans un porte-feuille anglais, déposé
au comite de salut public, et depuis aux archives nationales,
par décret du dimanche 4 août. Paris: Imp. Nat., 1793. 55pp.

5999. -------- Traité de paix entre la République française et le
landgrave de Hesse-Cassel. (28 août 1795). Agen: Imp. du
Departement, [1795]. 8pp.
    Reprint of official texts.

6000. FRANCE. TRIBUNAL REVOLUTIONNAIRE. Acte d'accusation, interrogatoire complet et jugement de Marie-Antoinette, dite Lorraine d'Autriche, veuve de Louis Capet. Paris: Imp. de Fir-
min Gourdin, [1793]. 24pp.

6001. -------- Interrogatoire de Marie-Antoinette de Lorraine
d'Autriche, veuve Capet, du 23 [vendemiaire an 2]. [Extrait
du Moniteur]. n.p., [1793]. 40pp.

6002. -------- Egalité Liberté. Indépendance. Rapport du [pre-
mier et second Tribunal révolutionnaire]. n.p., [1794].
40pp.

6003. FRANCE. DIRECTOIRE EXECUTIF. Proclamation du Directoire
exécutif. (Paris, le 29 ventôse, l'an 4). [Paris]: Imp.
du Directoire exécutif, [1796]. 7pp.
    Announcement of creation of mandats territoriaux.

6004. -------- Proclamation...sur les évènemens qui se sont passés
dans la nuit du 11 au 12 du mois de fructidor. (12 fructidor,
an 4). [Paris]: Imp. du Directoire exécutif, [1796]. 4pp.
    Announcing suppression of a conspiracy against govern-
ment (August, 1796).

6005. -------- Pièces relatives à la conspiration découverte le
12 pluviôse, tendante au renversement du gouvernement républicain et au rétablissement de la royauté. [Paris]: Imp.

Nat., [1797]. 86pp.
Documents submitted to Council of 500 on arrest of Dunan,
Brotier, and La Villeurnoy.

6006. -------- Seconde suite des pièces relatives à la conspiration découverte le 12 pluviôse, tendante au renversement du
gouvernement républicain et au rétablissement de la royauté.
Paris: Imp. Nat., (pluviôse) an V (1797). 19pp.

6007. -------- Troisième suite des pièces relatives à la conspiration découverte le 12 pluviôse, tendante au renversement du
gouvernement républicain et au rétablissement de la royauté.
Paris: Imp. Nat., (ventôse) an V (1797). 98pp.
Additional documents submitted to Council of 500.

6008. -------- Proclamation...sur les assemblées primaires et
électorales. (11 ventôse, an V). Paris: Imp. de la République, [1797]. 4pp.
Elections of 1797.

6009. -------- Le Directoire exécutif aux français. Du 18 fructidor, an V. Paris: Imp. de la République, [1797]. 6pp.
In justification of coup d'etat of 18th fructidor.

6010. -------- Message. Extrait du registre des délibérations du
Directoire exécutif. [Paris]: Imp. Nat., (fructidor) an V
(1797). 3pp.
Patriotic address to Council of Elders dated 19 fructidor, the day following the coup d'etat.

6011. -------- Message. Extrait du registre des délibérations
du Directoire exécutif. [Paris]: Imp. Nat., (fructidor)
an 5 (1797). 10pp.
Recommendations on taxation mesures to Council of Five
Hundred, together with report to the Directory by the
minister of finances; dated 19 fructidor.

6012. -------- Message. Extrait du registre des délibérations du
Directoire exécutif. Paris: Imp. Nat., (fructidor) an 5
(1797). 27pp.
Contains documents, and letter of transmittal to Council
of Five Hundred, to prove that Imbert-Colomès was the
principal agent in Lyon of royalist émigrés; dated 19
fructidor.

6013. -------- Message. Extrait du registre des délibérations du
Directoire exécutif. [Paris]: Imp. Nat., (fructidor) an
5 (1797). 8pp.
Report to Council of Five Hundred on several émigrés
stranded in Calais and plea for moderation in dealing
with them.

6014. -------- Proclamation du Directoire exécutif aux français.
(23 fructidor, an 5). Paris: Imp. de la République, [1797]. 7pp.
Coup d'état of fructidor.

6015. -------- Recueil des lois, arrêtés du Directoire exécutif et lettres du ministre de la guerre relatifs aux conseils de guerre et de revision. Milan: Imp. Veladini, [1798?]. 96pp.
      Reprints of official documents, dating from Brumaire an V to Ventôse an VI, having to do with the Army of Italy.

6016. -------- Adresse...du 2 germinal, an VI... Auxerre: Imp. de Baillif, an VI (1798). 7pp.

6017. -------- Message. Extrait du registre des délibérations du Directoire exécutif. Paris: Imp. Nat., (frimaire) an 7 (1798). 6pp.
      Proposal to Council of Elders for formal declaration of war against king of Naples and king of Sardinia because of attacks on French troops.

6018. -------- Proclamation du Directoire exécutif sur les élections de l'an VII. (23 pluviôse an 7). [Paris]: Imp. du Journal de Paris, [1799]. 7pp.
      Reprint of official text.

6019. -------- Message. Extrait du registre des délibérations du Directoire exécutif. Paris: Imp. Nat., (messidor) an 7 (1799). 6pp.
      Report to Council of Five Hundred on dangers facing the country.

6020. -------- Message [au Conseil des Cinq-cents]. Extrait du registre des délibérations du Directoire exécutif [du 6 vendémiaire an 8]. Paris: Imp. Nat., [1799]. 8pp.
      Contains also: Discours...par Eschasseriaux, aîné; Discours...par Aréna: Discours...par Carret.

6021. FRANCE. CONSEIL DES ANCIENS. Code des transactions, ou recueil des lois relatives aux transactions entre particuliers depuis la dépréciation du papier-monnaie. Avec le tableau de dépréciation du papier-monnaie, dressé par l'administration centrale du département de la Seine, en exécution de la loi du 5 messidor an 5. Paris: Fauvelle et Sagnier, an VI (1797). 64pp.

6022. -------- Procès-verbal de la séance du Conseil des anciens tenue à Saint-Cloud le 19 brumaire, an 8. Saint-Cloud: Imp. Nat., [1797]. 44pp.
      Coup d'état of Brumaire.

FRANCE. CONSEIL DES ANCIENS. SPECIAL COMMITTEES. See nos. 2516, 2674, 3086, 3171, 3860, 5052.

6023. FRANCE. CONSEIL DES CINQ-CENTS. Procès-verbal de la séance du Conseil des cinq-cents tenue à Saint-Cloud le 19 brumaire, an 8. Saint-Cloud: Imp. Nat., (brumaire) an VIII (1799). 58pp.
      The coup d'état of Brumaire.

6024.   -------- Procès-verbal de la séance permanente du Conseil des cinq-cents; des 18, 19, 20, 21, 22 & 23 fructidor, an [5]... Paris: Imp. Nat., (fructidor) an V (1797). 154pp.

6025.   -------- Adresse au peuple français, sur la situation intérieure et extérieure de la république,..(9 messidor an 7). Paris: Imp. Nat., an 7 (1799). 4pp.

6026.   -------- Loi relative à l'action en rescision pour cause de lésion contre les ventes d'immeubles faites pendant la dépréciation du papier-monnaie. (19 floréal an 6). [Paris?]: Hy, [1798]. 4pp.

6027.   -------- Projet de résolution proposé au Conseil des cinq-cents. (23 frimaire, an 4). Paris: Imp. Nat., (germinal) an 4 (1796). 4pp.
          Concerning justices of the peace.

FRANCE. CONSEIL DES CINQ-CENTS. COMMISSION D'INSTRUCTION PUBLIQUE. See no. 4145.

FRANCE. CONSEIL DES CINQ-CENTS. COMMISSION DES CANAUX. See no. 3160.

FRANCE. CONSEIL DES CINQ-CENTS. COMMISSION DES DEPENSES. See no. 5172.

6028.   FRANCE. CONSEIL DES CINQ-CENTS. COMMISSION DES FINANCES. Projets de résolutions proposés au conseil des cinq-cents par la commission des finances; séance du 2 germinal an 4. Paris: Imp. Nat., an IV (1796). 4pp.
          On payment of private debts and taxes.

        -------- See also nos. 3024, 5172.

FRANCE. CONSEIL DES CINQ-CENTS. COMMISSION DES INSTITUTIONS REPUBLICAINS. See no. 2450.

FRANCE. CONSEIL DES CINQ-CENTS. COMMISSION DES ONZE. See nos. 1858, 1859, 3295.

FRANCE. CONSEIL DES CINQ-CENTS. COMMISSION MILITAIRE. See no. 3284.

FRANCE. CONSEIL DES CINQ-CENTS. SPECIAL COMMITTEES. See nos. 1677, 1920, 1923, 1924, 1925, 2258, 2425, 2449, 2482, 2483, 2629, 2697, 2698, 2699, 2780, 2842, 2843, 2844, 2845, 2846, 3046, 3159, 3251, 3252, 3673, 3766, 3809, 4265, 4453, 4616, 4724, 4871, 4940, 4967, 5055, 5172.

6029.   FRANCE. CONSEIL DES CINQ-CENTS. MISCELLANEOUS PIECES. Nouveau tableau pour la fixation en valeur réelle du montant des obligations contractées depuis le premier janvier 1792 en assignats valeur nominale. (6 germinal, an 4). [Paris]: Imp. Nat., an IV (1796). 2pp.

6030. -------- Première feuille de la liste des citoyens élus pour
membres du Corps législatif, hauts-jurés, présidens du tribunal criminel, et accusateurs publics, dans les assemblées
électorales où il a eu scission. [Paris]: Imp. Nat.,
(floréal) an 6 (1798). 14pp.
   (Signed: Camus, Archiviste).

6031. -------- Quatrième feuille de la liste des citoyens élus pour
membres du Corps législatif, hauts-jurés, présidens du tribunal criminel, et accusateurs publics, dans les assemblées
électorales où il y a eu scission. Paris: Imp. Nat., (floréal) an 6 (1798). 3pp.
   (Signed: Camus, Archiviste).

6032. FRANCE. CONSULAT. Constitution de la République française.
(22 frimaire an 8). Paris: Imp. Nat., (frimaire) an 8
(1799). 18pp.

6033. -------- Proclamation des Consuls de la République. (24
frimaire, an VIII) Puy: P.B.F. Clet, [1799]. 12pp.
   Announcing completion of Constitution of year VIII and
   arrangements for plebiscite on it. Other pieces over
   names of Cambacerès, and Fouché, and Laplace; and
   extrait des registres...de l'Administration central
   du...Haute-Loire.

6034. -------- Liste des Membres composant les pouvoirs législatif et exécutif de la République française, contenant leurs
noms, leurs qualités, le nom de leur département et leur de-
meure à Paris. Paris: Imp. de l'Ami des Lois, an 8 (1800).
16pp.
   A few notations in ink; probably appeared in January,
   1800, soon after new legislature was convened.

6035. -------- Nouvelle dépeche officielle, par un courrier extraordinaire arrivée cette nuit chez le ministre de la guerre,
annocee par Berthier au gouvernement, la déroute complette
de l'armée de l'archiduc Charles, général en chef des autrichiens.
(Armée du Rhin). [Paris]: Chez Dumaka, [1800]. 4pp.
   Results of Moreau's victory at Hohenlinden.

6036. -------- Projet de Code civil, avec les amendemens, additions
et observations proposés par la Commission du tribunal de cassation, nommée en execution de l'arrêté des Consuls du 7 germinal an 9. Paris: Baudouin, (messidor) an IX (1801).
214pp.

6037. -------- Traité de paix entre le République française, S. M.
l'Empereur, et le Corps germanique. Conclu à Lunéville le 20
pluviôse (an 9). [Paris]: Imp. de Marchand, [1801]. 8pp.
   Reprint of official text.

6038. -------- Convention entre le gouvernement français et sa
Sainteté Pie VII. Echangée le 23 fructidor an 9. Rheims:
chez Brigot, an X (1802). 15pp.

FRANCE. CONSULAT, continued.

The Concordat of 1801 and the Organic articles reprinted from the text of the copy printed by National printshop.

6039. -------- Développement général, et nouveau programe de la fete. Ordre et marche de toutes les cérémonies qui auront lieu en l'honneur de la paix. Paris: chez Luc, [1802]. 4pp. (Signed: Chaptal, Minister of the Interior).

6040. -------- Proclamation des Consuls de la République, pour le retablissement de la religion catholique en France. Détail exact des cérémonies qui ont eu lieu le jour de Paques, a Notre Dame, sublime discours de M. Boisgelin archevêque de Tours. Beau discours du cardinal légat au premier Consul et réponse de Bonaparte. Liste officielle des archévêques qui ont preté serment devant le premier Consul. Morceaux de musique exécutés par les plus célèbres artistes. Traduction des strophes du Te Deum. Désignation des fêtes solemnelles qui seront célébrées. [Paris]: Imp. Donnier, [1802]. 8pp.

-------- See also no. 4448.

6041. FRANCE. CONSULAT. CAISSE DE PLACEMENS EN VIAGER. Caisse de placemens en viager, etablie à Paris, rue Saint-Méry, no. 440, et rue du Renard-Saint-Méry, no. 435. [Paris, 1802]. 83pp.

6042. -------- Caisse de placemens en viager, etablie à Paris, rue Saint-Méry, no. 440, et rue du Renard Saint-Méry, no. 435. Exposé succinct de l'organisation et des effets de cette caisse. [Paris, 1802]. 7pp.

6043. -------- Caisse de placemens en viager, Rues du Renard-Saint-Méry, no. 435, et Saint-Méry, no. 440. (Extrait de La Bibliothèque française, IIIme, année, no. IV). [Paris, 1802]. 8pp.

6044. FRANCE. CONSULAT. CONSEIL D'ETAT. Proclamation. Conseil d'état. Extrait du registre des délibérations. Séance du 24 ventôse an 8. [Paris]: Imp. Nat., (ventôse) an 8 (1800). 2pp.
Ordering meeting of Corps legislatif.

FRANCE. TRIBUNAT. COMMISSION DES INSPECTEURS. See no. 3788.

6045. FRANCE. PARLEMENT OF AIX. Arrêté du parlement de Provence, et délibérations de la sénéchaussée d'Aix... n.p., [1788]. 7pp.
Dated: Parlement: 5 mai 1788. Sénéchaussée d'Aix: 7 & 8 mai 1788.

6046. -------- Procès-verbal de la séance tenue au parlement de Provence le 8 mai 1788. n.p., [1788]. 16pp.

6047. -------- Lettre des avocats au parlement de Provence, a monseigneur le garde des sceaux, sur les nouveaux edits transcrits par les commissaires de sa majesté dans les registres des cours souveraines du pays, le 8 mai 1788. (17 mai 1788). n.p., 1788. 46pp.

6048. -------- Protestations des officiers du parlement d'Aix... (7 juin 1788]. n.p., [1788]. 36pp.
    Bound with: Délibération du corps de la noblesse de Provence, portant opposition à l'enrégistrement des nouveaux edits, du 8 juin 1788. (pp. 19-23). Déclaration & itératives protestations du parlement de Nancy, du 11 juin 1788. (pp. 24-36).

6049. -------- Lettre du parlement de Provence au parlement de Paris. (3 octobre 1787). n.p., [1787]. 7pp.

6050. -------- Arrest du parlement, qui renouvelle les défenses sur les attroupemens, du 30 janvier 1789... Aix: B. Gibelin-David & T. Emeric-David, 1789. 6pp.
    Extrait des registres du parlement.

-------- See also no. 6249.

6051. FRANCE. PARLEMENT OF BESANCON. Lettre du parlement de Besançon, au roi, adressée a M. le garde des sceaux, le 30 juillet 1787. n.p., [1787]. 4pp.

6052. -------- Arrêté du parlement de Franche-Comté, a la séance du 30 août 1787, auquel on a joint l'arrêté du Parlement de Toulouse, & la lettre adressée au parlement de Paris; l'arrêté du parlement de Rouen; & l'arrêté du conseil de Roussillon, séant à Perpignan. n.p., 1787. 44pp.

6053. -------- Extrait des registres du parlement de Franché-Comté. A la séance du 30 août 1787. n.p., [1787]. 8pp.

6054. -------- Arrêté du parlement de Franché-Comté, du 4 janvier 1788. n.p., [1788]. 1p.

6055. -------- Arrêtés du parlement de Franché-Comté, des 4 & 9 janvier 1788. n.p., [1788]. 4pp.

6056. -------- Protestations des officiers du parlement de Besançon. (26 mai 1788). n.p., [1788]. 20pp.

6057. -------- Arrêté du parlement de Franche-Comté, du 27 janvier 1789. [Besançon?]: Imp. de J.-F. Daclin, [1789]. 19pp.

-------- See also no. 6249.

6058. FRANCE. [PARLEMENT OF BORDEAUX]. Très-humbles & très-respectueuses remontrances du parlement au roi, à l'occasion de la procédure suivie & des jugemens rendus par les maréchaux de France contre le vicomte de Noë, maire de Bordeaux. (31 août 1784). n.p., [1784]. 15pp.

6059. -------- Très-humbles et très-respectueuses remontrances,

qu'adressent au roi, notre très-honoré et souverain seigneur,
les gens tenant sa cour de parlement a Bordeaux. (30 juin
1786). n.p., 1786. 32 & 16pp.
 Contents of 2nd Part: Lettres-patentes du roi, données
 à Versailles, le 14 mai 1786, qui ordonnent la recherche
 & la vérification des isles, islots, atterissemens, alluvions & relais formée dans une partie des rivieres de
 Gironde, Garonne & Dordogne; reglent la forme de ces
 opérations, & annoncent les intentions de sa majesté,
 par [?] rapport aux concessions, s'il y a lieu, d'au-
 cuns desdits terrains. (pp. 1-8). Arrêt de la cour de
 parlement, qui déclare la transcription faite sur ses
 registres, des lettres-patentes du roi, du 14 mai 1786,
 concernant les atterissemens & alluvions, par le sieur
 comte de Fumel, nulle, illégale, & incapable de produire
 aucun effet: ordonne que, sous le bon plaisir du roi,
 les arrêts de la cour, des 3 mai 1782 & 21 avril 1784,
 seront exécutés selon leur forme & teneur, du 20 mai
 1786. (pp. 9-16.)

6060. -------- Arrêt de la cour du parlement de Bordeaux, faisant
inhibitions & défenses à toutes personnes de quelque ordre
que ce soit, de se réunir en corps d'assemblées provinciales,
avant que l'edit portant création de ces assemblées soit
enrégistré en la cour, du 8 août 1787. Bordeaux: Imp. de
Pierre Phillipot, 1787. 4pp.

6061. -------- Arrêté de la cour de parlement, qui, sous le bon
plaisir du roi, persiste dans son arrêté du 8 du présent
mois, portant défense de se réunir en corps d'assemblées
provinciales dans son ressort avant l'enregistrement de
l'edit, du 18 août 1787. n.p., [1787]. 6pp.

6062. -------- Arrêtés du parlement de Bordeaux...(3, 4 & 6
septembre 1787). n.p., [1787]. 15pp.

6063. -------- Extrait de l'arrêté du parlement de Bordeaux, du
6 septembre 1787. n.p., [1787]. 2pp.

6064. -------- Très-humbles et très-respectueuses remontrances,
qu'adressent au roi, notre très-honoré & souverain seigneur,
les gens tenant sa cour de parlement de Bordeaux, à Libourne.
(31 octobre 1787). n.p., [1787]. 31pp.

6065. -------- Arrêté du parlement de Bordeaux, du 24 novembre
1787. n.p., [1787]. 4pp.

6066. -------- Très-humbles et très-respectueuses remontrances,
qu'adressent au roi, notre très-honoré & souverain seigneur,
les gens tenant sa cour de parlement de Bordeaux, à Libourne.
(21 décembre 1787). n.p., [1787]. 32pp.
 Bound with: Lettre du parlement de Bordeaux, au parlement de Paris, du 21 décembre 1787. (pp. 29-30). Extrait des registres du parlement de Bordeaux, du 21 décembre 1787. (pp. 31-32).

6067. -------- Requisition que les avocats au parlement de Bordeaux ont l'honneur d'adresser à MM. les maire, lieutenant-de-maire & jurats, gouverneurs de la même ville. (19 janvier 1788). n.p., [1788]. 15pp.
> Bound with: Délibération du chapitre de l'eglise métropolitaine & primatiale Saint André de Bordeaux, pour demander la convocation de l'assemblée des cent-trente, du samedi 19 janvier 1788. (pp. 13-15).

6068. -------- Remontrances du parlement de Bordeaux, du 4 mars 1788, sur les lettres de cachet. n.p., [1788]. 10pp.

6069. -------- Extrait des registres du parlement de Bordeaux, du [15 mars 1788]. n.p., [1788]. 4pp.

6070. -------- Très-humbles et très-respectueuses remontrances, qu'adressent au roi...les gens tenant sa cour de parlement de Bordeaux, à Libourne. (15 avril 1788). n.p., [1788]. 7pp.

6071. -------- Extrait des registres du parlement de Bordeaux, toutes les chambres assemblées. A Libourne le 9 mai 1788... Bordeaux: P. Phillippot, 1788. 7pp.

-------- See also nos. 5389, 5425, 624º.

6072. FRANCE. PARLEMENT OF DIJON. Arrêté du parlement de Dijon, séant en temps de vacations, de lundi 10 septembre 1787. n.p., [1787]. 7pp.
> Contains also the arrêté for Sept. 12, 1787.

6073. -------- Protestations des présidens & conseillers du parlement de Dijon, qui se sont trouvés en ladite ville, le 9 mai 1788. n.p., [1788]. 3pp.

6074. -------- Protestations du parlement de Bourgogne. (4 juin 1788). n.p., [1788]. 12pp.

6075. -------- Protestations du parlement de Bourgogne, du onze juin 1788. n.p., [1788]. 1p.

6076. -------- Discours de doléance prononcé à monsieur le premier président du parlement de Dijon, au nom de l'ordre des avocats, le 13 juin 1788, contenant des protestations. n.p., [1788]. 4pp.

6077. -------- Bourgogne. Récit succinct de ce qui s'est passé en Bourgogne, & notamment à Dijon, depuis le 10 mai 1788, jusqu'au 15 octobre, jour de la rentrée solemnelle du parlement. n.p., [1788]. 23pp.
> Contents: Miscellany of pieces, official and otherwise, of events in Dijon and particularly of parlementary sessions.

6078. -------- Compliment adressé à la cour du parlement de Bourgogne,

lors de sa rentrée, le mercredi 15 octobre 1788, par MM.
Saclier de Giverdey, lieutenant criminel, & Garchery, avocat
& procureur du roi au bailliage de Mont-Cenis. [Dijon:
Causse, 1788]. 4pp.

6079. -------- Discours prononcés [par le sieur Cinqfonds, greffier
en chef de ladite chambre des comptes] a la rentrée du parlement de Bourgogne, les chambres assemblées, les 15, 16 & 17
octobre 1788. Dijon: Causse, 1788. 2pp.

6080. -------- Discours prononcé par le lieutenant général du bailliage de Châtillon-sur-Seine, au nom de sa compagnie, à la
rentrée du parlement, le 15 octobre 1788. [Dijon: Causse,
1788]. 3pp.

6081. -------- Discours prononcé au parlement de Dijon le 15 octobre 1788, par M. l'abbé Bailly, chanoine de la cathédrale, en
qualité de plus ancien de MM. les députés du chapitre. [Di-
jon: Causse, 1788]. 4pp.

6082. -------- Discours prononcé le 15 octobre 1788, au parlement
de Dijon, chambres assemblées, par M. Bergier, lieutenant
criminel du bailliage & siege présidial de la même ville.
[Dijon: Causse, 1788]. 2pp.

6083. -------- Discours prononcé au parlement de Dijon, les chambres
assemblées, le 15 octobre 1788, par M. Boucherat, procureur
en toutes cours, en qualité de syndic des procureurs du bailliage de la même ville. [Dijon: Causse, 1788]. 2pp.

6084. -------- Discours prononcé au parlement de Dijon, les chambres assemblées, le 15 octobre 1788, par M. le vicomte-Maïeur,
à la tête du corps municipal. [Dijon: Causse, 1788]. 4pp.

6085. -------- Discours prononcé au parlement de Dijon, les chambres assemblées, le 15 octobre 1788, par M. Morelet, bâton-
nier de l'ordre des avocats. [Dijon: Causse, 1788]. 4pp.

6086. -------- Discours prononcé au parlement de Dijon, les chambres assemblées, le 15 octobre 1788, par M. Thevenin, syndic
de la communauté des procureurs à la cour. [Dijon: Causse,
1788]. 3pp.

6087. -------- Discours prononcé au parlement de Dijon, les chambres assemblées, le 15 octobre 1788, par M. Verchere, député
du chapitre royal de la Ste. Chapelle. [Dijon: Causse,
1788]. 3pp.

6088. -------- Réponse de le premier président, aux procureurs de
la cour. [15 oct. 1788?]. [Dijon: Causse, 1788]. 1p.

6089. -------- Discours prononcé au parlement de Dijon le 16 octobre 1788, par M. Meney, l'un des députés de MM. du bureau
des finances. [Dijon: Causse, 1788]. 2pp.

6090. -------- Discours prononcé à monsieur le premier président du parlement de Dijon, le 17 octobre 1788, par M. de Morveau, avocat général honoraire audit parlement, portant la parole en qualité de chancelier de l'Académie, à la tête de la deputation de cette compagnie. [Dijon: Causse, 1788]. 4pp.

6091. -------- Protestation de l'ordre des avocats au parlement de Dijon, contre la délibération des officiers municipaux de la même ville. n.p., [1788]. 19pp.
    Contents: Extraits des registres des délibérations de l'ordre des avocats au Parlement de Dijon, 14 & 17 décembre 1788.

6092. -------- Extrait des registres du parlement de Dijon, du mardi 30 décembre 1788... [Dijon]: Causse, 1788. 3pp.

6093. -------- Réponse de M. le premier président, aux officiers du bailliage de Dijon. [Dijon: Causse, 1788]. 2pp.

6094. -------- Compliment de la communauté des notaires, fait par M. Bouché, à la rentrée du Parlement de Dijon. [Dijon: Causse, 1788]. 2pp.

6095. -------- Très-humbles et très-respectueuses remontrances, qu'adressent au roi,..les gens tenant sa cour de parlement et aides à Dijon. n.p., [1788?]. 20pp.

6096. -------- Très-humbles et très-respectueuses remontrances que présentent au roi...le gens tenant sa cour de parlement à Dijon, sur un arrêt du conseil, en date du 14 février 1789. (3 mars 1789). n.p., 1789. 19pp.

6097. -------- Protestations [les avocats au Parlement de Dijon... qui ont eu en communication des projets de mandats & de cahiers pour les députés du tiers-état...& envoyés aux différentes corporations de cette ville...]. (14 mars 1789). n.p., [1789]. 8pp.

6098. -------- Protestations du parlement de Bourgogne (Dijon, 4 juin 1788). n.p., [1788]. 18pp.
    Printed signatures. Against judicial reform.

-------- See also no. 6249.

6099. FRANCE. PARLEMENT OF DOUAI. Remontrances du parlement de Flandres, sur l'edit du roi du mois de novembre 1787, concernant ceux qui ne font pas profession de la religion catholique. n.p., [1787]. 27pp.

6100. -------- Remontrances du parlement de Flandres. n.p., [1788]. 20pp.
    Contents: 2 remontrances, dated 30 novembre 1787 & 1 février 1788.

6101. FRANCE. PARLEMENT OF GRENOBLE. Arrest de la souveraine cour

de parlement,..du 12 décembre 1732, portant que le libelle imprimé, ayant pour titre, mémoire touchant l'origine & l'autorité du parlement de France, appellé Judicium Francorum, sera
lacéré & brûlé devant la principale porte du palais par l'exécuteur de la haute-justice. n.p., [1732].
   Probably not a reprint; paper bears watermark 1720.

6102.   -------- Arrêté du parlement de Dauphiné. n.p., [1787].
19pp.
      Contents: Arrêté dated 21 août 1787, (pp. 3-10).
      Arrêté de la cour des monnoies...22 août 1787. (pp.
      11-14). Arrêté du parlement de Rennes...du 18 août
      1787. (pp. 14-15). Réponse du roi aux supplications
      de la cour des aides de Paris, du 25 août 1787. (pp. 15-
      16). Délibération et arrêté de la cour des aides de
      Paris, du 27 août 1787, sur la réponse du roi, du 27
      août 1787. (pp. 16-18). Arrêté du parlement de Paris,
      du 27 août 1787, séant à Troyes. (pp. 18-19).

6103.   -------- Extrait des registres de la cour de parlement,
aides & finances de Dauphiné, du 6 octobre 1787. n.p.,
[1787]. 12pp.

6104.   -------- Arrêt du parlement de Dauphiné, du 15 décembre 1787,
concernant les assemblées provinciales. n.p., [1787]. 6pp.

6105.   -------- Très-humbles et très-respectueuses remontrances,
que présentent au roi, notre très-honoré & souverain seigneur, les gens tenant sa cour de parlement de Dauphiné; au
sujet de l'exil de M. le duc d'Orléans; de l'enlevement de
MM. Freteau & Sabatier, conseillers au parlement de Paris;
de l'exil du parlement de Bordeaux, à Libourne; & de la lettre
écrite à M. Bérulle, premier président du parlement, par M.
le garde des sceaux, le 12 novembre de la présente année
1787. (20 décembre 1787). n.p., [1787]. 24pp.

6106.   -------- Remontrances du parlement de Dauphiné, du 20 décembre 1787, au sujet de l'exil de M. le duc d'Orléans; de
l'enlevement de MM. Fréteau & Sabatier; de l'exil du parlement de Bordeaux à Libourne; & de la lettre écrite à M. de
Bérulle, par M. le garde des sceaux. n.p., 1788. 22pp.
      Different edition of no. 6105.

6107.   -------- Arrêté du parlement de Dauphiné, du 24 janvier
1788. n.p., [1788]. 11pp.

6108.   -------- Remontrances du parlement de Dauphiné, concernant
les lettres-de-cachet, & l'arrêt du conseil du 5 janvier 1788.
(23 février 1788). n.p., [1788]. 12pp.

6109.   -------- Arrêt du parlement de Dauphiné, du 21 avril 1788,
concernant l'imposition mise sur les fonds taillables, pour
le payement de la finance des offices municipaux... n.p.,
[1788]. 18pp.

6110. -------- Lettre du parlement de Dauphiné, au roi du vingt-
six avril mil sept cent quatre-vingt huit. n.p., [1788].
7pp.

6111. -------- Arrêt du parlement de Dauphiné, du 9 mai 1788. n.p.,
[1788]. 8pp.

6112. -------- Extrait des registres du parlement de Dauphiné, du
9 mai 1788. n.p., [1788]. 3pp.

6113. -------- Proces-verbaux, et arrets du parlement de Dauphiné,
des 10, 11, & 20 mai 1788. n.p., [1788]. 5pp. & 16pp.

6114. -------- Arrêté du parlement de Dauphiné, du 20 mai 1788...
n.p., [1788]. 16pp.

6115. -------- Pieces justificatives. n.p., [1788?]. [pp. 22-38],
& table.
        Contents: 1. Lettres-patentes, du 25 août 1780, qui
        ordonnent...les rôles des vingtiemes & quatre sous pour
        livre de la province de Dauphiné... 2. Déclaration du
        roi, pour la conversion de la corvée en une prestation
        en argent [10 mai 1788]. 3. Projet de déclaration,
        adressé, par M. le premier président, à M. le garde des
        sceaux, le 17 janvier 1788, pour la conversion de la
        corvée en un prestation en argent.

6116. -------- [Extrait, 7 juin 1788, du Parlement de Grenoble].
n.p., [1788]. 4pp.
        Title page missing. Extract concerning the lettres de
        cachet of the King exiling the members of Parlement from
        Grenoble.

6117. -------- Récit des fêtes données à Grenoble, les 12 & 20
octobre 1788 au retour du Parlement. n.p., [1788]. 56pp.
        Bound with: Recueil de divers discours et compliments
        adressés au parlement de Dauphiné, à l'occasion de son
        heureux retour, les trois premiers jours de la reprise
        de ses séances; savoir les 20, 21 & 22 octobre 1788;
        ensemble les réponses de cette cour à tous les discours
        & à tous les compliments qui lui furent adressés ces
        jours-là. n.p., [1788]. 32pp.
        Both listed in Garrett, 238.

6118. -------- Arrêté du parlement de Grenoble, du 23 juillet 1789,
adressé à l'Assemblée nationale et lettre du même parlement
adressée au roi le même jour. n.p., [1789]. 5pp.

6119. FRANCE. PARLEMENT OF METZ. Très-humbles et très-respectueuses
remontrances, qu'adressent au roi, notre très-honoré & souverain seigneur, les gens tenant sa cour de parlement, chambre des comptes & cour des aides de Metz. (19 janvier 1788).
n.p., [1788]. 42pp.

6120. -------- Arrêté du parlement de Metz, du premier mars mil sept cent quatre-vingt-huit. n.p., [1788]. 4pp.

6121.   -------- Arrêté du parlement de Metz, du 8 mai 1788...
n.p., [1788]. 3pp.

6122.   -------- Déclarations et itératives protestations du parlement de Metz. (20 juin 1788). n.p., [1788]. 33pp.

6123.   FRANCE. PARLEMENT OF NANCY. Remontrances...arrêtées le 12
janvier 1788, sur les ordres d'exil & lettres de cachet. n.p.,
[1788]. 17pp.

6124.   -------- Protestations...renouvellées & notifiées à MM. les
commissaires du roi, à la séance du 8 mai 1788. n.p., [1788].
3pp.

6125.   -------- Déclaration et itératives protestations...du 11 juin
1788. n.p., [1788]. 24pp.
Bound with: Détail de ce qui s'est passé à Nancy le 9
juin 1788. (pp. 19-24).

-------- See also nos. 6048, 6249.

6126.   FRANCE. PARLEMENT OF PARIS. Arrêté du parlement, du 6 juillet 1787. n.p., [1787]. 2pp.

6127.   -------- Second arrêté du parlement, du treize juillet 1787.
n.p., [1787]. 4pp.

6128.   -------- Remontrances du parlement de Paris, arrêtées le 24
juillet 1787. n.p., [1787]. 19pp.

6129.   -------- Arrêté du parlement, du 30 juillet 1787, six heurs
de relevée. n.p., [1787]. 2pp.

6130.   -------- Délibération du parlement, 30 juillet 1787, les
princes et pairs y séans. n.p., [1787]. 2pp.
Different edition of no. 6129.

6131.   -------- Arrêté du Parlement, du dimanche 5 août 1787. n.p.,
[1787]. 8pp.

6132.   -------- Procès-verbal de ce qui s'est passé au lit de justice, tenu par le roi à Versailles, le lundi 6 août 1787.
n.p., [1787]. 77pp.

6133.   -------- Arrêté du parlement de Paris, du sept août mil sept
cent quatre-vingt sept. n.p., [1787]. 8pp.
Bound with: Arrêté du parlement de Paris, du treize
août mil sept cent quâtre-vingt-sept. (pp. 1-8).

6134.   -------- Arrêté du parlement de Paris, du 13 août 1787.
n.p., [1787]. 14pp.

6135.   -------- Arrêté du parlement de Paris, du 13 août 1787;

avec les observations d'un avocat, sur ledit [sic] arrêté.   Paris,
1787.   25pp.
>   Concerning the new taxes proposed by Brienne.

6136.   -------- Arrêté de la cour de parlement, qui, sous le bon
plaisir du roi, persiste dans son arrêté du 8 du présent mois,
portant défense de se réunir en corps d'assemblées provinciales dans son ressort avant l'enregistrement de l'edit.
Du 18 août 1787. n.p., [1787]. 6 & 8 pp.
>   Bound with: Arrêté du parlement de Bretagne, du 22 août
>   1787; and Arrêté du parlement de Rouen, du 23 août (1787).

6137.   -------- Arrêté du parlement de Paris, séant à Troyes, du
19 août 1787. n.p., [1787]. 8pp.

6138.   -------- Recueil des discours prononcés au parlement de
Paris, séant à Troyes, par différentes cours de son ressort.
[22 août-11 septembre 1787]. n.p., 1787. 56pp.

6139.   -------- Discours des officiers du bailliage de Bar-Sur-
Seine, du 27 août 1787. n.p., [1787]. 12pp.
>   Last six discours found in no. 6138.

6140.   -------- Arrêté du parlement de Paris, séant a Troyes. Du
lundi 27 août 1787... n.p., [1787].

6141.   -------- Arrêté du parlement de Paris, séant a Troyes, du
onze septembre 1787. n.p., [1787]. 2pp.

6142.   -------- Arrêté du parlement de Paris, séant a Troyes, du
11 septembre 1787. n.p., [1787]. 3pp.
>   Bound with: Réponse du roi à M. le premier président
>   du parlement de Paris, du 13 septembre 1787. (p. 3).

6143.   -------- Arrêté du parlement de Paris, séant a Troyes, du
dix-neuf septembre 1787. n.p., [1787].

6144.   -------- Discours de M. le premier président au roi. Du 21
septembre 1787. n.p., [1787]. 16pp.
>   Despite title contains first 12 discours found in no.
>   6138.

6145.   -------- Discours de M. le premier président du parlement au
roi, prononcé le 21 septembre 1787; réponse du roi. n.p.,
[1787]. 2pp.

6146.   -------- Discours de M. le premier président au roi. Du
21 septembre 1787; réponse du roi. n.p., [1787]. [pp. 2
& 3].
>   Different edition of no. 6145.

6147.   -------- Arrêté du parlement, séant à Troyes, du 24 septembre 1787. n.p., [1787]. 7pp.
>   Bound with: Arrêtés du Parlement séant en tems de va-
>   cations, des 17, 23, 24 & 25 octobre 1787.

6148. -------- Séance du roi au Parlement, du 19 novembre 1787.
n.p., [1787]. 4pp.
    Includes remarks of Duke of Orléans.

6149. -------- Séance royale tenue en parlement, (19 novembre
1787): discours du roi, discours de M. de Lamoignon, garde
des sceaux; rapport de M. l'abbé Tandeau, de l'édit d'emprunt enregistré à la séance du roi au parlement le 19 novembre 1787. n.p., [1787]. 42pp.

6150. -------- Tableau de la séance du 19 novembre 1787; contenant
les discours du roi & de monseigneur le garde-des-sceaux,
avec un état détaillé des bonifications retranchemens et
améliorations faits par sa majesté... n.p., [1787]. 64pp.
    Same as no. 6149, with additional material.

6151. -------- Supplications du parlement au roi, au sujet de
l'exil de M. le duc d'Orléans, & de l'enlévement de MM. Fré-
teau-de-Saint-Just, & Sabatier-de-Cabre, arrêtées aux chambres assemblées le vendredi 23 novembre 1787; réponse du roi.
n.p., [1787]. 7pp.

6152. -------- Représentations du parlement au roi, du 8 décembre 1787. n.p., [1787]. 7pp.

6153. -------- Récit de ce qui s'est passé le 15 à l'assemblée
des chambres du parlement. [15 déc. 1787?]. n.p., [1787].
4pp.

6154. -------- Arrêté du 4 janvier 1788. n.p., [1788]. 3pp.

6155. -------- Représentations du parlement de Paris au roi,
arrêtées le mercredi 9 janvier 1788, les ducs & pairs y
séans, en conséquence de l'arrêté pris le vendredi 4 précédent. n.p., [1788]. pp. 3-8.

6156. -------- Arrêté du 11 janvier 1788. n.p., [1788]. 7pp.

6157. -------- Remontrances du parlement de Paris, concernant les
non-catholiques, arrêtés les 18 janvier 1788. n.p., [1788].
15pp.

6158. -------- Remontrances du parlement de Paris, sur l'usage des
lettres-de-cachet, l'exil de M. le duc d'Orléans, & l'enlevement de MM. Fréteau & Sabatier, arrêtés le 11 mars 1788.
n.p., [1788]. 8pp.

6159. -------- Remontrances du Parlement, sur les trois objets
compris dans la réponse du roi du 21 novembre dernier, savoir, la suppression de l'arrêté pris après la séance du 19
du même mois, la séance, & l'improbation de l'usage des arrêtés sur les registres. (11 avril 1788). n.p., [1788].
24pp.

6160. -------- Arrêté sur la réponse du roi, du 17 avril 1788.
n.p., [1788]. 1p.

6161. -------- Remontrances du parlement de Paris, sur la réponse du roi en date du 17 avril, présentées au roi le dimanche 4 mai [1788?]. n.p., [1788?]. 12pp.

6162. -------- Arrêté du parlement, toutes les chambres assemblées, les pairs y séant. Du mardi 29 avril 1788. n.p., [1788]. 2pp.

6163. -------- Récit fait au parlement de Paris, les pairs y séants, le 29 avril 1788; au sujet des vérifications ministérielles, entreprises pour accroître la masse des vingtiemes. n.p., [1788]. 29pp.
    Bound with: Arrêt du conseil d'etat du roi, qui casse deux arrêtés du parlement de Paris, des 29 avril & 3 mai 1788. Extrait des registres du conseil d'etat, du 4 mai 1788. (pp. 26-29).

6164. -------- Très-humbles et très-respecteuses remontrances du parlement de Paris au roi. (30 avril 1788). n.p., [1788]. 8pp.

6165. -------- Remontrances du parlement. (Avril 1788). n.p., [1788]. 15pp.

6166. -------- Arrêté du parlement de Paris, du 5 mai 1788. n.p., [1788]. 3pp.

6167. -------- Arrêté unamine du parlement de Paris, du lundi 5 mai 1788; et extrait des registres du parlement de Normandie [Rouen]. n.p., [1788]. 17pp.

6168. -------- Arrêté du parlement de Paris, du 6 mai 1788, les pairs y séant. n.p., [1788]. 4pp.
    Bound with: Lettre du parlement au roi. (pp. 3-4).

6169. -------- Lettre au roi, des soixante-sept magistrats de la grand'-chambre du parlement de Paris, qui devoient composer la cour plénière, établie par l'édit publié au lit de justice tenu à Versailles le 8 mai 1788. n.p., [1788]. 2pp.
    Also contains two letters to the Garde des Sceaux.

6170. -------- Lit-de-justice tenu à Versailles le 8 mai 1788. n.p., [1788]. 134pp.
    The judicial reform edicts.

6171. -------- [Protestation contre un lit-de-justice prochain]. (12 septembre 1788). n.p., [1788]. 4pp.

6172. -------- Arrêt de la cour de parlement de Paris, rendu les chambres assemblées, les pairs y séant, du 24 septembre 1788. n.p., [1788]. 3pp.

6173. -------- Arrêt du parlement, du 24 septembre 1788. n.p., [1788]. 4pp.
    Bound with: Arrêté du parlement, toutes les chambres

assemblées, les pairs y séant, du 25 septembre 1788.
(p. 3). Arrêté dudit jour. (p. 4).

6174. -------- Récit fait par un des messieurs, toutes les chambres
assemblées, les pairs y séans, le 25 septembre 1788. n.p.,
[1788]. 8pp.

6175. -------- Discours de M. le premier président, au Châtelet,
les 25 septembre 1788, les pairs y séant. n.p., [1788]. 2pp.
    Bound with: Réponse du roi, du 26 septembre 1788.
    (p. 2). (The spokesman was probably Ormesson de Noy-
    seau, who succeeded Aligré about this time).

6176. -------- Discours prononcé au nom de la commission intermédiaire, le 8 octobre 1788, jour de la rentrée du parlement.
n.p., [1788]. 8pp.
    Speaker not identified.

6177. -------- Arrêté du parlement de Paris les pairs y séans,
sur les Etats-généraux, du 5 décembre 1788. n.p., [1788].
4pp.

6178. -------- Résultat de l'assemblée des pairs, du 20 décembre
1788. n.p., [1788]. 2pp.

6179. -------- Représentations des pairs. n.p., [1788?]. 8pp.

    -------- See also nos. 4065, 5370, 5381, 5383, 5388, 5415,
5416, 5420, 5426, 5431, 6102, 6249.

6180. FRANCE. PARLEMENT OF PAU. Lettre...au roi, du 31 août 1787.
n.p., [1788]. 7pp.

6181. -------- Remontrances au roi...sur la translation du parlement de Bordeaux à Libourne. (14 décembre 1787). n.p., [1787].
12pp.

6182. -------- Très-humbles remontrances présentées au roi. (12
& 28 janvier 1788). n.p., [1788]. 6pp.
    Contains also: Lettre de M. le garde des sceaux au parle-
    ment de Navarre (2 janvier 1788); Arrêté du parlement
    de Navarre (12 janvier 1788); Copie de lettre écrite par
    le parlement de Navarre le 28 janvier 1788 à M. le garde
    des sceaux.

6183. -------- Extrait des registres...du 15 janvier 1788. n.p.,
[1788]. 4pp.
    Contains also arrêté for 18 janvier 1788.

6184. -------- Très-humbles et très-respectueuses remontrances
présentées au roi...sur une lettre qui lui a été écrite le
2 janvier 1788, par M. le garde des sceaux, avec la réponse
à cette même lettre. (28 janvier 1788). n.p., [1788]. 16pp.
    Contains also letter of the garde des sceaux to the par-
    lement. Except for letters different from no. 6182.

6185. -------- Arrêté...a la suite d'un arrêt du conseil du 1er de ce mois, signifié le onze. Du 20 février 1788. n.p., [1788]. 4pp.

6186. -------- Arreté...du 20 février 1788. Pau, 1778 [sic] [1788]. 8pp.

6187. -------- Arrêté...du 7 mars 1788. n.p., [1788]. 2pp.

6188. -------- Très-humbles et très-respectueuses remontrances que présentent au roi...sur les lettres de cachet. (21 avril 1788). n.p., [1788]. 19pp.

6189. -------- Arrêtés et procès-verbal du parlement de Navarre, avant & après la transcription forcée des nouveaux edits dans les registres de la cour, faite le 8 mai, par les commissaires de sa majesté. (2 mai & 8 & 21 juin 1788). n.p., 1788. 24pp.

6190. -------- Extrait du registre des délibérations du parlement de Navarre, et proces-verbal du 9 mai 1788. n.p., [1788]. 36pp.

6191. -------- Extrait du registre des délibérations du parlement de Navarre. (10 mai 1788). n.p., [1788]. 3pp.

6192. -------- Remontrances des avocats au parlement de Navarre, au sujet des nouveaux édits publiés à Pau le 8 mai dernier, par les commissaires de sa majesté. n.p., 1788. 20pp.

6193. -------- Extrait des registres...du 19 juin 1788. Pau: Daumon, 1788. 14pp.

6194. -------- Procès-verbal de ce qui s'est passé au parlement de Navarre, avec l'arrêt du 21 juin 1788. n.p., [1788]. 47pp.

6195. -------- Remontrances du parlement de Pau. (26 juin 1788). n.p., [1788]. 26pp.

6196. -------- Arrêté...du 17 juillet 1788, et lettre au roi, du 19 juillet 1788. Pau: P. Daumon, [1788]. 15pp.

6197. -------- Extrait des registres...(14 août 1788). Pau: Imp. de P. Daumon, [1788]. 8pp.

-------- See also nos. 6249, 6441.

6198. FRANCE. PARLEMENT OF RENNES. Arrêté du parlement de Rennes... du 18 août 1787. n.p., [1787]. 4pp.

6199. -------- Arrêté...du 22 août 1787. n.p., [1787]. pp. 3-10.

6200. -------- Objets de très-humbles & très-respectueuses remontrances, ordonnées être adressées au seigneur roi, par arrêt...

du 4 décembre 1787. Du 6 décembre 1787... n.p., [1787].
11pp.
  Contains also Lettre au roi.

6201. -------- Très-humbles et très-respectueuses remontrances,
q'uadressent [sic] au roi...les gens tenant sa cour de parlement à Rennes. (22 décembre 1787). n.p., [1787]. 24pp.

6202. -------- Délibération...du 7 janvier 1788... n.p., [1788].
14pp.

6203. -------- Objets de remontrances, et délibérations...des 7
& 22 janvier 1788... n.p., [1788]. 15pp.

6204. -------- Arrêté...du...1er mars 1788... n.p., [1788]. 8pp.
  Bound with Lettre écrite...au roi le 19 mars 1788.

6205. -------- Protestation et arrêté...du lundi 5 mai 1788. Ensemble les protestations des etats de la même province. n.p.,
[1788]. 14pp.

6206. -------- Arrêté du parlement de Bretagne, du 7 mai 1788.
n.p., [1788]. 7pp.
  Bound with arrêté for May 9, 1788.

6207. -------- Arrest de la cour, rendu le 31 mai 1788, chambres
assemblées... Rennes: Veuve François Vatar & de Bruté de
Remur, 1788. 16pp.
  Contents: Discours fait en la cour...par M. de Botherel,
procureur-général-syndic...(pp. 1-5). Extrait des registres de la commission intermédiaire des Etats de Bretagne...31 mai 1788. (pp. 5-6). Extrait des registres
de délibérations de la commission pour la navigation, du
31 mai 1788. (pp. 7-8). Requisitoire de M. le procureur-général du roi. (pp. 9-11).

6208. -------- Procès-verbaux, arrets et arretés...dans les
séances des 2 & 3 juin 1788. Rennes: La veuve François Vatar & de Bruté de Remur, 1788. 24pp.

6209. -------- Remontrances...du 24 juillet, arrêtées être présentées & portées au roi, par une grande députation de douze
membres de la compagnie & du procureur-général du roi. n.p.,
[1788]. 16pp.

6210. -------- Très-humbles et très-respectueuses représentations
de l'ordre des avocats au parlement de Bretagne, au roi.
(Rennes, le 9 août 1788). n.p., [1788]. 55pp.
  Listed in Garrett, 232.

6211. -------- Arrets de la cour du parlement de Rennes, et du
conseil d'état du peuple de Rennes. (7, 8 & 9 janvier 1789).
n.p., [1789]. 29pp.
  Concerning three pamphlets intitled: Avis aux députés
des villes & communes, aux etats de Bretagne; Avis aux

Parisiens; Les Gracches françois. Condemned by the parlement but defended by the conseil d'état.

6212. -------- Arrets de la cour de parlement...qui condamne trois
imprimés ayant pour titres: 1. Avis aux députés des villes
& communes, aux états de Bretagne; 2. Avis aux Parisiens;
3. Les Gracches français...Des 7 & 8 janvier 1789. Suivi
d'une déclaration de la noblesse de Bretagne, du 10 janvier
1789... n.p., [1789]. 16pp.
     Arrets same as in no. 6211.

-------- See also nos. 5265, 5420, 6102, 6136, 6213, 6249.

6213. FRANCE. PARLEMENT OF ROUEN. Arrêtés des parlemens de Rouen,
de Rennes, et de la cour des monnoies. (18, 22 & 23 août
1787). n.p., [1787]. 8pp.

6214. -------- Arreté...sur l'edit des vingtiemes, du 20 décembre
1787. n.p., [1787]. 8pp.

6215. -------- Lettre du parlement de Normandie au roi, sur l'exil
de Mgr. le duc d'Orléans, la détention de deux magistrats du
parlement de Paris, & la translation du parlement de Bordeaux
à Libourne. (17 janvier 1788). n.p., [1788]. 8pp.

6216. -------- Remontrances...au roi. (5 février 1788). n.p.,
[1788]. 30pp.

6217. -------- Remontrances du parlement de Normandie au roi. Arrêtés du parlement de Navarre, du 20 février 1788. n.p.,
1788. 25pp.
     Contents: Itératives remontrances du parlement de Norman-
die au roi, au sujet de l'édit d'octobre dernier, concernant les vingtiemes. (pp. 1-14). Extrait des registres du
parlement de Navarre, concernant les affaires criminelles.
(pp. 15-25).

6218. -------- Itératives remontrances...au roi, au sujet de l'édit
d'octobre dernier, concernant les vingtiemes. n.p., [1788].
12pp.
     Same as item in no. 6217.

6219. -------- Arrêt...du vendredi 11 avril 1788. n.p., [1788].
4pp.

6220. -------- Arrêté...25 juin 1788. n.p., [1788]. 4pp.

6221. -------- Arrêté...du mercredi 25 juin 1788. n.p., [1788].
31pp.

6222. -------- Précis de ce qui s'est passé au parlement de Rouen,
et autres bailliages de son ressort. (Depuis le 5 mai,
jusqu'au 25 juin 1788). Rouen, 1788. 54pp.

6223. -------- Lettre...au roi, pour demander les anciens états de la province. (Novembre 1788). n.p., [1788]. 12pp.

6224. -------- Extrait du registre des délibérations de l'assemblée de l'ordre des avocats au parlement de Rouen. Du 25
avril 1789. n.p., [1789]. 2pp.

6225. -------- Arrêté de la chambre des vacations du parlement de
Rouen. Du 6 novembre 1789. [Rouen?]: Imp. de Gueffier,
[1789]. 4pp.
    Bound with Lettre du Roi à l'Assemblée nationale, du 12
    novembre 1789. (p. 4).

6226. -------- Déclaration [des avocats au parlement de Rouen].
n.p., 1789. 6pp.
    Protest of 54 avocats that they do not adhere to deci-
    sions made at an allegedly illegal meeting of 25 April
    1789.

6227. -------- Remontrances du parlement de Normandie, au sujet
de vexations exercées contre un citoyen par le nommé Baud,
ancien régisseur des domaines de sa majesté dans la vicomté
de Pont-Audemer, & de déprédations par lui commises dans
l'étendue des mêmes [sic] domaines. n.p., 1789. 40pp.

-------- See also nos. 6052, 6136, 6167, 6249, 6304.

6228. FRANCE. PARLEMENT OF TOULOUSE. Arrêt du parlement de Toulouse, très-intéressant pour l'ordre entier de la noblesse,
relativement au droit d'entrée aux etats. (14 juillet 1770).
n.p., [1770?]. 56pp.

6229. -------- Arrêté...(27 août 1787). n.p., [1787]. 15pp.
    Bound with Lettre du Parlement de Toulouse, au Parlement
    de Paris. (1 sept. 1787). (pp. 14-15).

6230. -------- Supplications...au roi, du 5 janvier 1788. n.p.,
[1788]. 15pp.
    Bound with Supplications...au Roi, au sujet du parlement
    de Bordeaux, du 5 janvier 1788. (p. 9-15).

6231. -------- Remontrances...sur l'édit du mois d'octobre dernier,
portant prorogation du second vingtième. (12 janvier 1788).
n.p., [1788]. 27pp.

6232. -------- Déclaration du roi, du 7 mars 1788...;[Tres-humbles
et très-respectueuses remontrances que présentent au roi les
gens tenant sa cour de parlement de Toulouse, au sujet de
la déclaration du 7 mars 1788, qui leve la modification mise
à l'edit du mois de novembre 1787, concernant ceux qui ne
font pas profession de la religion catholique]. (1 avril
1788). n.p., [1788]. 12pp.
    Bound with Arrêté...du 17 mars 1788...(p. 3).

6233. -------- Arrêté...du 10 mars 1788. n.p., [1788]. 2pp.

6234. -------- Arrêt...du 27 mars 1788, qui fait inhibitions & défenses de donner aucune exécution à l'ordonnance des commissaires des vingtièmes de la province de Languedoc, du 30 janvier 1788... Toulouse: Imp. de noble J. A. H. M. B. Pijon, [1788]. 12pp.

6235. -------- Arrêté...du 27 mars 1788, à l'occasion des ordres du roi, du 6 septembre 1787, adressés au procureur général, & de ceux du 18 mars, &c. Toulouse: Imp. de noble J. A. H. M. B. Pijon, [1788]. 3pp.

6236. -------- Lettre...au roi, au sujet de M. de Catellan, avocat-général; du 27 mars 1788. n.p., [1788]. 8pp.

6237. -------- Arrêt...du 21 avril 1788, qui ordonne, sous le bon plaisir du roi, l'exécution de l'arrêt du 27 mars dernier... Toulouse: Imp. de noble J. A. H. M. B. Pijon, 1788. 4pp.

6238. -------- Récit de ce qui s'est passé au parlement de Toulouse, à la séance du 8 mai 1788. n.p., [1788]. 8pp.

6239. -------- Procès-verbal, de ce qui s'est passé à la séance du jeudi 8 mai 1788. n.p., [1788]. 39pp.

6240. -------- Arrêté...du 13 mai 1788. n.p., [1788]. 6pp.

6241. -------- Déclarations & protestations du parquet du parlement de Toulouse, à raison de l'envoi dans toutes les sénéchaussées, des lois enregistrées du très-exprès commandement du roi, dans la séance du jeudi 8 mai 1788. (27 mai 1788). n.p., [1788]. 4pp.

6242. -------- A Monseigneur le garde des sceaux [par les avocats au parlement de Toulouse]. (7 juillet 1788). n.p., [1788]. 31pp.

6243. -------- Lettre des avocats au parlement de Toulouse, a monseigneur le garde des sceaux, sur les nouveaux edits transcrits par les commissaires de sa majesté dans les registres du parlement, le 8 mai 1788. (Toulouse, 7 juillet 1787). n.p., 1788. 45pp.
　　　　126 printed signatures. Opposes the establishment of the cour plenière and looks to promised Estates General for wise reform.

6244. -------- Languedoc. Extrait des registres de l'eglise abbatiale Saint-Sernin, de Toulouse, du jeudi 24 juillet 1788, etc. n.p., [1788]. 72pp.
　　　　Contents: Miscellany of pieces, official and otherwise, poems, plays, concerning the return of the Parlement of Toulouse from exile in Libourne, Octobre 1788.

6245. -------- Arrêté et supplications...concernant les états du Languedoc. Du 21 janvier 1789. n.p., [1789]. 15pp.
　　　　Garrett, 255.

6246. -------- Arrêt de la cour de parlement, séant en vacations, concernant divers désordres qui ont été commis, notamment dans les campagnes. (5 février 1790). n.p., [1790]. 8pp.

6247. -------- Arrêtés du parlement de Toulouse, séant en vacations, des 25 et 27 septembre 1790. n.p., [1790]. 8pp.

6248. -------- Lettre du parlement de Toulouse, séant en vacations, au roi. n.p., [1790]. 8pp.

     -------- See also nos. 5493, 6052, 6249.

6249. FRANCE. PARLEMENTS. Recueil d'arrêtés, et autres pieces des divers parlements & autre cours; ensemble des protestations des etats & de la noblesse de diverses provinces, du mois de mai 1788. n.p., [1788]. 66pp.
     Contents: Miscellany of pieces from the Parlements of Rouen, Rennes, Nanci, Dijon, Toulouse, Aix, Besançon, Bordeaux, Paris, and Pau; the Etats de Bourgogne; the Cour des Comptes of Montpellier and Aix; the Bureau de Finances of Montpellier and Lyon; the Paris Châtelet; and the Garde des Sceaux.

6250. FRANCE. CONSEIL SOUVERAIN (COLMAR). Protestations du conseil souverain de Colmar, du 12 mai 1788. n.p., [1788]. 3pp.

6251. FRANCE. CONSEIL SOUVERAIN (ROUSSILLON). Arrêté du conseil souverain de Roussillon, séant à Perpignan [3 septembre 1787]. n.p., [1787]. 15pp.

6252. -------- Lettre des avocats au conseil souverain de Roussillon a monseigneur le garde des sceaux, sur les nouveaux edits transcrits dans les registres de la cour, du très-exprès commandement du roi, le 8 mai 1788. Arrêté du conseil souverain de Roussillon, séant à Perpignan (3 septembre 1787). n.p., [1788]. 25pp.
     36 printed signatures to first letter opposing the judicial reform of the stated edict.

6253. -------- Premieres protestations des officiers du conseil souverain de Roussillon, du 6 mai 1788. n.p., [1788]. 23pp.
     Bound with Secondes protestations des officiers du conseil souverain de Roussillon (16 juin 1788). (pp. 3-23).

6254. -------- Protestations [16 juin 1788]. n.p., [1788]. 20pp.

     -------- See also no. 6052.

6255. FRANCE. CHAMBRE DES COMPTES (PARIS). Arrêté de la chambre des comptes de Paris, du 17 août 1787. n.p., [1787]. 7pp.

6256. -------- Discours prononcé par M. l'avocat-général..., lors de la séance tenue en icelle par monsieur, frere du roi, le 17 août 1787. (Sur l'édit pour la subvention territoriale). n.p., [1787]. 15pp.

6257. -------- Arrêté de la chambre des comptes, du premier septembre 1787. n.p., [1787]. 6pp.

6258. -------- Très-humbles et très-respectueuses représentations que présentent au roi, notre très-honoré & souverain seigneur, les gens tenans sa chambre des comptes [15 sept. 1787]. n.p., [1787]. 16pp.

6259. -------- Arrêté de la chambre des comptes. Du 6 mai 1788. n.p., [1788]. 8pp.

6260. -------- Declaration des commissaires de l'ordre des conseillers auditeurs en la chambre des comptes, au procès-verbal dressé par les membres du département de Paris, le 3 novembre 1791, lors de la levée des scellés mis sur les dépots de ladite cour le 23 septembre précédent. [Paris?, 1791]. 11pp.
Asserting the rights of the Chambre des comptes in decrees regarding domains of king.

6261. -------- Pétition de plusieurs officiers de la chambre des comptes, sur la liquidation de leurs offices. (17 novembre 1791). [Paris]: Imp. de L. F. Longuet, [1791]. 18pp.
Protest over injustice caused by liquidation of offices.

6262. -------- Pétition de plusieurs officiers de la chambre des comptes, sur la liquidation de leurs offices. [Paris]: Imp. de L. F. Longuet, [1791]. 15pp.
Same as no. 6261, with addition of edict of February, 1791.

6263. -------- Pétition de plusieurs officiers de la chambre des comptes, sur la liquidation de leurs offices. (14 janvier 1792). [Paris]: Imp. de L. F. Longuet, [1792]. 7pp.
Another petition along same line requesting just liquidation in accordance with earlier decrees and edicts (of 2 & 6 Sept. 1790 and Feb. 1791).

6264. FRANCE. COUR DES AIDES (PARIS). Arrêté de la cour des aides, du 18 août 1787, passé à l'unanimité. n.p., [1787]. 4pp.

6265. -------- Arrêté unamime de la cour des aides. Du 18 août 1787. n.p., [1787]. 7pp.

6266. -------- Premieres supplications de la cour des aides de Paris [25 août 1787]. Secondes supplications...du 2 septembre 1787. Réponse du roi, du 2 septembre 1787, aux supplications du même jour. Arrêté de la cour des aides de Paris, du 3 septembre 1787. n.p., [1787]. 12pp.

6267. -------- Requisitoire sur l'édit de subvention territoriale apporté en la cour des aides, par M. comte d'Artois; requisitoire sur la déclaration du timbre, apportée en la cour des aides par monsieur comte d'Artois. n.p., [1787]. 15pp.

6268. -------- Remontrances de la cour des aides, sur l'édit portant

FRANCE. COUR DES AIDES (PARIS), continued.

prorogation du second vingtieme pendant les années 1791 & 1792. (23 avril 1788). n.p., [1788]. 16pp.

6269. -------- Arrêté de la cour des aides de Paris, du 3 mai 1788. n.p., [1788]. 4pp.

6270. -------- Arrêté de la cour des aides de Paris, du 5 mai 1788. n.p., [1788]. 1p.

-------- See also nos. 5418, 5419, 5420, 5421, 5423, 5424, 6102.

6271. FRANCE. COUR DES MONNOIES (PARIS). Arrêté de la cour des monnoies, du mercredi 22 août 1787. n.p., [1787]. 6pp.

-------- See also nos. 5420, 6213.

6272. FRANCE. ARMEE. ARMEE DES ALPES. Extrait du Bulletin de l'armée des Alpes des 9 & 10 octobre (an I). n.p., [1792]. 6pp.
Order to publish names of, and to punish, soldiers who had been guilty of depredations on private property - together with names of some who had conducted themselves well. Issued over name of Charles Saint Remy, Chef de l'Etat major de l'Armés des Alpes.

6273. FRANCE. ARMEE. CONSEIL DE SANTE. Ier. Tableau des infirmités évidentes, emportant invalidité absolue pour le service militaire, et dont le jugement est attribué aux administrations municipales de canton. [Lyon: Imp. de Ballanche et Barret, 1799]. 24pp.
Bound with: II.e tableau des infirmités ou maladies qui donnent lieu à l'invalidité absolue ou relative pour le service militaire, et dont la connaissance ainsi que le jugement sont réservés aux administrations centrales de département. (pp. 4-14). (Signed: Coste, Beron, Heurteloup, Villars, Parmentier, Bruloy, Imbert, Kenens, Vergez; approved by Milet-Mureau, ministre de la guerre).

6274. FRANCE. ARMEE. CENT DEUXIEME REGIMENT. Adresse a l'Assemblée nationale, par les soldats du cent-deuxième régiment, accusés sans fondement d'avoir voulu arborer la cocarde blanche, ce signe de proscription qu'ils ont tous en horreur, présentée le 10 juin 1792... [Paris]: Imp. Nat., [1792]. 3pp.

6275. FRANCE. ARMEE. CINQUIEME REGIMENT D'ARTILLERIE. Adresse des sous-officiers et soldats...à l'Assemblée nationale, lue à la séance du 3 avril 1792... Paris: Imp. Nat., [1792]. 3pp.

6276. FRANCE. ARMEE. HUITIEME BATAILLON DE LA PREMIERE DIVISION DE L'ARMEE DE LA REVOLUTION. Adresse...à l'Assemblée nationale, 10 avril 1790... Paris: Imp. Nat. [1790]. 7pp.
Bound with: Discours de M. de Lagrange commandant du bataillon des Capucins du marais, a l'Assemblée nationale, 10 avril 1790. (pp. 4-7).

6277. FRANCE. ARMEE. PREMIER BATAILLON DE LA CORIEZE. Adresse...
aux représentans de la République française. [8 décembre 1792]...
[Paris]: Imp. Nat., [1792]. 2pp.

6278. FRANCE. ARMEE. [REGIMENT D'INFANTERIE DU ROI]. [Réponse des
officiers au mémoire envoyé par les soldats du régiment du
roi, en date du 22 juillet 1790, et remis au comité militaire.
(Extraits du régistre des délibérations et du procès-verbal
de la municipalité de Nancy), juillet et août 1790]. n.p.,
[1790]. 61pp.

6279. FRANCE. ARMEE. REGIMENT D'ORLEANS. Adresse du régiment
d'Orléans, dragons, présenté à M. de Béhague, maréchal-de-camp
inspecteur, le 16 octobre 1790, jour auquel il a commencé
l'audition et la vérification des comptes dudit régiment [18
octobre 1790]... Paris: Baudouin, 1790. 2pp.

6280. FRANCE. ARMEE. REGIMENT DE GUYENNE. Memoire envoyé par le
régiment de Guyenne à l'Assemblée nationale, relatif à la conduite dudit régiment infanterie, en garnison à Nismes, depuis
le 13 jusqu'au 17 juin inclus 1790, espace de temps qu'ont
duré les troubles dans cette Ville. Paris: Baudouin, [1790].
8pp.
    Proces-verbal no. 338. Printed signatures.

6281. FRANCE. ARMEE. REGIMENT DE LAUZUN. Discours des officiers
du régiment de Lauzun, hussards, a l'Assemblée nationale.
[Paris]: Imp. Nat., [1790]. 2pp.
    Signed by 12 officers seeking justice in weighing of cer-
    tain charges placed against them.

6282. FRANCE. ARMEE. REGIMENT DE METZ ARTILLERIE. Adresse des sous-
officiers & soldats...à l'Assemblée nationale, séance du 11
septembre 1790... [Paris]: Imp. Nat., [1790]. 3pp.

6283. FRANCE. ARMEE. REGIMENT DE TOURAINE. Exposé justificatif
de la conduite du régiment de Touraine, depuis 19 mai jusqu'au
11 juin 1790. Paris: chez Baudouin, 1790. 9pp.
    (Signed: "Les Bas-Officiers, Grenadiers, Fusiliers, &
    Aboul, Député.").

6284. FRANCE. ARMEE. SECOND LEGION DE SAINT-BARTHELEMI. Adresses...au roi et à l'Assemblée nationale, en exécution de la
délibération du 22 mai 1790 [26 mai 1790]. n.p., [1790].
14pp.

6285. FRANCE. CLERGE. ASSEMBLEE GENERALE DU CLERGE. Remontrances
du clergé, présentées au roi le dimanche 15 juin 1788, sur les
droits, franchises & immunités du clergé. n.p., [1788].
31pp.

6286. -------- Nouvelles remontrances du clergé, présentées au roi
le dimanche 15 juin 1788, sur les droits, franchises & immunités du clergé. n.p., [1788]. 32pp.

6287. -------- Mémoire du clergé au roi, au sujet des affaires
présentes. n.p., [1788?]. 8pp.

Plea that ancient privileges and forms be respected; attack on judicial reform; acceptance of Estates General as agency to end present conflicts and disorders.

6288. -------- Rapport fait à l'assemblée du clergé, de 1788, sur les moyens de parvenir d'un nouveau département exact des impositions ecclésiastiques. n.p., 1788. 94pp.
One table.

6289. -------- Remontrances du clergé, assemblé en 1788. n.p., [1788]. 20pp.
Against the cour plénière.

FRANCE. CLERGE. CHAPITRE DE L'EGLISE METROPOLITAINE & PRIMATIALE SAINT ANDRE DE BORDEAUX. See no. 6067.

6290. FRANCE. CLERGE. CONCILE NATIONALE DE L'EGLISE DE FRANCE. Réglement au sujet des assermentés qui désirent rentrer dans la sein de l'eglise. (29 juillet 1795); formule de rétractation. n.p., [1795]. 12pp.
(Réglement signed: Remusat Domandolx, Reimonet, Jaubert, Eymin, vicaires-généraux).

6291. -------- Instruction...sur le serment décrété le 19 fructidor, an V de la République. [Paris]: Imp.-Librairie Chrétienne, [1797]. 16pp.
Instruction to clergy to take required oath.

6292. -------- Réglement. n.p., [1797?]. 16pp.
Dated from ms notation. Source of réglement not indicated. It restricts performance of priestly offices to those clergy approved by ecclesiastial superiors.

-------- See also nos. 3618, 3619.

6293. FRANCE. MISCELLANEOUS BODIES. CAISSE D'ESCOMPTE. Adresse des actionnaires de la caisse d'escompte, a nosseigneurs de l'Assemblée nationale, du 20 novembre 1789... Paris: Baudouin, [1789]. 8pp.

6294. -------- COMMISSAIRE DES ADMINISTRATIONS CIVILES POLICE ET TRIBUNAUX. Réunion des articles de lois relatives aux militaires blessés, veuves et enfans des défenseurs de la patrie, dont l'exécution est conservée par le décret du 13 prairial. [Paris?]: Imp. des Administrations nationales, [1794]. 24pp.

6295. -------- DEPARTEMENT DE LA GUERRE. Etat général des fonds extraordinaires a faire au département de la guerre, pour le mettre à portée d'exécuter les dispositions décretées par l'Assemblée nationale, les 3 et 23 juillet 1791. [Paris, 1791]. 10pp.

6296. -------- DEPARTEMENT DE LA GUERRE. Etat général des dépenses ordinaires et extraordinaires du département de la guerre pendant l'année 1791, tant en vertu des différens décrets de l'Assemblée nationale pour les parties organisées, que conformément aux anciennes ordonnances pour les parties sur lesquelles l'Assemblée nationale n'a point encore prononcé. [Paris, 1791]. 4pp.

6297. -------- GARDES-DU-CORPS DU ROI. Mémoires des maréchaux-de-logis, brigadiers et gardes-du-corps du roi. Au roi et à l'Assemblée nationale. Présentés le 19 août 1789. Observations a l'appui des mémoires. Paris: Baudouin, 1789. 24pp.
    Request for reform in procedure of promotions and other matters.

6298. -------- GARDES-FRANCOISES (PARIS). Lettre des gardes-françoises au roi, pour remercier sa majesté de la grace qu'elle vient de leur accorder. (2 juillet 1789). n.p., [1789]. 3pp.
    Pledge of loyalty to king by the "Garde Françoises prisonniers de l'Abbaye, délivrés par la nation, & graciés par le roi".

6299. -------- GARDES-FRANCOISES (PARIS). Remerciement des gardes-françaises au roi. (24 juillet 1789). [Paris]: Imp. de Grange, [1789]. 4pp.
    Signed "les gardes-françaises"; gratitude of the released soldiers who had been imprisoned for infractions of discipline.

6300. -------- GARDES-FRANCOISES (PARIS). Lettre au roi, par les gardes-françoises. n.p., [1789]. 4pp.
    Explaining why the soldiers refused to obey some of their officers who ordered them to use force against mob rioting in support of the recently dismissed Necker.

6301. -------- GRENIER A SEL (PARIS). Arrêté du grenier a sel de Paris, du 9 juin 1788. n.p., [1788]. 7pp.

6302. -------- HOTEL DES INVALIDES (PARIS). Adresse des vétérans de la patrie, retires dans l'hotel des invalides, a leurs compagnons d'armes a l'armée, du premier juin 1792... [Paris]: Imp. Nat., 1792. 3pp.

6303. -------- HOTEL DES INVALIDES (PARIS). Observations des invalides de l'hotel, sur le projet de décret qui doit être présenté incessamment à l'Assemblée-nationale-législative. [Paris]: Imp. Nat., [1792]. 4pp.
    Plea for some reform in regulations of hôtel des invalides; 15 printed signatures, but statement that more than 60 had signed.

6304. -------- MAITRES DES REQUETES ORDINAIRES DE L'HOTEL DU ROI. Jugement notable des requêtes de l'hôtel au souverain, qui décharge Jacques Verdure, Jacques-Senateur Verdure, Marie-Marguerite Verdure, Marie-Madeleine Verdure, & Pierre Verdure ses enfans, de l'accusation de parricide intentée contre

eux à la requête des substituts de M. le procureur général
du parlement de Rouen aux siéges de Berville & de Cany en
Caux; casse & annulle un procédure faite au parlement de
Rouen, &c. [Paris]: Imp. de N. H. Nyon, 1790. 10pp.

6305. -------- MARECHAUSSEE. Pétition a l'Assemblée nationale,
par les officiers de la ci-devant maréchaussée. [Paris]:
Imp. de Boulard, [1791]. 4pp.

6306. -------- MARINE. Pétition de l'equipage du vaisseau L'Amer-
ica, à la Société des amis de la constitution. Séance du
4 novembre 1790. Paris: Baudouin, [1790]. 4pp.
Pledge of patriotism and loyalty from crew; 46 signatures.

6307. -------- MARINE. Adresse des marins et militaires de l'armée
navale de Brest, a l'Assemblée nationale... Paris: Baudouin,
1790. 6pp.

6308. -------- MINISTRES. Mémoire des ministres du roi, adressé
a l'Assemblée nationale, le 24 octobre 1789. [Paris]: Bruyset,
[1789]. 16pp.
Reprint of official text. Mostly on problem of food supplies, especially for Paris.

6309. -------- OFFICIERS DES EAUX ET FORETS. Arrêté...au siége
général de la table de marbre du palais, à Paris, du jeudi 30
août 1787. n.p., [1787]. 8pp.

6310. -------- ORFEVRERIE (PARIS). Observations du commerce de
l'orféverie, sur l'article du rapport des traites, concernant
l'introduction des ouvrages d'or et d'argent, venant de l'étranger. [Paris?]: Imp. de la veuve Delaguette, [1791?]. 3pp.
Eight printed signatures.

6311. -------- PAIRS. Résultat de l'assemblée des pairs, du 20
decembre 1788. n.p., [1788]. 2pp.
Pledge to bear proportionate share of taxation; listed in
Garrett, 254.

6312. -------- SOCIETE ROYALE D'AGRICULTURE. Adresse...a l'Assemblée nationale, sur les encouragemens à donner à la régénération des troupeaux, & à l'amélioration des laines. Séance
du 10 août 1790; réponse du président [André]. Paris: Baudouin, [1790]. 6pp.

6313. -------- SOCIETES DES AMIS DE LA CONSTITUTION. Adresse...
a l'Assemblée nationale. Paris: Baudouin [1790]. 6pp.

6314. FRANCHE-COMTE (PROVINCE). Traité fédératif des quatorze
villes bailliageres de Franche-Comté; et adhesion de la ville
de Dijon. Dijon: P. Causse, 1789. 19pp.

6315. FRANCHE-COMTE. NOBLESSE. Lettres ecrites par la noblesse de
Franche-Comté, au roi, les 4 juin & 12 septembre 1788. A M.

le comte de Brienne, ministre de la guerre, 1ed. jour 12 septembre. A M. Necker, ministre d'etat & directeur général des finances, 1e même jour 12 septembre. Réponse de M. l'archevêque de Sens à lad. noblesse, du 14 juin. Procès-verbal de lad. noblesse, du 10 septembre. n.p., [1788]. 24pp.

6316. -------- Mémoire de la noblesse de Franche-Comté au roi, du premier octobre 1788. n.p., [1788]. 47pp.
Listed in Garrett, 236. About 250 printed signatures. Calls for "re-establishment" of constitution, which is being subverted by ministers and, esp., for repeal of judicial reform edicts of 8 and 9 May.

6317. -------- Procès verbal rédigé par la noblesse de Franche-Comté, assemblée à Quingey 1e premier octobre mil sept cent quatre-vingt-huit. n.p., [1788]. 17pp.
Arrangements for election of deputies to Estates General.

6318. FREJUS (VILLE). CONSEIL GENERAL. Extrait du registre courant des délibérations du conseil de cette ville de Fréjus. (1e 29 juillet 1789). Aix: chez Pierre-Joseph Calmen, 1789. 8pp.
Expression of loyalty to king and nation.

6319. GAND (VILLE). Bulletin officiel du comité général établi dans la ville de Gand. n.p., 1789. 23pp.

6320. GARD (DEPARTEMENT). Serment fédératif prêté à Nismes, 1e 16 juin 1790, par 1e corps électoral du département du Gard, les gardes nationales de ce département, celles de Montpellier, Ganges Massillargues, & 1e régiment de Guyenne. n.p., [1790]. 3pp.

6321. -------- ASSEMBLEE ADMINISTRATIVE. Adresse...a l'Assemblée nationale [10 décembre 1790]... [Paris]: Imp. Nat., [1790]. 6pp.

6322. GEX (BAILLIAGE). OFFICIERS. Arrêté du bailliage de Gex. [5 juin (1788?)]. n.p., [1788?]. 2pp.

6323. GIRONDE (DEPARTEMENT). Pièces contenues dans l'envoi des corps administratifs du département de la Gironde, dont l'impression a été ordonnées-par décret de la Convention, du 18 avril, sur l'adresse lue à la barre par les députés extraordinaires du même département. (Avril 1793). [Paris]: Imp. Nat., [1793]. 22pp.
Anti-Jacobin miscellany.

6324. GIRONDE (DEPARTEMENT). DIRECTOIRE. Lettre des administrateurs du directoire du département de la Gironde. (Bordeaux, 12 octobre 1790). Paris: Imp. Nat., [1790]. 4pp.

6325. -------- Adresse...a la Convention nationale... [Paris]: Imp. Nat., [1792?]. 4pp.

6326. GRAY (BAILLIAGE). Arrêté du bailliage de Gray [20 mai 1788?].

GRAY (BAILLIAGE), continued.

n.p., [1788?]. 2pp.

6327. GRENOBLE (VILLE). · CITOYENS. Lettre de MM. du clergé, de la
noblesse, & autres notables citoyens de Grenoble, au roi.
(2 juillet 1788). n.p., [1788]. 24pp.
Upholding local rights, esp. opposing attack on parlement.

6328. -------- Délibération des citoyens de la ville de Grenoble.
(Du 15 juillet 1789). n.p., [1789]. 8pp.
Resolutions against threatened counter-revolution.

6329. -------- Adresses au roi, a l'Assemblée nationale et aux
citoyens de la ville de Paris; par les citoyens de la ville
de Grenoble. (25 juillet 1789). n.p., [1789]. 15pp.

6330. -------- Adresse au roi...du 27 juillet 1789; rélation d'un
événement arrivé à Besançon, qui n'est que trop vrai, quoique
son atrocité dût le faire paroître invraisemblable, envoyé
aux·états-généraux, du 20 juillet 1789; lettre a Monseigneur
Lefranc de Pompignan, archevêque de Vienne...par P.---A...
n.p., [1789]. 7pp.

-------- See also no. 1046.

6331. GRENOBLE (VILLE). CONSEIL GENERAL. Délibération de la ville
de Grenoble, du samedi 14 juin 1788. n.p., [1788]. 4pp.
Recommended reforms.

6332. -------- Assemblée des trois-ordres de la ville de Grenoble.
n.p., [1788]. 12pp.

6333. GUEMENEE (COMMUNE). CITOYENS. A Nosseigneurs de l'Assemblée
nationale. Supplient humblement les habitans composant la
commune de Guéménée, au diocèse de Vannes en Basse-Bretagne.
(8 janvier 1790). [Paris]: Imp. Nat., [1790]. 7pp.

6334. GUIENNE (PROVINCE). CITOYENS. Le Peuple de la Guienne, au
roi. n.p., [1788]. 14pp.
Denunciation of ministers for deceiving king regarding
reform edicts: call for Estates General.

6335. GUIENNE (PROVINCE). COUR SENECHALE ET PRESIDIALE. Extrait
des registres...[15 mai 1788]. n.p., 1788. 8pp.

6336. -------- Extrait des registres...du vendredi 30 mai 1788.
n.p., 1788. 15pp.

6337. GUIENNE (PROVINCE). NOBLESSE. Déclaration faite par une partie de la noblesse de Guienne. (7 avril 1789). n.p., [1789].
6pp.

6338. -------- Mémoire qu'a l'honneur de présenter à l'Assemblée
nationale la noblesse de Guienne qui a protesté le 7 avril
contre les pouvoirs impératifs. n.p., [1789]. 8pp.
(Signed De Ladebat, "Commissaire & Secrétaire".) Statement

of group claiming to be the legal representative of
nobility of Guienne against pretentions of another
group of noble deputies.

6339. GUIENNE (SENECHAUSSEE). NOBLESSE. Discours par l'un de messieurs les gentilshommes de Bordeaux, à l'assemblée de la noblesse de la sénéchaussee de Guienne, tenue chez les RR. PP.
Jacobins de cette ville, le mardi 10 février 1789; Canevas du
mandat à donner aux députés aux Etats-généraux...adoptées par
la noblesse de la sénéchaussée de Guienne... n.p., [1789].
8pp.
      Discours, pp. 1-3; Canevas, pp. 3-8.

6340. -------- Cahier de l'ordre de la noblesse de la sénéchaussée
de Guienne. n.p., 1789. 23pp.

6341. -------- Procès-verbal des assemblées de la noblesse de la
sénéchaussée de Guienne, et dénonciation aux Etats-généraux
de la conduite qu'y a tenue M. le grand sénéchal. n.p., 1789.
39pp.

6342. HAINAULT (ET MELUN) (VILLES). Adresse des chasseurs à cheval
du Hainault, & procès-verbal de la municipalité de Melun.
Séance du 15 novembre 1790... [Paris]: Imp. Nat., [1791].
4pp.

6343. HAUTE-LOIRE (DEPARTEMENT). ADMINISTRATION CENTRALE. Arrêté
et instruction...relatifs à la répartition de la contribution
personnelle, mobiliaire et somptuaire de l'an cinq. (9 brumaire an 6). Puy: Imp. de J.-A. Crespy, [1797]. 26pp.

6344. HAUTE-LOIRE (DEPARTEMENT). [DIRECTOIRE]. Liste des jurés
d'accusation et de jugement, pour le trimestre de messidor,
thermidor, et fructidor, an six... Puy: P.B.F. Clet, [1798].
11pp.

6345. HAUTE-NORMANDIE (PROVINCE). COMMISSION INTERMEDIAIRE. Arrêté de la commission intermédiaire, de l'assemblée provinciale de la Haute-Normandie. Du 3 septembre 1789. Rouen:
Seyer & Behourt, [1789].

6346. HERAULT (DEPARTEMENT). ADMINISTRATION CENTRALE. L'Administration centrale du département de l'Hérault a ses administrés,
au sujet des opérations relatives à la formation du tableau
des valeurs successives du papier-monnaie dans ce département,
à compter de premier janvier 1791 (v. st.) jusqu'au 11 thermidor an quatrième, époque de la publication de la loi du 29
messidor précédent. Montpellier: Imp. de Fontenay-Picot,
an V (1797). 12pp.

6347. ISERE (DEPARTEMENT). ADMINISTRATION CENTRALE. Adresse...a
ses concitoyens [12 ventôse an 6]... Grenoble: P. Cadou et
David aîné, [1798]. 12pp.

6348. JURA (DEPARTEMENT). ADMINISTRATION CENTRALE. Extrait du

JURA (DEPARTEMENT). ADMINISTRATION CENTRALE, continued.

    registre des délibérations...(des 4, 5 et 6 thermidor, an 5).
Lons-le-Saunier: chez Delhorme, an 5 (1797). 13pp.
      Table of values of assignats from 1791 to 1796.

6349. JURA (DEPARTEMENT). ASSEMBLEE ELECTORALE. Adresse...a l'Assemblée nationale [14 mai 1790]... Paris: Imp. Nat., [1790].
4pp.

6350. LANGUEDOC (PROVINCE). Procès-verbal de la confédération de la
Gardonenque, et de ce qui s'est passé au camp de Boucoiran, le
21 mars 1790. n.p., [1790]. 12pp.
      Printed signatures.

6351. LANGUEDOC (PROVINCE). NOBLESSE. Mémoire sur le droit de la
noblesse de Languedoc, de nommer ses députés aux Etats généraux du royaume, dans des assemblées convoquées par bailliages
& sénéchaussées. n.p., 1788. 16pp.
      Listed in Garrett, 259, under slightly different title.
      99 printed signatures.

6352. LANGUEDOC (PROVINCE). OFFICIERS. Très-humbles & très-respectueuses supplications des présidens trésoriers, grands voyers
de France, généraux de finances, intendans des domaines de la
généralité de Montpellier & des gabelles de Languedoc, commissaires du roi aux états de la province. n.p., [1788?]. 23pp.
      Protest against decrees suppressing tribunats and the
      "Trésoriers"; quotations from Montesquieu.

6353. LIBOURNE (SENECHAUSSEE). Procuration donnée par la sénéchaussée de Libourne à ses députés aux Etats-généraux. (15 mars
1789). n.p., [1789]. 3pp.

6354. LIEGE (PAYS). ADMINISTRATION GENERALE. Adresse des président et secrétaires de l'administration générale du pays de
Liége... [Paris]: Imp. Nat., [1793?]. 8pp.
      Petition for union with France.

6355. LIEGE (VILLE). Discours des députés du peuple liégeois, prononcé a l'Assemblée nationale, dans la séance du samedi 18
septembre 1790; réponse du président [Bureaux de Pusy].
Paris: Baudouin, [1790]. 11pp.
      Hommage to King and Assembly with request for payment of
      debts owed by the Government.

6356. LILLE (VILLE). GARDE NATIONALE. Réglement pour la bénédic-
tion des drapeaux de la garde nationale de la ville de Lille.
Du 22 avril 1790; réglement pour la prestation du serment
civique. n.p., [1790]. 7pp.

    LIVRON (VILLE). See no. 6362.

6357. LIXHEIM (BAILLIAGE). Requisitoire du procureur du roi au
bailliage de Lixheim. Du 20 mai 1788; arrêté du bailliage
royal de Lixheim, du 20 mai 1788. n.p., [1788]. 7pp.

6358. LOIRE-INFERIEUR (DEPARTEMENT). ADMINISTRATION CENTRALE. Du premier fructidor, an 5...Séance où présidoit le citoyen Clavier, et assistoient les citoyens Legall, Gourlay, Poton et Bazille; présent le citoyen Letourneux, commissaire du directoire exécutif. n.p., [1797]. 18pp.
  Has table showing depreciation of assignats in this department from Jan., 1791, to 1796.

6359. LOIRE-INFERIEUR (DEPARTEMENT). CITOYENS. Adresse...a la Convention nationale... [Paris]: Imp. Nat., [1793]. 7pp.
  Bound with: Adresse du conseil-général de la commune de Nantes...aux quarante-huits sections de Paris (2 janvier 1792).

6360. LOIRET (DEPARTEMENT). ASSEMBLEE ELECTORALE. Liste des membres de l'assemblée électorale du département du Loiret, pour l'an VI. Orléans: Jacob, [1798]. 8pp.

6361. LONS-LE-SAUNIER (VILLE). OFFICIERS MUNICIPAUX. Réponse des anciens officiers municipaux de la ville de Lons-le-Saunier, au libelle intitulé: Adresse de la commune de la ville de Lons-le-Saunier à l'Assemblée nationale. n.p.: Imp. de J.F. Couché, [1790]. 32pp.
  11 printed signatures.

6362. LORIOL AND LIVRON (VILLES). Réponse des municipalités & gardes nationales réunies de Loriol & de Livron, à la lettre du président & des commissaires de l'assemblée des pénitens de Nîmes; ladite réponse adressée aux officiers municipaux de la ville de Nîmes. (A Loriol, ce 4 mai 1790). [Paris, 1790]. 3pp.

6363. LORRAINE (PROVINCE). ETATS. Au roi. n.p., [1788?]. 24pp.
  Petition in defense of estates of Lorraine, bearing over 100 printed signatures.

6364. LOT-ET-GARONNE (DEPARTEMENT). ADMINISTRATION CENTRALE. Aux administrations municipales de son ressort. (A Agen, le 30 fructidor, an V). Copie de la lettre écrite par le ministre de l'intérieur, aux administrations centrales et municipales. (Paris, le 15 fructidor, an V). Agen: Imp. du département, [1797]. 15pp.

6365. LOT-ET-GARONNE (DEPARTEMENT). DIRECTOIRE. Lettre du directoire du département de Lot et Garonne, (19 février 1792). [Paris]: Imp. Nat., [1792]. 2pp.
  On the eagerness of some of the young men to enlist in the army.

6366. LYON (DISTRICT). BUREAU DE PAIX. Avis du bureau de paix du district de Lyon. Lyon: Imp. d'Aimé de la Roche, 1791. 4pp.

6367. LYON (SENECHAUSSEE ET SIEGE PRESIDIAL). OFFICIERS. Représentations...à M.gr le garde des sceaux de France, précédées d'un arrêté du premier septembre 1787, & suivies des lettres adressées à monseigneur le garde des sceaux, à monsieur le premier président du parlement de Paris, & à messieurs du

LYON (SENECHAUSSEE ET SIEGE PRESIDIAL). OFFICIERS, continued.

châtelet de Paris. Lyon: Imp. d'Aimé de la Roche, 1787. 24pp.
Protesting edict which exiled parlement to Troyes.

6368. LYON (VILLE). Procès-verbal des événemens passés à Lyon,
les 29 et 30 mai 1793, apporté par des députés extraordinaires
de Lyon, qui n'ont pas encore pu le présenter à la Convention
nationale, mais qui l'ont remis au ministre de l'intérieur.
n.p., [1793]. 15pp.

6369. LYON (VILLE). BUREAU DES FINANCES. Protestations...(11 juin
1788). n.p., [1788]. 13pp.
Against judicial reform; printed signatures.

6370. LYON (VILLE). OFFICIERS MUNICIPAUX. Adresse de la ville de
Lyon, concernant les assignats [6 septembre 1790]... Paris:
Imp. Nat., 1790. 19pp.

6371. -------- Adresse...a l'Assemblée nationale. Séance du 10
octobre 1790... Paris: Baudouin, [1790]. 3pp.

6372. -------- Ordonnance qui supprime un ecrit ayant pour titre:
Déclaration de M. l'archevêque de Lyon, primat des Gaules,
&c. comme attentatoire au respect & à la soumission dûs aux
décrets de l'Assemblée nationale, sanctionnés par le roi.
Du 7 janvier 1791... Lyon: Aimé de la Roche, 1791. 8pp.

6373. LYON (VILLE). SOCIETE DES AMIS DE LA CONSTITUTION. Adresse...
aux citoyens de cette ville... n.p., [1791?]. 11pp.

6374. MACON (BAILLIAGE). CONSEIL. Protestations du bailliage &
présidial de Mâcon [30 mai 1788]. n.p., [1788]. 3pp.

6375. MARSEILLE (COMMUNE). CONSEIL GENERAL. Adresse...portant
dénonciation du sieur de Bournissac, grand-prévôt des maré-
chaussées de Provence. (19 février 1790). Marseille: Imp.
de J. Mossy, 1790. 11pp.

6376. -------- Adresse...à l'Assemblée nationale. Marseille:
Imp. de J. Mossy, 1790. 7pp.
Bound with: Lettre ecrite le 17 septembre 1790, par MM.
les maire & officiers municipaux de Marseille, à MM.
les députés de la même ville, à l'Assemblée nationale
(pp. 4-7).

6377. MARSEILLE (COMMUNE). SECTIONS. Adresse des trente-deux sections composant la commune de Marseille, a la Convention nationale... [Paris]: Imp. Nat., [1793]. 12pp.

6378. MARSEILLE (DISTRICT). ADMINISTRATEURS. Adresse...a l'Assemblée nationale... [Paris]: Imp. Nat., [1792]. 3pp.

6379. MARSEILLE (DISTRICT). ASSEMBLEE ELECTORALE. Nomination des
juges du district de Marseille, extraite du procès-verbal de
l'assemblée electorale, avec les remercîmens aux gardes-nationales & le discours de clôture prononcés par M. Blanc-Gilli,

MARSEILLE (DISTRICT). ASSEMBLEE ELECTORALE, continued.

président de ladite assemblée, du 10 octobre 1790. Marseille: P. A. Favet, [1790]. 7pp.

6380. MARSEILLE (VILLE). CITOYENS. Assemblée des citoyens de la ville de Marseille. n.p., [1789]. 8pp.

6381. -------- Adresse à l'auguste Assemblée nationale, par les 50 citoyens qui se sont emparés le 30 avril, du Fort Notre-Dame de la Garde. De Marseilles le 2 juin...1790. [Marseille]: Imp. de F. Brebion, [1790]. 7pp.

6382. -------- Adresse à l'Assemblée nationale, par trois cent cinquante-sept citoyens actifs de Marseille [21 juillet 1791]... Clermont-Ferrand: Imp. de Poncillon et Limet, [1791]. 8pp.
        Bound with: [Adresse] aux 48 sections de Paris [21 juillet 1791]. (pp. 6-8).

6383. -------- Marseille aux républicains français. Manifeste. Adresse des marseillois à leurs frères des quatre-vingt-cinq départements, (12 juin 1793). n.p., [1793]. 12pp.

6384. MARSEILLE (VILLE). CLERGE. La Religion éclairée, ou Délibération des ecclésiastiques composant le chapitre de la paroisse des Accoules. Et déclarations des autres ecclésiastiques séculiers & réguliers, qui, s'étant trouvés présens à la lecture faite, dans la maison commune, de ladite délibération, y ont adhéré & prêté, tous ensemble, le serment civique. Suivies du verbal de la municipalité. Marseille: Jean Mossy, 1790. 7pp.

6385. MARSEILLE (VILLE). CONSEIL DES TROIS ORDRES. Délibération des trois ordres de la ville de Marseille, du 23 juillet 1789. n.p., [1789]. 8pp.
        Resolutions against threatened counter-revolution.

6386. -------- Dépend de la délibération du conseil des trois ordres, du 30 juillet 1789. [Marseille, 1789]. 4pp.
        Denunciation of Latour (intendant). (Signed Ailhaud, notaire-secrétaire).

6387. MARSEILLE (VILLE). DEPUTES. Mémoire pour la ville de Marseille, présenté à messieurs du comité de constitution de l'Assemblée nationale, par la députation de ladite ville. Paris: Baudouin, [1790]. 16pp.
        Argument to make Marseille a department, separate from Provence. No signatures; no indication of origin.

6388. MARSEILLE (VILLE). GARDE NATIONALE. Déclaration de la jeunesse-citoyenne de Marseille, composant la garde-bourgeoise. [Marseille, 1789]. 6pp.
        Declaration of 32 members of National Guard, professing loyalty to king and protesting against arbitrary measures to end alleged disorders in Marseille.

MARSEILLE (VILLE). GARDE NATIONALE, continued.

6389. -------- Plaintes adressées à la municipalité & aux corps administratifs de Marseille, sur les grands abus du port d'armes,
& contre la violence de certains volontaires de la garde nationale, suivies d'un assassinat cowmis [sic] par le sieur
Damet contre le sieur Toilier, qui en a été la victime. Marseille: Jean Mossy, [1790]. 8pp.
(Signed Forestier, cadet; Dupuy, marchand de soie; Chevalier, marchand drappier; Chabot, secrétaire, rédacteur).

6390. -------- Adresse...au peuple. Délibérée dans le conseil-
général du 18 juin 1790. Marseille: F. Brebion, [1790].
8pp.

6391. MARSEILLE (VILLE). OFFICIERS MUNICIPAUX. Liste des noms de
messieurs les maire, officiers municipaux, procureur de la commune, son substitut, & notables, de la ville de Marseille.
(Fevrier 1790). Marseille: Veuve Sibié, [1790]. 7pp.

6392. -------- Lettres de MM. les maire & officiers municipaux à
M. Jn. Fr. Lieutaud, le 1er. octobre 1790. Marseille: J.
Mossy, 1790. 4pp.
See no. 3710. On the use of National Guard in dealing
with certain "plots". Contains also letter dated 2
octobre 1790.

6393. -------- Lettre de la municipalité de Marseille à MM. les
administrateurs du district, portant dénonciation du sieur
Blanchard, ci-devant officier municipal. Marseille: J.
Mossy, 1790. 4pp.

-------- See also nos. 4676, 6376.

6394. MARSEILLE (VILLE). SECTIONS. Dénonciation du lieutenant-
général-criminel de Marseille a l'Assemblée nationale. Extrait de la délibération du district de la Loge No. 18, trans-
féré au Palais. Du 9 avril 1790. Marseille: chez J. Mossy,
1790. 7pp.

6395. -------- Délibération des citoyens actifs de la dix-huitième
section, assemblés dans la Loge, le 19e. octobre 1790, contre
le Sr. André, calomniateur de la ville de Marseille, auprès
de l'Assemblée nationale, & portant dénonciation des Srs.
Esmenard de Pélissane & Gaspard Fournier, emissaires des assemblées inconstitutionneles d'Arquier & des Carmes, ainsi
que de tous ceux qui les composaient. Marseille: J. Mossy,
1790. 7pp.

6396. -------- Vengeance demandée à l'Assemblée nationale par la
municipalité & les sections de Marseille justifiées; contre
les faux citoyens de cette ville, par la délibération du district des Capucines, no. 23. Marseille: P. A. Favet, [1790?].
7pp.

6397. -------- Adresse a nosseigneurs de l'Assemblée nationale
[3 février 1790] par les citoyens actifs du district de la

MARSEILLE (VILLE). SECTIONS, continued.

Chapelle des pénitens bleus de St. Martin... Marseille: Imp. de Jean Mossy, 1790. 16pp.

6398. -------- Comité-général des 32 sections de Marseille. Extrait des registres des délibérations de la section 24, séante dans l'Eglise du Bon-Pasteur. Séance du 11 juin 1793... Marseille: Ant-Hré Jouve & Cie. [1793]. 8pp.

6399. MARSEILLE (VILLE). SOCIETES. Hommage respectueux, présenté à M. Etienne Martin, maire, pour lui souhaiter la nouvelle année, par un société de citoyens très-bons patriotes. Marseille: Jean Mossy, 1791. 4pp.

6400. -------- Adresse [à la Convention nationale]... du 23 janvier 1792 [sic; 1793]; Société des amis de la constitution. [Paris]: Imp. Nat., [1793]. 4pp.

6401. -------- Verbal de la fête de la paix, célébrée par la R. L. française le choix des vrais amis, à l'orient de Marseille, le 22me jour du 9me mois de l'an de V. L. 5801, ère vulgaire le 1er frimaire an 10. Marseille: F. Bertrand, an X (1801). 43pp.
    Contains also discours of Vondiene, Onfroy, and Desfougères; and Hymne a la paix by Basset, Ode sur la paix by Pagés. Celebration of Masonic lodge.

MELUN (VILLE). See no. 6342.

6402. METZ (VILLE). OFFICIERS MUNICIPAUX & GARDE NATIONALE. Lettre des officiers municipaux & du conseil d'administration de la garde nationale de Metz. A M. le président de l'Assemblée nationale. Séance du 6 octobre 1790. [Paris]: Imp. Nat., [1790]. 3pp.
    Four printed signatures. Pledge of loyalty to laws.

6403. MEULAN (BAILLIAGE). CONSEIL. Arrêté du bailliage royal de Meulan, du 19 mai 1788. n.p., [1788]. 8pp.

6404. MEURTHE (DEPARTEMENT). ADMINISTRATEURS. Les Administrateurs du directoire et procureur-général-syndic, du département de la Meurthe, a l'Assemblée nationale, Nanci, le 19 juin 1792... [Paris]: Imp. Nat., [1792]. 4pp.
    Patriotic address calling for unity to combat discord.

6405. MEURTHE (DEPARTEMENT). CONSEIL. Adresse du conseil du département de la Meurthe, a l'Assemblée nationale, lue à la séance du premier août 1792... [Paris]: Imp. Nat., [1792]. 4pp.
    (Signed Lalande; Anthoinet, secrétaire-général).

6406. MEURTHE (DEPARTEMENT). DIRECTOIRE. Copie de la lettre écrite à MM. les députés du département de la Meurthe, à l'Assemblée nationale, par les membres du directoire de ce département. Paris: Baudouin, 1790. 9pp.
    (Signed Collenel, président; Brelou, secrétaire-greffier).

6407. MEUSE (DEPARTEMENT). CONSEIL GENERAL. Adresse du conseil-
général du département de la Meuse, a l'Assemblée nationale
[3 août 1792]... [Paris]: Imp. Nat., [1792]. 4pp.

6408. MILLAU (VILLE). OFFICIERS MUNICIPAUX. Extrait des regis-
tres des délibérations de la ville de Millau, en Rouergue.
(Du 8 août 1789). Paris: Baudouin, [1789]. 4pp.
Proposes outlawing citizens who refuse to obey laws of
National Assembly.

6409. MONS (VILLE). SOCIETE DES AMIS DE LA LIBERTE ET DE L'EGALITE.
Adresse des citoyens amis de la liberté et de l'égalité de la
ville de Mons, a la Convention nationale, suivie de la réponse du président aux envoyés de cette société, et de son
adresse au général Dumouriez... [Paris]: Imp. Nat., [1792?].
6pp.
(Letter to Dumouriez dated Dec. 21, 1792, signed Joseph
Jacolot, président; P. A. Defacqz, secrétaire).

6410. MONTAUBAN. BUREAU DES FINANCES. Supplications du bureau des
finances de Montauban, au roi. (11 juin 1788). n.p., [1788].
16pp.

6411. MONTAUBAN. COUR DES AIDES. Très-humbles et très-respectueuses
remontrances, que présentent au roi les gens tenant sa cour des
aides de Montauban, sur l'édit d'octobre 1787, portant prorogation du second vingtieme. (28 février 1788). n.p., [1788].
19pp.

6412. MONTAUBAN (COMMUNE ET VILLE). CONSEIL GENERAL. CITOYENS.
Délibération de la municipalité, du conseil général de la commune, et des principaux habitans de la ville de Montauban.
Du 19 mai 1790. Montauban: chez Vincent Teulieres, [1790].
6pp.
Resolution to stop a detachment of National Guard en
route to assist in putting down local disorders on ground
that it is not needed.

6413. MONTAUBAN (DISTRICT). ASSEMBLEE ELECTORALE. Adresse...aux
citoyens des paroisses dont les curés ont été remplacés pour
n'avoir point prêté le serment civique. (26 mars 1791).
Montauban: Fontanel, 1791. 32pp.

6414. MONTAUBAN (VILLE). CITOYENS. Manifeste des habitans de Montauban, adressé à l'Assemblée nationale, au roi & à toutes
les municipalités du royaume, particuliérement à celles de
Bordeaux & des environs. n.p., [1790?]. 7pp.
Protest against rumored action about to be taken by armed
troops from Bordeaux because of disorders in Montauban
on 10 May; asserts that calmness now prevails in the city.

6415. MONTAUBAN (VILLE). GARDE NATIONALE. Extrait de la délibération du conseil de guerre de la garde nationale Montalbanoise.
Du 12 mars 1790. Montauban: chez Fontanel, [1790]. 15pp.

6416. MONTAUBAN (VILLE). OFFICIERS MUNICIPAUX. Proclamation de messieurs les maire et officiers municipaux de la ville de Montauban.

MONTAUBAN (VILLE). OFFICIERS MUNICIPAUX, continued.

Du 29 mai 1790. Montauban: Vincent Teulieres, [1790]. 4pp.
11 printed signatures. Announcing end of disorders.

6417. MONT-BRISON (VILLE). Récit de ce qui s'est passé a Mont-
Brison, ville capitale du Forez, lors de l'enrégistrement de
la déclaration du 23 septembre 1788, & à la rentrée des audiences
à la St. Martin. n.p., [1788]. 64pp.
Opposition to judicial reform as ministerial despotism.

6418. MONTCENIS (BAILLIAGE). CONSEIL. Arrêté de M. le procureur
du roi au bailliage de Montcenis. (11 juin 1788). n.p.,
[1788]. 4pp.

MONTELIMAR (VILLE). OFFICIERS MUNICIPAUX. See no. 6659.

6419. MONTPELLIER. BUREAU DES FINANCES. Arrêté du bureau des finances de la généralité de Montpellier, extraordinairement
assemblé le mercredi 21 mai 1788. n.p., [1788]. 7pp.

6420. MONTPELLIER. COUR DES COMPTES, AIDES & FINANCES. Arrêt...
du 18 avril 1788. n.p., [1788]. 4pp.

6421. -------- Très-humbles et très-respectueuses remontrances...
sur l'edit du mois d'octobre dernier, portant prorogation du
second vingtieme pendant les années 1791 & 1792. n.p., [1788?].
24pp.

6422. -------- Arrêté...du vendredi 9 janvier 1789. n.p., [1789].
8pp.

6423. MONTPELLIER (SENECHAUSSEE). COUR PRESIDIAL. Arrêtés du présidial de Montpellier. Du 5 juin 1788... n.p., [1788]. 4pp.

6424. MONTPELLIER (VILLE). GARDE NATIONALE. Adresse de la légion
de Montpellier a l'Assemblée nationale. n.p., [1790]. 4pp.
Read in the National Assembly on Jan. 23, 1790.

6425. MONTPELLIER (VILLE). MUNICIPALITE & GARDE NATIONALE. Adresse...
lue et présenté a l'Assemblée nationale, par des députés
extraordinaires, dans la séance du 13 juillet 1790... Paris:
Baudouin, 1790. 4pp.

6426. MOULINS (VILLE). Tableau des crimes du comité révolutionnaire
de Moulins, chef-lieu du département de l'Allier, et des
citoyens de Moulins, membres de la commission temporaire de
Lyon. (28 brumaire, an III). n.p., [1794]. 48pp.
Names of 32 families who signed memoirs.

6427. NAMUR (COMMUNE). Adresse...lue à la Convention par les
citoyens Adant, curé de Chevreuse, & Saunier, députés de cette
commune... [Paris]: Imp. Nat., [1794?]. 4pp.
Petition that Namur be incorporated into France.

6428. NANCY. CHAMBRE DES COMPTES. Arrêté de la chambre des comptes,
cour des aides de Lorraine. Du 7 mai 1788. n.p., [1788]. 3pp.

6429. NANCY (BAILLIAGE). CONSEILLERS. Sentence du bailliage royal
de Nancy, du 31 mai 1788; suivent les arrêtés, extrait du
registre des délibérations du bailliage royal de Nancy [14
mai 1788]. n.p., [1788]. 4pp.

6430. -------- Extrait du registre des délibérations...du 13 juin
1788. n.p., [1788]. 2pp.

NANCY (MUNICIPALITE). See no. 6278.

6431. NANCY (VILLE). CITOYENS. Adresse des citoyens de Nancy a
l'Assemblée nationale. Séance du 23 avril 1792... [Paris]:
Imp. Nat., [1792]. 2pp.

6432. NANTES (COMMUNE). CITOYENS. Liberté. Egalité. Les citoyens
soussignés de la commune de Nantes & de la société populaire
a la convention nationale... (9 brumaire, an 3). [Paris]:
Imp. Nat., [1795]. 12pp.
Denunciation of J. B. Carrier.

NANTES (COMMUNE). CONSEIL-GENERAL. See no. 6359.

6433. NANTES (VILLE). CITOYENS. Discours prononcé à l'hôtel de
la bourse, dans l'assemblée des jeunes-gens de Nantes, par M.
Omnes-Omnibus, député des jeunes-gens de Rennes, le 28 janvier
1789; protestation et arrêté des jeunes gens de Nantes. Du
28 janvier 1789. n.p., 1789. 8pp.
Call for, and pledge of, assistance in face of alleged
plot of nobility which caused the assassination of two
young men of Rennes.

6434. -------- Les Nantais à tous les départements de la république. (6 mai 1793). Nantes: A.-J. Malassis, [1793]. 18pp.
"Suit un très-grand nombre de signatures", but none
printed here. Anti-Jacobin.

6435. NANTES (VILLE). OFFICIERS MUNICIPAUX. Arrêté des officiers
municipaux de la ville de Nantes. Du 4 novembre 1788. Nantes:
chez A.-J. Malassis, 1788. 22pp.
Regarding election of deputies to Estates General and
suggested reforms.

6436. -------- Arrêté...du 4 novembre 1788. Nantes: A.-J. Malassis, 1788. 22pp.
Slightly different edition of no. 6435.

6437. -------- Avis fraternel de la municipalité de Nantes, et
décision du comité de constitution, entre les départemens &
les municipalités. Marseille: P. A. Favet [1790]. 8pp.

6438. NANTES (VILLE). TIERS-ETAT. Requête aux officiers municipaux de la ville de Nantes, et arrêté du 6 novembre 1788.
n.p., 1788. 16pp.
Demands of the third estate for equal representation,
etc.; listed in Garrett, 245.

6439. ------- Recueil général de pieces concernant le tiers-état

NANTES (VILLE). TIERS-ETAT, continued.

de la ville de Nantes. Bretagne, 1788. 128pp.

6440. -------- Procès-verbal de délibération des communes de Nantes, du 3 juillet. Adresse des citoyens de Nantes, aux états-généraux. Extraite de la séance nationale, du 7 juillet 1789. n.p., [1789]. 12pp.
Last item is lacking. Various printed signatures.

6441. NAVARRE (PROVINCE). NOBLESSE. Reclamations de la noblesse de Navarre, et arret du parlement, du 19 juin 1788, suivi du récit de ce qui s'est passé à Pau le 21 juin. Pau, 1788. 24pp.
Printed signatures, pp. 8-10. Against judicial reform.

6442. NEELE (VILLE). DEPUTES. Représentations des députés de la ville de Néelle, en Picardie, sur la formation des districts du departement d'Amiens. n.p., [1789?]. 6pp.
Vigorous protest against inequity of projected establishment of new units of local government.

6443. NERAC (VILLE). [ALBRET (PAYS)]. TIERS-ETAT. Requête présentée au roi par le tiers-état de la ville de Nérac et pays d'Albret, avec l'expédition de la délibération de l'assemblée générale de ladite ville, & la lettre adressée à M. de Necker. n.p., 1788. 15pp.
Listed in Garrett, 245.

6444. NICE (VILLE). CITOYENS. Adresses de la ville et ci-devant comté de Nice, a la Convention nationale, présentées le 4 novembre 1792...suivies de la réponse du président [Hérault de Sechelles], et des décrets rendus par la Convention à ce sujet... Nismes: C. Belle, 1792. 13pp.

6445. NIMES (COMMUNE). CONSEIL GENERAL. Délibération du conseil-général de la commune de Nismes, & le décret de l'Assemblée nationale, concernant les troubles de la ville de Toulouse. Du 6 mai 1790. Marseille: P. A. Favet [1790]. 8pp.

6446. NIMES (COMMUNE). CORPS MUNICIPAL. Avis aux citoyens, sur le décret du 3 septembre 1793, qui établit un emprunt forcé. Nismes: J. B. Guibert, [1793]. 3pp.

6447. NIMES (SENECHAUSSEE). COUR PRESIDIALE. Déliberation de la cour présidial de Nismes, au sujet de l'enregistrement fait en la sénéchaussée, de la déclaration du roi, donnée à Versailles le 23 septembre 1788, et de l'arrêt de registre du parlement de Toulouse, du 24 octobre suivant...[4 novembre 1788]. n.p., [1788]. 7pp.

6448. NIMES (VILLE). Réponse générale à tous les faux-fuyants de la municipalité de Nismes, puisée dans les différentes informations faites à raison des troubles survenus à Nismes. Paris: Imp. Nat., 1790. 44pp.

6449. -------- Vérités historiques sur les événemens arrivés à

NIMES (VILLE), continued.

Nismes le 13 de juin & les jours suivants. n.p., [1790].
32pp.
　　With "pieces justificatives".

6450. NIMES (VILLE). CITOYENS (CATHOLIQUES). Délibération des
citoyens catholiques de la ville de Nismes, avec leur adresse
au roi. (Du 20 avril 1790). n.p., [1790]. 7pp.
　　Plea to make Catholicism the national religion and to
make no precipitant changes in Church.

6451. NIMES (VILLE). SOCIETE DES AMIS DE LA CONSTITUTION. Adresse
à l'Assemblée nationale...Le 4 mai 1790. n.p., [1790]. 8pp.

6452. NORD (DEPARTEMENT). Adresse du département du Nord, a l'Assemblée nationale, du 12 août 1790. Paris: Imp. Nat.,
[1790]. 2pp.

6453. NORD (DEPARTEMENT). ADMINISTRATEURS. Adresse des administrateurs...du Nord, et des commissaires près les districts de
Cambrai, Valenciennes, Le Quesnoi & Avesnes, a la Convention
nationale...(18 juin 1793). [Paris]: Imp. Nat., [1793].
4pp.

6454. NORD (DEPARTEMENT) & DOUAY (DISTRICT & COMMUNE). CONSEILS-
GENERAUX. Adresse...a leurs concitoyens, lue dans la séance
[de la Convention nationale] du 20 juin [1793]... [Paris]:
Imp. Nat., [1793]. 8pp.

6455. NORMANDY (PROVINCE). DEPUTES (COTENTIN). Opinion de plusieurs
députés du Cotentin, sur la part qui appartient aux pauvres
dans les biens ecclésiastiques. Paris: Imp. Nat., [1789?].
7pp.

6456. -------- Opinion de plusieurs députés du Cotentin, sur
l'utilité de la maréchaussée en tout temps, et sur la nécessité d'une augmentation d'hommes dans cette troupe, pendant
les troubles actuels, et jusqu'au rétablissement de l'ordre.
Paris: Imp. Nat., [1790?]. 7pp.
　　Opposes suppression of Maréchaussée; favors its reor-
ganization and augmentation.

6457. -------- Opinion de plusieurs députés du Cotentin, sur la
maréchaussée, considérée comme tribunal de justice. Paris:
Imp. Nat., [1790?]. 12pp.
　　Favors continuance but limitation of jurisdiction.
　　(Continuation of no. 6456).

6458. NORMANDY (PROVINCE). COUR DES COMPTES, AIDES, ET FINANCES
(PROCUREURS). Protestations et observations. Extrait des
registres de la communauté des procureurs en la cour des
comptes, aides & finances de Normandie (7 avril 1789). n.p.,
[1789]. 15pp.
　　Concerns mostly the cahier of the Tiers of Rouen.

6459. NUITS (BAILLIAGE). CONSEIL. Arrêté du bailliage de Nuits.

NUITS (BAILLIAGE). CONSEIL, continued.

Du samedi 31 mai 1788. n.p., [1788]. 3pp.

6460. OISE (DEPARTEMENT). ELECTEURS. Adresse des electeurs du
département de l'Oise, a l'Assemblée nationale... [Paris]:
Imp. Nat., [1790]. 4pp.

6461. ORBEC (BAILLIAGE). OFFICIERS. Extrait des respectueuses
représentations que présentent a monseigneur le garde des
sceaux, les officiers du bailliage d'Orbec. n.p., [1788?].
29pp.

6462. ORGELET (DISTRICT). CLERGE. Adresse des prêtres, curés et
vicaires du district d'Orgelet, département du Jura, a l'Assemblée nationale, dans la séance du 11 mai 1790... Paris:
Baudouin, 1790. 6pp.

6463. ORLEANS (VILLE). CHATELET. Arrêté du châtelet d'Orléans,
du 24 mai 1788. n.p., [1788]. 2pp.

6464. ORLEANS (MUNICIPALITE). CITOYENS. Tableau par ordre alphabétique des habitans de la municipalité d'Orléans qui, en
exécution du décret de l'Assemblée nationale du 12 juin 1790,
se sont inscrits sur le registre ouvert à l'hotel-de-ville pour
le service des gardes-nationales. [Orléans]: Imp. de Rou-
zeau-Montaut, [1790]. 82pp.

6465. -------- Adresse d'Orléans a l'Assemblée nationale. Séance
du 20 mai 1790... Paris: Baudouin, [1790]. 4pp.
    Miscellaneous addresses printed by order of the Assem-
    bly.

6466. ORNANS (BAILLIAGE). Récit substantiel de ce qui s'est passé
au bailliage d'Ornans, comté de Bourgogne, le 6 juin 1788.
n.p., [1788]. 4pp.
    Resistance of judicial reform decrees of 8 and 9 May;
    8 printed signatures.

6467. PARIS (VILLE). ASSEMBLEE GENERALE DES ELECTEURS. L'Assemblée
générale des des electeurs de Paris a reçu une lettre adressée
à M. le marquis de la Fayette, ou au comité permanent de la
ville, par M. le comte de Clermont-Tonnerre l'un des secrétaires de l'Assemblée nationale. Cette lettre renfermoit
l'extrait d'une autre lettre de M. le maréchal de Broglio
[sic] à l'Assemblée nationale. Paris: Baudouin, [1789].
4pp.
    Contains also: Extrait de la lettre de M. le maréchal
    de Broglio [sic] à M. le président de l'Assemblée nation-
    ale (16 juillet 1789). Concerning the king's order to
    send away the troops around Paris.

6468. -------- Extrait des délibérations de l'Assemblée générale
des electeurs. Du mercredi, 29 juillet 1789. [Paris]:
Imp. de Lottin l'aîne & Lottin de S.-Germain, 1789. 14pp.
    Contains also: Extrait des délibérations de l'Assemblée
    générale des electeurs, du 18 juillet 1789 and Extrait...
    du 23 juillet 1789.

6469. PARIS (VILLE). CHATELET. Arrêté...du 21 août 1787. n.p.,
       [1787]. 8pp.
            Contains also: Discours prononcé à Versailles, le 26
            août 1787, par M. le lieutenant civil, presidnat [sic]
            la députation de MM. les officiers du châtelet, à M. le
            garde des sceaux, sur le rappel, du parlement, en éxecu-
            tion de l'arrêté de la compagnie, du 21 de ce mois.
            (pp. 2-6). Réponse de M. le garde des sceaux...du même
            [sic] jour. (pp. 6-7). Arrêté du châtelet, du 28 août
            1787. (p. 7). Arrêté du méme[sic] jour. (pp. 7-8.)

6470. -------- Discours adressé par MM. du châtelet, au parlement
       séant à Troyes, le 3 septembre 1787. n.p., [1787]. 4pp.
            Contains also: Reponse du roi aux supplications de la
            cour des monnoies. (p. 2). Arreté de la cour. (p.2).
            Discours de M. Hués, maire de Troyes, au parlement. (p. 3).
            Discours d'un membre de la cour des comptes, aides &
            finances de Montpellier, du 11 septembre 1787. (p. 4).

6471. -------- Arrêté...du 16 mai 1788. n.p., [1788]. 2pp.

6472. -------- Récit de la dénonciation et de la suite de l'af-
       faire du baron de Besenval. Avec les manifestes des brabançons
       contre l'empereur. n.p., [1789]. 11pp.

6473. -------- Extrait de la procédure criminelle instruite au
       châtelet de Paris, sur la dénonciation des faits arrivés
       à Versailles dans la journée du 6 octobre 1789. Paris, 1790.
       58pp.

6474. PARIS (VILLE). CLERGE. Extrait des registres du chapitre
       de l'église de Paris, convoqué extraordinairement & tenu le
       lundi 20 avril 1789. [Paris]: Imp. de la veuve Hérissant,
       [1789]. 22pp.

6475. PARIS (VILLE). CORPS-DE-VILLE. Délibération prise par le
       corps-de-ville de Paris, relativement au réglement du roi
       pour la convocation des habitans de ladite ville. Du mercre-
       di 1er avril 1789. [Paris]: Imp. de Lottin l'ainé & Lottin
       de S.-Germain, 1789. 23pp.

6476. PARIS (VILLE). NOBLESSE. Extrait du procès-verbal de l'as-
       semblée de la noblesse domiciliée dans le quartier de Luxem-
       bourg, les lundi 20 & mardi 21 avril 1789. En présence de
       M. Chuppin, conseiller au châtelet. n.p., [1789]. 14pp.
            Instructions for deputies of noblesse; moderate in sen-
            timent.

6477. -------- A messieurs les citoyens nobles de la ville de
       Paris. n.p., [1789?]. 8pp.
            (Signed: Stanislas, comte de Clermont-Tonnerre, le duc de
            Rochefoucauld, le marquis de Montesquiou, le comte de
            Rochechouart, le comte de Lally-Tollendal, Du Port, H. de
            Lusignan, Dionis du Séjour, le président de Saint-Far-
            geau, le comte de Mirepoix; dated a Versailles, le 4
            juillet 1789.) Explanation of why these ten representa-
            tives of the second estate joined with the majority of

PARIS (VILLE). NOBLESSE, continued.

the clergy and the third estate in the National Assembly.

6478. PARIS (VILLE). SAVETIERS. Arrêté de la très utile communauté des M.^{tres} Savetiers de la bonne ville de Paris. (1 juin 1788). n.p., [1788]. 4pp.

6479. PARIS (COMMUNE). Adresse...a l'Assemblée nationale. Paris, 1790. 35pp.

6480. -------- Adresse a l'Assemblée nationale...pour le renvoi des ministres. [Paris]: Imp. Nat., [1790]. 10pp.
Procès-verbal, no. 467. Contains also: Réponse de M. le président [Chasset]. Petition for recall of Champion [de Cicé], La Tour-du-Pin, and Guignard [Saint Priest].

6481. PARIS (COMMUNE). BUREAU DE POLICE. Réglement provisoire, concernant les voitures de places & de remises. (24 septembre 1789). [Paris]: Imp. de Lottin l'aîné, & Lottin de S.-Germain, [1789]. 7pp.

6482. PARIS (COMMUNE). BUREAU DES SUBSISTANCES. Lettre...au comité de MM. les volontaires - patriotes de la commune de Rouen. (30 juillet 1789). Rouen: Imp. de Pierre Ferrand, 1789. 4pp.

6483. -------- Procès-verbal de visite & vérification faites des quantités & qualités de tous les grains & farines déposés à l'hôtel de l'ecole-royale-militaire, par quatre commissaires députés par l'assemblée-générale de la commune de Paris, en la présence de députés de sept différens districts; les 3 & 5 octobre 1789. [Paris]: Imp. de Lottin l'aîné, & Lottin de S.-Germain, [1789]. 10pp.

6484. -------- Extrait du procès-verbal de ce qui s'est passé a l'hôtel de ville au bureau de subsistance & autres bureaux, le lundi 5 octobre 1789. [Paris]: Imp. de Cailleau, [1789]. 4pp.

6485. PARIS (COMMUNE). CITOYENS. Adresse des citoyens de Paris à tous les français pour le pacte fédératif, qui aura lieu le 14 juillet prochain; pour célébrer l'anniversaire de la prise de la Bastille. Du 7 juin 1790. Marseille: Imp. de P. Ant. Favet, [1790]. 8pp.

6486. -------- Déclaration d'une partie des habitans de Paris. n.p., 1791. 16pp.
Conservative complaints.

6487. -------- Pétition a l'Assemblée nationale, relative au transport de Voltaire. Nouvelle édition revue & corrigée. n.p., [1791]. 8pp.
Protest against the ceremonies planned for the removal of Voltaire's remains to the Panthéon; many printed signatures.

6488. PARIS (COMMUNE). COMITE DES RECHERCHES. Procès-verbal...sur l'odieuse conspiration tramée par les ennemis du bien public, qui déclare prévenus le marquis de Favras & la dame sun [sic] épouse d'être partie des auteurs de cette conspiration. ---Détention du Bourreau, accusé d'avoir chez lui des presses à l'usage des ennemis du bien public. ---Détention de l'auteur & du copiste du libelle contre monsieur. ---Voiture d'argent arrêtée par le district des Cordeliers. [Paris]: Imp. de P. André, [1789]. 4pp.

6489. -------- Arrête...qui ordonne l'impression des pièces ci-après (9 juillet 1790). [Paris]: Imp. du Patriote François, [1790]. 151pp.
    On the "affaire de MM. Maillebois, Bonne-Savardin, et autres"; report of M. Garran with pièces justificatives.

6490. -------- [Arrêté du 28 juillet 1790]. n.p., [1790]. 4pp.
    Indictment of two unknown persons who had obtained the release from prison of Bonne-Savardin through use of falsified papers; recommendation that concierge of prison be punished.

6491. -------- Arrêté...contre M. de Maillebois, lieutenant-général des armées du roi, M. Bonne-Savardin, officier de cavalerie, et M. de Saint-Priest, ministre et secrétaire d'etat, accusés de crime de lèze-nation et de complots de contre-révolution. Fuite favorisée de M. Bonne-Savardin. ---Son signalement. ---Arrestation de M. Bruard de Riolle, aussi soupçonné de projets de contre-revolution. [Paris]: Imp. de Caillot et Courcier, 1790. 8pp.

6492. PARIS (COMMUNE). CONSEIL GENERAL. Extrait du registre des délibérations. ...Du samedi 11 décembre 1790. [Paris]: Imp. de Lottin l'aîné, & J.-R. Lottin, [1790]. 7pp.
    Ceremony in which four members of the diplomatic staff took the civil oath. Contains also: Extrait des registres de la société des gardes-nationaux des départemens de France, reporting resolution to disband in accordance with decrees of National Assembly.

6493. -------- Exposé des faits relatifs à la demande que mesdames, tantes du roi, ont faite à la municipalité, d'un passeport, pour sortir du royaume. Extrait du registre des délibérations.... Du jeudi 24 février 1790 [sic, 1791]. [Paris]: Imp. de Lottin l'aîné, & J.-R. Lottin, [1791]. 7pp.

6494. -------- Ordre, marche et cérémonial de la déclaration du danger de la patrie. Proclamation de la municipalité de Paris, par le maire et conseil général de la commune. Extrait du registre des délibérations.... Le jeudi 19 juillet 1792, l'an 4 de la liberté. [Paris]: Imp. de P. Provost, [1792]. 8pp.

6495. PARIS (COMMUNE). OFFICIERS MUNICIPAUX. Adresse de la municipalité de la ville de Paris, présentée a l'Assemblée nationale... 17 juin 1790. Sur l'aliénation & la vente des biens ecclésiastiques & domaniaux. Paris: Baudouin, 1790. 6pp.

6496. -------- Compte rendu a l'Assemblée nationale, par les députés du bureau de la ville de Paris. Le 10 mars 1790. Paris: Imp. Nat., 1790. 15pp.

6497. --------, Extrait du registre des délibérations du corps municipal. Du 19 novembre 1790. Adresse de la garde nationale parisienne à l'Assemblée nationale, prononcée par M. de la Fayette, commandant général, le 18 novembre 1790. [Paris]: Imp. de Lottin l'aîné & J. -R. Lottin, [1790]. 7pp.
    Lafayette's speech on pp. 2-7.

6498. -------- Extrait du registre des délibérations du corps municipal...(2, 9, 11, & 12 mars 1791). [Paris]: Imp. de Lottin l'aîné & J. - R. Lottin, [1791]. 16pp.
    Orders the trial of eight prisoners arrested during the night of February 28 - March 1. Various documents on this matter, including extract from the minutes of the Directory of the Department of Paris.

6499. -------- Récit exact de ce qui s'est passé hier, 28 mars, à l'occasion du club monarchique. [Paris]: Imp. de la veuve Valade, [1791]. 6pp.
    Reprint of official letters and extract from registre of corps municipal.

6500. -------- Pétition des membres de la municipalité de Paris, faite à la séance du 14 mai 1791; réponse de M. Treilhard, président. [Paris]: Imp. Nat., [1791]. 8pp.
    Argues in favor of the civil registration of vital statistics; printed over names of Bailly and 12 others.

6501. -------- Extrait du registre des délibérations du corps municipal...samedi 16 juillet 1791. Aux bons citoyens. Arrêté sur les factieux, les etrangers soudoyés, les aristocrates & autres ennemis du bien public. [Paris]: Imp. de Lottin, l'aîné, & J.-R. Lottin, [1791]. 3pp.
    (Signé: Bailly, maire; Dejoly, secrétaire-greffier.)

6502. -------- Extrait du registre des délibérations du corps municipal. Du dimanche 17 juillet 1791. Paris: Imp. Nat., 1791. 15pp.
    Report on "massacre of Champs de Mars"; over names of Bailly and Déjoly.

6503. -------- Arrêté concernant une lettre du roi, aux maire & officiers municipaux, à Paris. Extrait du registre.... Du lundi 13 février 1792. [Paris]: Imp. de Lottin l'aîné, & J.-R. Lottin, 1792. 4pp.
    King's letter, pp. 2-3, denying any intention of leaving Paris.

6504. -------- Arrêté concernant la délivrance des certificats de résidence & de présence dans la ville de Paris. Extrait du registre...(9 avril 1792). [Paris]: Imp. de Lottin l'aîné & J.-R. Lottin, 1792. 4pp.

PARIS (COMMUNE). OFFICIERS MUNICIPAUX, continued.

6505. -------- Adresse de la municipalité de Paris, a la Convention nationale, dans la séance du 27 floréal, l'an second de la République... [Paris]: Imp. de la Commission d'Instruction publique, [1794]. 8pp.
(Signé: Payan, commissaire; Fourcade, adjoint.)

6506. PARIS (COMMUNE). REPRESENTANS. Assemblée des représentans de la commune de Paris. Extrait du procès-verbal des représentans de la commune de Paris, concernant la solde actuelle des gardes-françaises. [Août 1789]. Paris: chez Nyon le jeune, [1789]. 2pp.

6507. -------- Adresse...a l'Assemblée nationale. Du 10 octobre 1789. Versailles: Baudouin, [1789]. 6pp.
Contains also: Réponse de M. le président [Mounier] (p. 4) and Extrait du procès-verbal de l'assemblée générale des représentans de la commune de Paris... samedi, 10 octobre 1789. Invitation to National Assembly to join the king in Paris (after the October Days).

6508. -------- Suite des procès-verbaux de l'assemblée générale de représentans de la commune de Paris. Séance du samedi 15 mai 1790. [Paris]: Imp. de Lottin l'aîné & Lottin de S.-Germain, [1790]. 20pp.

6509. -------- Assemblée des représentans.... Extrait du procès-verbal, du samedi, vingt-deux mai 1790. [Paris]: Imp. de Lottin l'aîne & Lottin de S.-Germain, [1790]. 3pp.
Declaration of loyalty to the municipal government and denunciation of speech of the Baron de Menou (of 13 May 1790).

6510. -------- Pétition des députés de la commune de Paris, pour le pacte fédératif, a l'Assemblée nationale. Séance du 26 juillet 1790. Paris: Baudouin, [1790]. 3pp.
Presented by 120 citizens; signed by Charon, président. (Procès-verbal no. 361).

6511. -------- Adresse...a messieurs de l'Assemblée nationale. n.p., [1790]. 16pp.
Contains also: Exerait [sic] du procès-verbal de l'assemblée générale des représentans de la commune de Paris. Du 7 août 1790. (pp. 15-16).

6512. -------- Adresse présentée à l'Assemblée-nationale... [Paris]: Imp. de Lottin l'aîné & J.-R. Lottin, 1790. 16pp.
Contains also: Extrait des délibérations de l'assemblée-générale des représentans de la commune de Paris (19 août 1790) (pp. 14-15) and copies of two letters from M. d'André, president of the National Assembly, to M. Vincendon, president of the general assembly of the representatives of the commune. (p. 16).

6513. PARIS (DEPARTEMENT). ADMINISTRATEURS. Adresse présentée à

PARIS (DEPARTEMENT). ADMINISTRATEURS, continued.

la Convention nationale, par tous les commissaires des autorités constituées du département & des sections de Paris, réunis en la salle de la société des amis de la liberté & de l'égalité, séante aux ci-devant Jacobins. Du vendredi 31 mai 1793... [Paris]: Ballard, [1793]. 8pp.

6514. -------- Adresses des autorités constituées de Paris, a la Convention nationale; lues le 23 juin... [Paris]: Imp. Nat., [1793]. 7pp.
        Contents: Adresse du département de Paris; Discours des juges des tribunaux; Réponse du président [Collot d'Herbois?]. Patriotic expressions after promulgation of Constitution of 1793.

6515. -------- Les citoyens français du departement de Paris a tous les français. [Paris]: Imp. de Ballard, [1793]. 15pp.
        Ends: "Nos frères les membres composant toutes les autorités du Département de Paris, au nom de toutes les autorités constituées; Seguin, Président; Dupin, Secrétaire." Tourneaux (I, 4043) gives June 1793 as date.

6516. -------- Adresse présentée a la Convention nationale... [Paris]: Imp. Nat., [1793?]. 6pp.
        Contains also: Réponse du président. (p. 6).

6517. PARIS (DEPARTEMENT). ASSEMBLEE ELECTORALE. Adresse...a l'Assemblée nationale, prononcée à la séance du mardi soir, 14 décembre 1790. Paris: Imp. Nat., [1790]. 15pp.
        Contains also: Réponse de M. le président [Pétion] a MM. les électeurs (pp. 13-15).

6518. PARIS (DEPARTEMENT). DIRECTOIRE. Lettre...à M. Roland, ministre de l'intérieur, en réponse à sa lettre du 20 mai. (12 juin 1792). [Paris]: Imp. de Ballard, [1792]. 19pp.
        Argues that adequate measures have been taken to preserve order.

        -------- See also no. 6498.

6519. PARIS. CLERGE. Lettre des religieux des St-Martin-Des-Champs, a Paris, a l'Assemblée nationale. Paris: Baudouin, 1789. 5pp.
        Contains also: Lettre des supérieurs de la congrégation de Cluny, de la maison de Paris, a l'Assemblée nationale. (pp. 3-5). In first letter, 16 monks surrender to the nation all the property of their order; in the second letter, two superiors repudiate their action as irregular.

6520. -------- Adresse des religieux Capucins de la société hébraïque, a nosseigneurs les députés a l'Assemblée nationale, dont il est fait mention dans les procès-verbaux, numéro 162, page 5, & annoncé dans le Mercure de France, numéro 23, page 71. [Paris]: Imp. de Gelé, [1790?]. 4pp.
        Contains also: Pieces justificatives (pp. 3-4). Requests

PARIS. CLERGE, continued.

support for the preparation of a <u>Dictionnaire</u> <u>Arménien-</u>
<u>Littéral</u>, <u>Arménien-Vulgaire</u>, <u>Italien</u>, <u>Latin</u> & <u>Francais</u>,
<u>which</u>, in 1771, the king had favored by his permission
to have dedicatory epistle addressed to him.

6521. -------- A nosseigneurs les députés de l'Assemblée nationale. n.p., [1790]. 3pp.
Dated from ms. notation. Petition of several Parisian
religious orders, begging relief for various monks without means of subsistence.

6522. -------- A nosseigneurs les députés du royaume a l'Assemblée
nationale. n.p., 1790. 7pp.
Similar to no. 6521. Presented after decree of 20 February, 1790.

6523. -------- Requête pour les frères lais, carmes déchaussés de
Paris, &c. A nosseigneurs de l'Assemblée nationale. Paris:
Imp. Nat., [1790?]. 4pp.
Plea of monks that they be accorded same treatment as
priests, as had been the practice in their monastery.

6524. -------- Adresse a nosseigneurs de l'Assemblée nationale, de
la part des supérieur et directeurs du séminaire du Saint-
Esprit, rue des Postes, à Paris. [Paris]: Imp. de Crapart,
[1790]. 8pp.
Contains also: Certificat concernant le séminaire du
Saint-Esprit et les missionnaires de la Guiane (pp. 5-8).
dated 25 mars 1790, signed by Lescallier.

6525. -------- Discours a l'Assemblée nationale, prononcé au nom
de la députation de MM. de la Congrégation de l'Oratoire, dans
la séance du 10 juillet 1790. Paris: Baudouin, [1790].
3pp.
Contains also: Réponse du président [de Bonnay]...
(pp. 2-3). Brief eulogy of Assembly and promise of
complete submission to its decrees with hope expressed
that congregation may be deemed worthy to continue its
work of education. (Procès-verbal, no. 345).

6526. PARIS. DISTRICTS. DISTRICT DES FEUILLANS. Procès-verbal
...sur l'assemblée aritocratique [sic], découverte hier au
soir aux Capucins de la rue Saint-Honoré. n.p.: Imp. de Jean
Bart, [1790]. 8pp.
Dated from Ms. notation.

6527. -------- PREMIER DISTRICT DU QUARTIER DE LA PLACE ROYALE.
Procès-verbal du tiers-état,...convoqué en l'eglise du petit
Saint-Antoine, le mardi 21 avril 1789. n.p., [1789]. 42pp.
Ms. notation in ink: "Noms d'eux qui ont signé et que je
n'ai pas trouvé dans la liste," followed by five names;
"Noms d'eux qui n'ont pas signé," followed by 21 names.

6528. -------- DISTRICTS REUNIS DU VAL-DE-GRACE ET DE S. JACQUES
DU HAUTE-PAS. Arrêtés...concernant la non-permanence des

districts, et la necessité de donner promptement à la ville de Paris une constitution municipale. [11-14 mars 1790]. Paris: Baudouin, [1790]. 16pp.

6529. PARIS. FAUXBOURG SAINT-ANTOINE. Réponse...a la dénonciation qui lui a été adressée le 29 juin 1790, par le faubourg Saint-Marceau. n.p., [1790]. 7pp.

6530. -------- Adresse des habitans...a l'Assemblée nationale. [Paris: Imp. Nat., 1790]. 6pp.
   (Procès-verbal no. 413). Contains also: Extrait des registres des délibérations de l'assemblée générale de la section de la rue de Montreuil, with dates 9-10 septembre 1790. (pp. 5-6).

6531. -------- Adresse de citoyens..., lue à la séance [de l'Assemblée nationale] du 23 avril 1792... [Paris]: Imp. Nat., [1792]. 7pp.
   (Pétition no. 291). Fervent patriotic address by "les vainqueurs de la bastille." "Suivent les signatures au nombre de cent quatre-vingt-douze", but none here presented.

6532. -------- Pétition des habitans...a l'Assemblée nationale, lue à la séance du 8 juillet 1792... [Paris]: Imp. Nat., [1792]. 4pp.
   (Pétition no. 66.) Patriotic address in name of 50,000 former residents of Auvergne, now laborers in Paris. 300 signatures on original petition; none here printed.

6533. -------- Pétition des habitans...a la Convention nationale, du 22 avril 1793... [Paris]: Imp. Nat., [1793]. pp. 1-4, 9-11.
   Defective copy, pp. 4-8 lacking. Call for unity against the "factious", signed "Gonchon, organe de la députation. Contains also: Reponse du président [Lasource]. (pp. 10-11).

-------- See also nos. 3050 to 3056, 6553.

PARIS. FAUXBOURG SAINT-MARCEL. See no. 3054.

6534. PARIS. SECTIONS. SECTION DE BONDI. Extrait du registre des délibérations.... Du 7 novembre 1792... Imprimé, et envoyé aux départements et aux armées, par ordre de la Convention nationale. [Paris]: Imp. Nat., [1792]. 3pp.

6535. -------- SECTION DE BRUTUS. Procès-verbal des honneurs funebres rendus a la mémoire de Louis Chénier, par l'assemblée générale...le 8 prairéal, an troisième... Paris: Imp. de Franklin, [1795]. 16pp.
   Signed: Wauchelet, ex-président; Chéry, Formalaguez, secrétaires.

6536. -------- SECTION DE MAUCONSEIL. Adresse...présentée a l'Assemblée nationale, le 17 juin 1792.... [Paris]: Imp. Nat.,
[1792]. 4pp.
    Signed: Dumoulin, président; Doucet, secrétaire.

6537. -------- SECTION DE L'ORATOIRE. Pétition présentée a l'Assemblée nationale, par les citoyens...individuellement. [10
décembre 1790]. Paris: Imp. Nat., [1790]. 7pp.
    In support of decree requiring clergy to take civil
oath.

6538. -------- Tableau des citoyens actifs de la section de l'Oratoire. (17 juin 1791). Paris: Imp. de Vezard & Le Normant,
[1791]. 27pp.

6539. -------- SECTION DE LA CROIX-ROUGE. Adresse des citoyens
[a l'Assemblée nationale]...[Paris]: Imp. Nat., [1792].
2pp.
    Pétition no. 56.

6540. -------- SECTION DE LA FONTAINE-DE-GRENELLE. Adresse des
citoyens...a l'Assemblée nationale, 12 juin 1792... [Paris]:
Imp. Nat., [1792]. 4pp.
    Pétition (no. 38) presented by Navier Audouin, "aumonier
de la garde nationale, et électeur de Paris, orateur de
la députation." 125 signatures on original; not here
printed.

6541. -------- SECTION DE LA HALLE-AU-BLED. Pétition prononcée
a l'Assemblée nationale,...le 10 décembre 1791. [Paris]:
Imp. Nat., [1791]. 8pp.
    Denounces the petition to the king by the members of the
directory of the Department of Paris protesting the
decree requiring the clergy to take civil oath.

6542. -------- Adresse...a l'Assemblée nationale, présentée le 17
juin 1792... [Paris]: Imp. Nat., [1792]. 3pp.
    81 signatures on original; not here printed.

6543. -------- SECTION DE LA PLACE ROYALE. Adresse des citoyens...
a l'Assemblée nationale, du 8 juillet 1792... Paris: Imp.
Nat., [1792]. 3pp.

6544. -------- SECTION DE LA RUE BEAUBOURG [DE LA REUNION]. Adresse
[à la Convention nationale, fait en assemblée, le 24 novembre
1792]... [Paris]: Imp. Nat., [1792]. 4pp.

6545. -------- SECTION DES CHAMPS-ELYSEES. Adresse [à la Convention nationale]...arrêtée dans l'assemblée générale, du 30
décembre 1792, pour être présentée au conseil général de la
commune... Marseille: Imp. de Jean Mossy, 1793. 4pp.
    Signed Borel, président; Huet, secrétaire.

6546. -------- Adresse [à la Convention nationale]...ainsi que la
réponse, insertion au bulletin, & affiche dans Paris. Séance

du 20 mai 1793... [Paris]: Imp. Nat., [1793]. 3pp.

6547. -------- SECTION DES GARDES-FRANCAISES. Adresse [à la Convention nationale]... (6 décembre 1792). [Paris]: Imp. Nat., [1792]. 4pp.
       Contains also: Extrait des registres de l'assemblée générale du 6 décembre, 1792, signed: Boullanger, président; Delaloziere, secrétaire-honoraire.

6548. -------- Adresse [à la Convention nationale]...extrait du registre des délibérations de l'assemblée générale, du 26 décembre 1792... [Paris]: Imp. Nat., [1792]. 3pp.
       Signed Antoine Gonnet, président; Raynal, secrétaire-honoraire.

6549. -------- SECTION DES GRAVILLIERS. Adresse...a l'Assemblée nationale, présentée le 8 juillet 1792... [Paris]: Imp. Nat., [1792]. 4pp.
       Signed: Léonard Bourdon, président; Delespine-d'Andilly, secrétaire.

6550. -------- SECTION DES LOMBARDS. Pétition individuelle des citoyens...au corps législatif, pour lui dénoncer la proclamation du roi, comme injurieuse aux habitans de Paris, & comme tendante à exciter la guerre civile, &c. &c. (3 juillet 1792). [Paris]: Limodin, [1792]. 8pp.

6551. -------- Pétition individuelle des citoyens...au corps législatif. (19 juillet 1792). [Paris]: Imp. Nat., [1792]. 6pp.
       Patriotic address and gift of 7,880 livres, 6 sols.
       190 signatures on original not here printed.

6552. -------- SECTION DES QUATRE-NATIONS. Pétition individuelle des citoyens...a l'Assemblée nationale. (16 juillet 1792). [Paris]: Imp. Nat., [1792]. 4pp.
       After declaration of "la patrie en danger"; asks source of danger and pledges to save country. 140 signatures not here printed.

6553. -------- SECTION DES QUINZE-VINGTS. Pétition presentée a l'Assemblée nationale par les citoyens de la section des quinze-vingts, fauxbourg Saint-Antoine. [Paris]: Imp. Nat., [1791?]. 4pp.
       Defense of section against directory of Dept. of Paris and others who denounce section assemblies as seditious.

6554. -------- SECTION DES TUILERIES. Pétition...a la Convention nationale, du premier des sans-culottides, l'an deuxième de la république française une & indivisible. (30 fructidor, an 2). [Paris]: Imp. de la Section des Tuileries, [1794]. 2pp.
       Defense of popular societies; signed Grandjean secrétaire.

6555. -------- SECTION DU FAUXBOURG MONTMARTRE. Chefs d'accusation

PARIS. SECTIONS. SECTION DU FAUXBOURG MONTMARTRE, continued.

contre les trent-deux députés détenus, et dont l'arrestation
a été ordonnée. Rédigés par la section du fauxbourg Montmartre, publiés par ordre du conseil-général de la commune
de Paris, et reimprimés par les soins d'un ami de la liberté.
n.p., [1793]. 24pp.
    Arrest of leaders of Girondins.

6556. -------- SECTION DU FAUXBOURG SAINT-DENIS. Adresse l'Assemblée nationale...imprimé...par décret du 19 février 1792.
Paris: Imp. Nat., [1792]. 8pp.

6557. -------- SECTION DU PANTHEON FRANCAIS. Extrait du procès-
verbal de l'assemblée générale...(13 & 14 mars 1793); réponse du président de la convention [Bréard]. [Paris]:
Imp. Nat., [1793]. 3pp.

6558. -------- Les républicains de la section du Panthéon français,
aux manes de Michel Lepeletier, épode à réciter près du tombeau
de ce grand homme, au Panthéon. [Paris]: Imp. de Lion, [1793].
10pp.
    In verse; second item ("A la citoyenne Suzanne Lepele-
    tier") by Sérieys.

6559. -------- SECTION DU THEATRE-FRANCAIS. Pétition à l'Assemblée nationale,...pour lui renouveller le voeu de la commune
de Paris sur l'incorporation des gardes-françaises dans les
Bataillons de la garde-nationale parisienne. [Paris]: Imp.
Nat., [1789?]. 3pp.
    Ten printed signatures, petition presented by Lebois.

6560. -------- SECTIONS DU MAIL & DES CHAMPS-ELISEES. Adresses
présentées à la Convention nationale, dans sa séance du 11
fructidor [an 3]...Réponses du président, et discours, prononcés à cette occasion par trois représentans du peuple...
Angers: Imp. des Mame, [1795]. 16pp.
    Speeches of Lacratelle jeune, Tallien, Thibaudeau, and
    Girot-Pouzol; responses of Chénier, président.

6561. -------- SECTIONS. Pétition patriotique, adressée a l'Assemblée nationale, et soumise à l'examen des soixante districts. Paris: Hérault, [1790]. 12pp.
    Moderate petition on evils inseparable from a revolu-
    tion and recommending methods of reviving public pros-
    perity; 32 printed signatures.

6562. -------- Adresse du comité des quarante huit sections de
Paris, réunies en assemblée générale & révolutionnaire, a
la Convention nationale... [Paris]: Imp. Nat., [1793?].
2pp.
    Signed: Loys, président; Guzman, secrétaire.

6563. PARIS. SOCIETIES. SOCIETE DES AMIS DE LA CONSTITUTION MONARCH-
IQUE. Compte rendu au peuple, par les commissaires de la société...(29 mars 1791). n.p., [1791]. 38pp.

6564. -------- SOCIETE DES AMIS DE LA REVOLUTION. Adresse aux
citoyens, ou Réponse a différentes calomnies, publiées dans
des libelles contre l'Assemblée nationale; suivie de quelques
observations sur la protestation du ci-devant chapitre de
Lyon. n.p., [1789?]. 22pp.
   Stamp: Société des Amis de la Révolution 1789.

6565. -------- SOCIETE DES AMIS DE LA LIBERTE ET DE L'EGALITE
[JACOBINS]. Adresse...aux sociétés affiliées. (2 mars
1793). [Paris]: Imp. Patriotique et républicaine, [1793].
14pp.

6566. -------- Adresse...a la Convention nationale [2 pluviôse
an 2]... [Paris]: Imp. Nat., [1794]. 3pp.

6567. -------- Manifeste des jacobins au peuple français, en ré-
ponse aux calomnies répandues contre eux par leurs ennemis.
[Paris,]: Imp. de Philippe, an 7 (1799). 8pp.
   After coup of 30th Prairial; pp. 3-8 contain a poem:
   "Peuple français, lit la cause et la fin de tes maux,"
   by D.A.I.M. ....

6568. -------- SOCIETE DES JEUNES FRANCAIS. Ecole républicaine,
dirigée sous les auspices de J. J. Rousseau par Léonard Bourdon. [Paris]: Imp. Nat., [1792]. 2pp.
   Brief prospectus of school, first established in May
   1792.

6569. -------- SOCIETE LIBRE DES SCIENCES. LETTRES ET ARTS DE
PARIS. Séance au palais nationale des sciences & des arts.
Liste alphabétique des membres composant la société, pour
l'an VII de la république. Paris: Huzard, [1798?]. 12pp.

6570. -------- SOCIETE POPULAIRE DE LA SECTION DE LA MAISON COM-
MUNE. Reglement... Paris: Millet, [1793]. 8pp.
   Constitution of new popular society.

6571. -------- SOCIETE SEANTE AU CAFE PROCOPE-[ZOPPI]. Adresse
[à l'Assemblée nationale]...séance du 27 août 1791, au soir...;
réponse de M. le président [de Broglie]. [Paris]: Imp.
Nat., [1791]. 3pp.

6572. PARIS. MISCELLANEOUS BODIES. BUREAU D'AGENCE NATIONALE ET
ETRANGERE. Nouveau prospectus...pour les affaires de finance
et les affaires contentieuses dirigé ci-devant par M. Vau-
delle, et actuellement par M. Stevenot, et autorisé par la
municipalité de Paris. n.p., n.d. 16pp.

6573. -------- [COMMUNAUTE DE MARCHANDS CHANDELIERS-HUILIERS]. A
messieurs de l'Assemblée nationale. n.p., [1790?]. 7pp.
   Suggestions concerning equitable tariff rates.

6574. -------- COMPAGNIE DES GARDES-POMPES. Adresse a l'Assemblée
nationale, relativement au projet de décret présenté par le
comité militaire, concernant l'organisation de la compagnie

des gardes-pompes de la ville de Paris. [Paris]: Imp. Nat.,
[1792?]. 3pp.
> Signed: Le Doux, président; Dentremont fils, commissaire;
> Moucet, commissaire.

6575. -------- DAMES DE LA HALLE. Adresse...a l'Assemblée nationale...du 27 août 1791; réponse du président [de Broglie].
[Paris]: Imp. Nat., [1791]. 4pp.

6576. -------- FACULTE DE THEOLOGIE. Lettre...a M. de Juigné,
archevêque de Paris. Paris: Imp. de Crapart, [1791]. 5pp.
> Latin text with French translation pledging exclusive
> allegiance to the displaced archbishop; signed Gayet de
> Sansale, syndic.

6577. -------- GARDE DE PARIS. Arrêté des soldats.... Dits T à P.
n.p., 1789. 8pp.
> Pledges protection to National Assembly.

6578. -------- GARDES NATIONALES PARISIENNES. Assemblée générale
des députés de l'armée nationale parisienne séante a l'hotel-
de-ville. Le mercredi 8 septembre 1790. n.p., [1790]. 7pp.
> Patriotic declarations; signed Barat, secrétaire du ba-
> taillon, La Colombe, président de l'assemblée générale.

6579. -------- LYCEE DES ARTS. Proces-verbal de la LXVe séance
publique... n.p., [1801]. 38pp.
> Signed: Frochot, président; Gillet-Laumont, commissaire
> du gouvernement, Mulot and Marchais, secrétaires.

6580. -------- UNIVERSITE. Très-humbles et très-respecteuses remontrances des écoliers de l'université de Paris, fille aînée
du roi. n.p., [1788?]. 30pp.
> Contains also: Le limonadier du palais, essai critique
> & raisonné d'un maître limonadier du palais, sur les
> essences & les epices du ci-devant parliament, ouvrage
> utile à ceux qui étudent la médecine. (pp. 23-30).

6581. -------- Réponse des étudiants de Navarre. Réponse des
étudiants du college de Navarre aux réproches que leur ont
fait des étudiants de quelques autres colléges (19 juillet
1790). n.p., 1790. 24pp.
> Defense of the part taken by the students in the prepara-
> tion for the Fête of Fédération.

6582. -------- Adresse des recteur, principaux professors & agrégés...
à l'Assemblée nationale, portant adhesion à tous les décrets.
(3 janvier 1791). [Paris]: Imp. Nat., [1791]. 8pp.

6583. PERPIGNAN (VILLE). OFFICIERS MUNICIPAUX. Adresse...a l'Assemblée nationale...du 13 juin 1790... Paris: Imp. Nat.,
[1790]. 4pp.

6584. -------- Adresse...a l'Assemblée nationale, dans la séance
du 16 juin 1790. [Paris]: Imp. Nat., [1790]. 3pp.

6585. POITIERS (VILLE). GARDE NATIONALE. Lettre de la garde nationale de Poitiers, adressée aux gardes nationales du royaume. (Poitiers, le 26 mars 1790). n.p., [1790]. 4pp.
Signed by 15 officers, expressing patriotic sentiments.

6586. PONT-DE-L'ARCHE (BAILLIAGE). TIERS. Cahier de plaintes, doléances et remontrances arrêté par les commissaires nommés le Ier. de ce mois par le tiers-état du bailliage du Pont-de-l'Arche, pour être porté à l'Assemblée des trois ordres qui se tiendra à Rouen le 15 de ce mois. Rouen: Seyer, 1789. 31pp.

6587. PONT-DE-SORGUES (VILLE). CITOYENS. Déclaration faite devant les juges criminels d'Avignon, par le maire, les officiers de la garde nationale, & autres citoyens de la ville du Pont-de-Sorgues, dans le Comtat Venaissin, concernant les préséctions que M. Mulot, l'un des médiateurs de la France entre les peuples d'Avignon & du Comtat Venaissin, fait éprouver aux patriotes. n.p., 1791. 6pp.

6588. PRIVAS (COMMUNE). CONSEIL-GENERAL. Adresse...à l'Assemblée nationale, du 10 novembre 1790, contre un libelle, intitulé: Manifeste et protestation de cinquante mille françois fidèles, armés dans le Vivarais pour la cause de la religion et de la monarchie, contre les usurpations de l'Assemblée nationale. Au Camp de Jalès, octobre 1790... Paris: Baudouin, 1790. 3pp.

6589. PROVENCE (GENERALITE). COUR DES COMPTES, AIDES & FINANCES ETC. Mémoire pour les procureurs à la cour des comptes, aides & finances, & au bureau des finances & domaines de la généralité de Provence. Aix: André Adibert, 1790. 20pp.
Petition to National Assembly for indemnity over loss of rights in positions eliminated by changes made by Assembly; ten printed signatures.

6590. PROVENCE (PROVINCE). DIOCESES. Réponse des fidèles catholiques-apostoliques-romains des diocèses d'Arles, d'Aix, de Marseille, d'Apt & d'Orange, à la lettre de monsieur Charles-Benoit Roux. n.p., [1790?]. 19pp.
Denunciation of Roux, constitutional bishop of Departement des Bouches du Rhône, as illegitimate intruder.

6591. PROVENCE (PROVINCE). ETATS. Recueil de pièces concernant les etats de Provence. Aix: Gibelin-David & Emeric-David, 1789. 28pp.

6592. PROVENCE (PROVINCE). COMMUNAUTES ET VIGUERIES. Observations sur un imprimé sans signature, ayant pour titre: Lettre de la noblesse de Provence au roi, du 31 janvier 1789. Par les commissaires des députés des communautés & des vigueries de Provence. Aix: Pierre-Joseph Calmen, [1789]. 23pp.
Ten printed signatures.

6593. -------- Déclaration de MM. les députés des communautés & vigueries, ayant séance à l'Assemblée prétendue états, faite pardevant Me. Silvy, notaire royal, le 5 février 1789.

PROVENCE (PROVINCE). COMMUNAUTES ET VIGUERIES, continued.

Aix: P. J. Calmen 1789. 8pp.
Protest that a general assembly of the three orders to
select deputies from Province to the Estates General was
not held.

PROVENCE (PROVINCE). COMMUNES. See no. 3905.

6594. PROVENCE (PROVINCE). NOBLESSE. Délibérations et remontrances
du corps de la noblesse de Provence . (Du 17 août 1788).
n.p., 1788. 22pp.
Garrett, 228. Against reform of court system.

6595. -------- Motifs de la délibération du 9 janvier 1789. Discours prononcé par l'un de MM. les membres de la noblesse de
Bordeaux, dans l'assemblée tenue chez les RR. PP. Jacobins.
Délibération de la noblesse de Provence qui en ordonne l'impression. Aix: Gibelin-David & Emeric-David, 1789. 15pp.

6596. -------- Observations pour les nobles non possedans-fiefs de
Provence. Aix: Pierre-Joseph Calmen, 1789. 42pp.
See no. 1163.

-------- See also no. 6048.

6597. PROVENCE (PROVINCE). PAYS & COMTE. Délibération de l'administration intermédiaire du pays & comté de Provence, au sujet des
ordonnances, édits & déclarations transcrits, d'ordre du roi,
dans les registres des cours souveraines dudit pays, le 8 mai
1788. n.p., 1788. 16pp.

6598. QUIMPER (VILLE). COMMUNAUTE. Extrait des registres des délibérations de la communauté de ville de Quimper. Du...13 [et
16] novembre 1788. Quimper: Imp. de d'Y.J.L. Derrien, [1788].
16pp.

6599. RENNES. CHAMBRE DES COMPTES. Arrêté de la chambre des comptes
de Bretagne, du 28 juillet 1788. Nantes: Imp. de Brun aîné,
[1788]. 19pp.

6600. RENNES (VILLE). CITOYENS. Déclaration et arresté de la ville
de Rennes, du 7 septembre 1789. [Rennes]: Audran, [1789].
6pp.
In support of constitutional articles providing for uni-
cameral legislature and for suspensive royal veto.

6601. RENNES (VILLE). POLICE. Ordonnance de police, qui ordonne
que cinq brochures, les pages 156 & suivantes jusqu'à la page
180 du numéro 107, tome 14, des Annales politiques, civiles &
littétaires, par M. Linguet, seront, par l'exécuteur de la haute-
justice, lacérées & brûlées au pied du grand escalier de l'hôtel
de ville de Rennes...des 30 juin & 1 juillet 1788. Rennes:
veuve François Vatar & de Bruté de Remur, 1788. 16pp.

6602. RHONE-ET-LOIRE (DEPARTEMENT). Tableau de la dépréciation du
papier-monnaie, depuis le Ier janvier 1791, jusqu'à sa

suppression; dressé en exécution de la loi du 5 messidor an 5, pour le département du Rhône. Lyon: Ballanche et Barret, an V (1797). 31pp.

RHONE-ET-LOIRE (DEPARTEMENT). DIRECTOIRE. See no. 3913.

6603. RHONE-ET-LOIRE (DEPARTEMENT). ELECTEURS. Adresse des électeurs de département de Rhône & Loire, à l'Assemblée nationale. Lyon: Imp. d'Aimé de la Roche, 1790. 8pp.

6604. RIOM (BAILLIAGE). CONSEIL. Arrêté du bailliage de Riom en Auvergne. n.p., [1788]. 2pp.

6605. RIS (COMMUNE). CITOYENS. Déclaration des habitans de la commune de Ris. n.p., [1789?]. 6pp.
   In defense of M. Anisson Duperon, "propriétaire de la terre de Ris", who had refused command of National Guard and who was denounced in a pamphlet published by members of National Guard of Ris.

6606. ROMANS (VILLE). OFFICIERS MUNICIPAUX. Délibérations de la ville de Romans, du lundi 16 juin 1788, assemblée extraordinaire, des notables de la ville de Romans, convoquée aux formes ordinaires, où se sont trouvés plusieurs membres de MM. du clergé, de la noblesse, & autres notables citoyens, ensuite de l'invitation qui leur a été faite. n.p., [1788]. 7pp.

6607. ROUEN. COUR DES COMPTES, AIDES ET FINANCES. Arrêté...[13 nov. 1788]. n.p., [1788]. 23pp.

6608. -------- Très-humbles et très-respectueuses remontrances de la cour les comptes, aides et finances et Normandie [25 nov. 1788]. n.p., [1788]. 22pp.

6609. ROUEN (VILLE). CHAMBRE DES COMMUNES. Sentence...du 21 juillet 1788. n.p., [1788]. 8pp.
   Against various officials for alleged treason.

6610. ROUEN (VILLE). CORPS MUNICIPAL & ELECTORAL. Extrait des registres.... Du 30 juillet 1789. Rouen: Imp. de P. Seyer & Behourt, 1789. 23pp.

6611. ROUEN (BAILLIAGE). NOBLESSE. Liste de messieurs de l'ordre de la noblesse du bailliage de Rouen, presents. (18 avril 1789). Rouen: Imp. de P. Seyer, [1789]. 19pp.

6612. -------- Considérations qui ont determiné l'arreté de la noblesse du bailliage de Rouen, sur les droits pécuniaires. n.p., [1789]. 16pp.
   Defends privileges of nobility.

6613. -------- Copie de l'expédition de l'acte de déclaration de partie de la noblesse du bailliage principal de Rouen. Rouen: Imp. de la dame Besongne, 1789. 22pp.

6614.　ROUEN (BAILLIAGE).　TIERS.　Cahier des doléances, remontrances
et instructions de l'assemblée du tiers-etat du ressort de la
jurisdiction ordinaire du bailliage de Rouen.　(avril 1789).
Rouen:　Imp. de L. Oursel, 1789.　62pp.

6615.　ROUEN (COMMUNE).　ASSEMBLEE MUNICIPALE ET ELECTORALE.　Décret...
concernant le service & la discipline des tambours de la garde-
nationale.　Du 19 decembre 1789.　Rouen:　Imp. de P. Seyer &
Behourt, 1789.　7pp.

6616.　ROUEN (COMMUNE).　CONSEIL-GENERAL.　Adresse...a l'Assemblée
nationale [18 juillet 1791].　[Paris]:　Imp. Nat., [1791].
7pp.
　　　　Contains also:　Adresse de la garde nationale de Rouen
　　　　à l'Assemblée nationale; Adresse à l'Assemblée nationale
　　　　par les directoires du departement d'Eure & Loir, du
　　　　district de Chartres, & la municipalité de la même ville,
　　　　réunis; Réponse de M. le président [C. de Lameth]....
　　　　(Procès-verbal, 19 juillet 1791).
　　　　　114 signatures on original addresses not here repro-
　　　　duced.

6617.　-------- Adresse de citoyens de la commune de Rouen a la Convention nationale, sur l'appel au peuple.　[13 janvier 1793].
[Paris]:　Imp. Nat., [1793].　7pp.
　　　　Contents:　Extrait du procès-verbal de la Convention
　　　　nationale du 13 janvier 1793... (pp. 1-3); Adresse
　　　　(pp. 3-4); Aux français (signed Du Moulinet, le jeune
　　　　d'Alençon, and proclaiming the innocence of the king)
　　　　(pp. 4-5); Délibération du conseil général de la commune
　　　　de Rouen, en permanence du 12 janvier 1793...(pp. 5-6);
　　　　Proclamation du conseil général...du 12 janvier 1793...
　　　　(pp. 6-7).　The Adresse calls for immediate judgement of
　　　　Louis without appeal to people.

6618.　ROUEN (COMMUNE).　GARDE NATIONALE.　Délibération [de la vingt-
cinquième compagnie de la garde nationale de Rouen (28 janvier
1790)].　n.p., [1790].　8pp.
　　　　Consists principally of speech by "M. le Boucher des Fon-
　　　　taines, commissaire député de ladite compagnie," casti-
　　　　gating decree of 14 November of the Corps Municipal &
　　　　Electoral of Rouen which had denounced the National
　　　　Guard.

6619.　-------- Adresse des commissaires [nommés par la garde
nationale de Rouen]...a l'Assemblée nationale, séance du 8
octobre 1790.　[Paris]:　Imp. Nat., [1790].　4pp.
　　　　Contains also:　Réponse de M. le président [Emmery].
　　　　(p. 4).　Pledge of loyalty to king and constitution.
　　　　19 printed signatures.　(Pr. verbal no. 435).

　　　　-------- See also no. 6616.

6620.　ROUEN (COMMUNE).　OFFICIERS MUNICIPAUX.　Adresse de la municipalité de Rouen, a l'Assemblée nationale, séance du 5 octobre 1790.　Paris:　Baudouin, [1790].　10pp.
　　　　Printed signatures of 18 municipal officials.　Contains

ROUEN (COMMUNE). OFFICIERS MUNICIPAUX, continued.

also: Extrait des registres des délibérations du corps municipal de la commune de Rouen [2 octobre 1790]. (Procès-verbal no. 432.)

6621. -------- Procès-verbal d'installation des maire et adjoints de la ville de Rouen. [10 prairial an 8]. Rouen: Imp. de F. Baudry, [1800]. 24pp.

ROUEN (DISTRICT). DIRECTOIRE. See no. 6633.

6622. ROUEN. CLERGE. Récit de ce qui s'est passé en l'eglise cathédrale de Rouen le 28 décembre 1790. n.p.: Imp. de veuve Laurent Dumesnil, 1790. 15pp.
    Defective copy, pp. 7-12 lacking. Concerns the rather unwilling execution of decrees of the National Assembly requiring an inventory of church property.

6623. ROUEN. SECTIONS. SIXIEME SECTION. Délibération [du 25 février 1790]. n.p., [1790]. 7pp.
    Resolution opposing regulation of municipality which sought to disqualify from office active citizens "décretés d'ajournement personnel."

6624. -------- DOUZIEME SECTION. Délibérations [du 13, 15, 21, 22, 23 avril, 3 mai 1790]. n.p.: Imp. de Jacques Ferrand, 1790. 42pp.

6625. ROUSSILLON (PROVINCE). NOBLESSE. Réclamation des gentils-hommes du Roussillon, au roi. n.p., [1788?]. 11pp.

-------- See also no. 1046.

6626. SAINT-JEAN-DE-LOSNE (BAILLIAGE). Arrêté...du 5 juin 1788. n.p., [1788]. 3pp.

6627. SAINT-LO (VILLE). CLERGE. Adresse de plusieur membres du clergé de Saint-Lo, à l'Assemblée nationale, lue dans la séance du 13 juillet [1790]... Paris: Baudouin, 1790. 7pp.

6628. SAINT-OMER (COMMUNE). CONSEIL GENERAL. Extrait du registre aux délibérations...(le 23 avril 1790). Paris: Imp. nat., [1790]. 4pp.
    Arrangements for assuming expenses of church.

6629. SAINT-SULPICE (PAROISSE). CLERGE. Adresse des ecclésiastiques de la paroisse de Saint-Sulpice, qui ont signé le serment, a l'Assemblée nationale...(janvier 1791). [Paris]: Imp. Nat., [1791]. 3pp.
    Signed: Soulavie, envoyé des ecclésiastiques qui ont signé.

6630. SAVOY (PROVINCE). Procès-verbaux de l'Assemblée nationale des Allobroges. (octobre & novembre 1792). n.p., [1792]. 78pp.

SAVOY (PROVINCE), continued.

Accounts of 14 meetings of communes of Savoy (21-29 October 1792).

6631. SEINE (DEPARTEMENT). ELECTEURS. Tableau des electeurs de l'an V, nommés par les assemblées primaires des douze arrondissemens et les treize cantons ruraux du département de la Seine. n.p.: Imp. de R. Jacquin, [1797]. 26pp.

6632. SEINE-INFERIEURE (DEPARTEMENT). CITOYENS. Adresse à la Convention nationale...contre le décret du 4 janvier 1793 (v. st.), qui prive les personnes mariées du bénéfice des exceptions portées, par ceux des 15 mars 1790 et 8 avril 1791 (v.st.). Le décret du 12 brumaire, de l'an deuxieme...qui rend les enfans nés hors le mariage, habiles à recueillir toutes successions; et contre les décrets des 5 brumaire et 17 nivôse, qui donnent un effet retroactif aux successions échues depuis le 14 juillet 1789. Paris: Imp. de Vachot, [1795?]. 15pp.

6633. SEINE-INFERIEURE (DEPARTEMENT). DIRECTOIRE. Adresse à l'Assemblée nationale, par les administrateurs du directoire du département de la Seine-inférieure, le directoire du district de Rouen, le conseil-général de la commune & la chambre du commerce de la même ville; sur cette question: Convient-il, pour acquitter la dette exigible de l'état, de faire l'émission immédiate de deux milliards d'assignats-monnoie, ne portant point intérêt, & subdivises en coupons de sommes très-modiques? [3 septembre 1790]... Paris: Imp. Nat., 1790. 19pp.

6634. -------- Adresse au roi...le 17 décembre 1791. [Paris]: Imp. Nat., [1791]. 3pp.

6635. SEINE-INFERIEURE (DEPARTEMENT). ELECTEURS. Adresse...a l'Assemblée nationale...8 février 1791. [Paris]: Imp. Nat., [1791]. 6pp.

6636. SEINE-ET-OISE (DEPARTEMENT). ASSEMBLEE ADMINISTRATIVE. Adresse...a l'Assemblee nationale, dans la séance du 26 juin 1790; réponse de M. le President [Le Peletier]. [Paris]: Imp. Nat., [1790]. 4pp.

6637. SEINE-ET-OISE (DEPARTEMENT). DIRECTOIRE. Adresse a l'Assemblée nationale, prononcée à la séance...du 21 août [1790]... Paris: Baudouin, [1790]. 4pp.
Signed: Lecointre and Rouveau.

6638. SEMUR EN AUXOIS (BAILLIAGE). OFFICIERS. Protestations de MM. les officiers du bailliage de Semur. Du 10 juin 1788. n.p., [1788]. 3pp.

6639. SEMUR EN BRIONNOIS (BAILLIAGE). Protestations du bailliage de Semur en Brionnois [11 juin 1788]. n.p., [1788]. 2pp.

6640. SENS (BAILLIAGE). OFFICIERS. Discours des officiers du

bailliage de Sens, prononcé par M. Louis Clément-Bonnaventure Jodrillat, lieutenant-général...[3 sept. 1787]. n.p., [1787]. 31pp.
> Contains also: Discourses of other officers of the bailliages of Château-Thierry, Méry-sur-Seine, Palais à Paris, Langres and of Provins and the Amirauté de Paris from 3 Sept. 1788 to 11 Sept. 1788.

6641.   STRASBOURG (VILLE). GARDE NATIONALE. Extrait des délibérations du comité de la garde nationale strasbourgeoise. Du 7 fevrier 1790. n.p., [1790]. 22pp.
> Patriotic address.

6642.   TARBES (VILLE). CITOYENS. Adresse au roi de plusieurs habitans de Tarbes... n.p., [1788]. 16pp.
> Garrett, 247.

6643.   TOULOUSE (GENERALITE). BUREAU DES FINANCES & DOMAINES. Procès-verbal, de ce qui s'est passé...en la séance du 14 juin 1788. n.p., [1788]. 21pp.

6644.   TOULOUSE (DIOCESE). NOBLESSE. Arrêtés de l'assemblée de la noblesse du diocèse de Toulouse. Du 28 décembre 1788. n.p., [1788]. 8pp.
> 92 printed signatures.

6645.   TOULOUSE (GRAND BAILLIAGE). OFFICIERS. Arrêté...du 3 juin 1788. n.p., [1788]. 4pp.

6646.   -------- Arrêté...du 12 juillet 1788... n.p., [1788]. 2pp.
> Manuscript copy, signed Moissel.

6647.   TOULOUSE (VILLE). CAPITOULS. Très-humbles et très-respectueuses représentations que font au roi les capitouls, gouverneurs de la ville de Toulouse. n.p., n.d. [1788?]. 16pp.

6648.   TOULOUSE (VILLE). CITOYENS ACTIFS. Adresses...au roi et a l'Assemblée nationale. (12 avril 1790). n.p., [1790]. 24pp.

6649.   TOULOUSE (VILLE). CLERGE. Extrait des registres de l'église métropolitaine St.-Etienne de Toulouse, du mercredi 9 juillet 1788. n.p., [1788]. 14pp.
> Contains also: extracts dated 10 and 12 juillet.

6650.   -------- Supplications de messieurs les curés de Toulouse, a Mr. le comte de Perigord, commandant en chef en Languedoc. n.p., n.d. [1789?]. 4pp.
> Eight printed signatures; plea for assistance in caring for distressed and hungry people.

6651.   TOULOUSE (VILLE). COLLEGE ROYAL DE CHIRURGIE. Délibération... [du 13 janvier 1789]. n.p., [1789]. 5pp.
> Favors free choice of representatives of the three orders and equal representation in Estates General for Third Estate as in Dauphiné.

6652. TOULOUSE (VILLE). CONSEILLERS POLITIQUES. Protestations faites à MM. les capitouls. [19 juillet 1788]. n.p., [1788]. 8pp.
        Signed: Ledoux, huissier.

6653. -------- Seconde protestation a MM. les capitouls. [28 juillet 1788]. n.p., [1788]. 15pp.
        Signed: Ledoux, huissier.

6654. TOULOUSE (VILLE). NOBLESSE. Protestations que la noblesse de Toulouse a remises à M. le comte de Perigord, le 10 juillet 1788, et Lettre de M. le marquis de Gudanes, à M. le baron de Breteuil. n.p., [1788]. 12pp.
        132 printed signatures; against judicial reform edicts.

6655. TOULOUSE (VILLE). OFFICIERS DE LA MAITRISE DES PORTS, PONTS & PASSAGES. Extrait du procès-verbal...[17 juin 1788]. n.p., [1788]. 8pp.
        Contains also: Extrait des registres de la jurisdiction des gabelles de Toulouse (pp. 3-5); Requisitoire du procureur du roi de la maîtrise des ports, ponts, & passages, dans la séance du 26, tenue par M. de Cipiere, conseiller d'état [sic] & commissaire du roi, pour l'enregistrement de l'édit de suppression des tribunaux d'exception dans ladite jurisdiction (pp. 5-8).

6656. TOULOUSE (VILLE). OFFICIERS DE LA MAITRISE PARTICULIERE DES EAUX & FORETS. Arrêtés...du 30 juin 1788. n.p., [1788]. 28pp.

6657. TOURAINE (PROVINCE). Adresse a l'Assemblée nationale, pour venir au secours de l'etat. Paris: Baudouin, 1789. 8pp.

6658. UZES (DISTRICT). DIRECTOIRE. Récit des événemens arrivés à Uzès les 13 et 14 février 1791, et jours suivans jusqu'au 22. (23 février 1791). [Paris]: Imp. Nat., [1791]. 16pp.
        Report of Directory of district on disorders, caused largely by resistance to religious reforms; five printed signatures.

6659. VALENCE (MUNICIPALITE). Copie de la lettre écrite à M. le duc de Tonnerre par la municipalité de Valence. Valence, 1788. 3pp.
        Contains also: letter [signed Fieron, Ech.; Constantin Ech.] to the Echevins de Montelimar, transmitting above letter and reply of municipal officials of Montelimar.

6660. VANNES (VILLE). COMMUNAUTE. Extrait des registres de délibérations de la ville et communauté de Vannes, en Bretagne. Du vendredi, 3 octobre 1788. Nantes: Imp. d'Augustin-Jean Malassis, 1788. 15pp.

6661. VAR (DEPARTEMENT). [DIRECTOIRE]. Lettre extraordinaire, envoyée de Toulon à tous les gardes nationales du département du Var; pour envoyer trois cents hommes à Antibes, & trois cents hommes à Saint-Laurent, pour former un camp avec les troupes de ligne; & une compagnie d'artillerie pour le 5 xbre, pour repousser les aristocrates de Nice, qui veulent s'emparer de la ville d'Antibes. Marseille: P. A. Favet, [1791]. 7pp.

> 37 printed signatures. Contains also: "Nouvelles des divers départemens", stating that people are armed to fight counter-revolution, the false rumor of which is spread by aristocrats. (pp. 6-7).

6662. VILLEFRANCHE (BAILLIAGE). OFFICIERS. Lettre des officiers du bailliage de Villefranche en Beaujolois, a monseigneur le garde des sceaux. n.p., 1788. 7pp.

> Quotes a letter of Lamoignon written in 1771 to support parlements in the conflict over judicial reform.

6663. VILLE-FRANCHE (SENECHAUSSEE). OFFICIERS. Lettre des officiers de la sénéchaussée de Ville-Franche, en Beaujolois, à M. le garde des sceaux. n.p., [1788]. 3pp.

6664. VILLIERS (COMMUNE). CITOYENS. Délibération de la commune de Villiers, relative au sieur abbé Gailleton. [Paris]: Boulard, [1791?]. 17pp.

> Concerns dispute over unhappy occupant of position as parish curé.

6665. VIVARAIS (PROVINCE). Manifeste et protestation de cinquante mille français fidèles, armés dans le Vivarais, pour la cause de la religion et de la monarchie, contre les usurpations de l'assemblée se disant nationale. (au Camp de Jalés, Octobre 1790). n.p., [1790]. 30pp.

6666. YONNE (DEPARTEMENT). Adresse...a l'Assemblée nationale, dans la séance du 26 juin 1790; réponse de M. le Président [Le Peletier]. [Paris]: Imp. Nat., [1790]. 4pp.

6667. YONNE (DEPARTEMENT). ADMINISTRATEURS DU CONSEIL GENERAL. Addresse...a l'Assemblée nationale, présentée le 20 décembre 1791...; réponse de M. François, vice-president de l'assemblée nationale. Paris: Imp. Nat., [1791]. 7pp.

> Signed L. M. Lepeletier, président, Bonneville, secrétaire-adjoint.

SECTION I

ANONYMOUS

      The pamphlets listed below were acquired subsequent to those purchased in one large lot from Martinus Nijhoff. Classification is the same as that used for the main checklist. Since these pamphlets are for the most part bound together in eleven volumes, the number of the volume which contains the pamphlet is indicated.

6668. A. M. Bergasse, sur les assignats et les biens du clergé.
n.p.: Imp. du Postillon, [1790]. 8pp.
     In special collection bound in 11 volumes, under title,
Brochures sur la Révolution française, vol. XXVI; here-
after only volume number will be indicated.

6669. A M. Necker. Opinion sur son opinion. n.p., [1789]. 11pp.
     Rather emotional tirade against Necker who is accused of
protecting the nobility.
Vol. IV.

6670. A monseigneur comte d'Artois. n.p., [1789]. 16pp.
     Signed Lau^{xx} de Lav^{xx}, A.C.D. et D.R. Invitation to join
the democratic movement.
Vol. IV.

6671. A toi-même, Laclos. n.p., n.d. 4pp.
     Denunciation of the Duke of Orléans and Laclos. Date can-
not be established.
Vol. III.

6672. Au peuple de Chalons. Châlons: Imp. de la Vérité, [1791].
8pp.
     Appeal for calmness and moderation.
Vol. III.

6673. Aux ames chretiennes. Sexte, none, vêpres, et complies, pour
tout les jours de la semaine. A l'usage du peuple. n.p.,
[1789?]. 8pp.
     Pro-king but anti-noble.
Vol. III; listed in Garrett, 255.

6674. Abrégé de la procédure criminelle instruite au chatelet de
Paris, sur la dénonciation des faits arrivés à Versailles dans
la journée du 6 Octobre 1789. Paris: Imp. de Gueffier, 1790.
78pp.
     Vol. IV.

6675. Abus (L') des mots. Liberté, propriété, patriotisme, aris-
tocratie, regénération, constitution, gloire de la nation.
n.p., [1791]. 14pp.
     Different edition of no. 36.
Vol. III.

6676. Adieux (Les) de l'année 1789, aux françois. n.p., [1789?].
23pp.
    Voice of disappointment over the reforms and the chaos.
    Vol. IV.

6677. Adresse a messieurs les députés de toutes les provinces du
royaume, réunis pour le pacte fédérative, contenant les principes religieux et politiques de tous bons françois. [Paris],
1790. 29pp.
    Pro-revolutionary but not against the king.
    Vol. I.

6678. Adresse aux Bretons. n.p., [1791]. 16pp.
    Anti revolutionary pamphlet.
    Vol. I.

6679. Adresse des Belges, à la nation française ou notions succintes
sur leur constitutions, les causes et le but de leur révolution. Paris: Imp. de Champigny, [1790]. 36pp.
    Request for aid from the French; appears to be work of
    individual anonymous author, not a corporate publication.
    Vol. IV.

6680. Adresse des bons français au roi. (15 août, 1791). Bruxelles,
1791. 16pp.
    Vol. I.

6681. Ami (L') de la révolution ou les philippiques, dédiées aux
représentans de la nation, aux gardes nationales et à tous les
français. [Paris]: Imp. de Renaudiere, [1791?]. 16pp.
    Single issue of journal; see M & W, V, 40.
    Vol. I.

6682. Ami (L') de la révolution première philippique, aux représentans de la nation, aux gardes nationales et à tous les français.
No. 15. n.p., [1790]. 16pp.
    Does not appear to be another issue of no. 6681.
    Vol. I.

6683. Ami (L') des enfans. Motion en faveur du divorce. [Paris?]:
Imp. de Devaux, [1790]. 8pp.
    Vol. I.

6684. Ane (L') de Balaam, ou le journal de la ville de Peter. No. I.
Paris: Imp. de la société littéraire, [1790]. 8pp.
    See M & W, V, 65.
    Vol. I.

6685. Apocalypse (L'). No. XVI, [July 1791]. 16pp. No. XXI, [Aug.-
Sept. 1791]. 16pp. [Paris], [1791].
    No. XVI has as sub-title: Grand détails de la fameuse
    confédération qui doit avoir lieu au champ de mars, le
    14 juillet prochain, & à laquelle M. le duc d'Orléans,
    l'abbé Maury, M. Barnave & le coupe-tête assisteront.
    Suivis du grand dîner des soldats-citoyens dont sera
    chargé le pouvoir exécutif en sa qualité de restaureur
    de la liberté; & de la joûte qui aura lieu en l'honneur

de mademoiselle la constitution.
See M & W, V, 100.
Vol. II.

6686. Apocalypse (L') monacle ou les moines, tels qu'ils ont été,
et tels qu'ils ne peuvent plus être. [Paris]: Imp. de
Grangé. No's. I-II, [août - sept. 1789]. 8pp.
    See M & W, V, 100^a; Hatin, p. 110.
    Vol. II.

6687. Appel de l'acte de dégradation, extorqué de Louis XVI, au roi
de France, digne héritier des droits inaliénables de sa couronne.
n.p., (sept.) 1791. 17pp.
    Vol. II.

6688. Arestation [sic] nocturne de plusieurs membres du club des
cordeliers par la cavalerie et infanterie nationale parisienne,
et leur emprisonnement, comme moteurs de l'assemblée inconsti-
tutionelle faite au champ de mars le 17 juillet 1791. [Paris]:
Imp. de la liberté, [1791]. 8pp.
    Vol. III.

6689. Arlequin réformateur dans la cuisine des Moines, ou plan pour
réprimer la gloutonnerie monacale, au profit de la nation
epuisée par les brigandages de harpies financieres. n.p.,
1789. 23pp.
    Vol. II.

6690. Arrêt définitif du peuple souverain du 20 septembre 1791. n.p.,
[1791]. 4pp.
    On France's financial situation; signed: Monseigneur D.
    Vol. XVII.

6691. Arrêté de l'assemblée nationale a deux heurs du matin.--Lettre
sur la disette du pain à Paris, du 10 novembre 1789. n.p.,
[1789]. 16pp.
    Against the national assembly, royalist pamphlet.
    Vol. III.

6692. Arrêté de la chambre nationale sur M. Necker, l'éloignement des
troupes et l'établissement d'une garde bourgeoise, du juillet
1789. [Paris, 1789]. 4pp.
    Reprints, with comment, letter of the King to the deputa-
    tion of July 13 and response of the National Assembly.
    Vol. III.

6693. Ascension (L') de Louis XVI, roi des juifs et des français.
n.p., 1790. 24pp.
    Louis XVI upon arrival in heaven is exempted from punish-
    ment since his life on earth, made miserable by his people,
    constituted purgatory.
    Vol. III.

6694. Avis a M. le comte d'Antraigues, député aux états-généraux pour
la noblesse, dans la sénéchaussée de Villeneuve-de-Bergen
Vivarais ...., par un baron en titre de baronnie, de la
provence de Languedoc. n.p., [1789]. 16pp.

Criticism of Antraiges' policy in the Estates General.
Vol. XXVI.

6695. Avis a propos donné aux languedociens, par un gentilhomme.
n.p., [1788]. 16pp.
    Different edition of no. 115.
    Vol. III.

6696. Avis aux bons patriotes sur le retour certain de monsieur le
duc d'Orléans par une société de patriotes de la garde nationale, amis de la justice et de la tranquillité publique. n.p.,
[1790]. 4pp.
    In favor of the duke; a reminder of his pro-revolutionary
    activities.
    Vol. III.

6697. Avis aux pauvres sur la révolution, présente et sur les biens
du clergé. n.p., [1790]. 18pp.
    Author points out the relationship between the church and
    the poor. The latter, therefore, should resist the sale
    of church land.
    Vol. III.

6698. Avis intéressant au peuple, sur l'abus des mots "aristocrate"
et "democrate" qu'on propose de changer. n.p., [1790?]. 7pp.
    Vol. III.

6699. Bases et esprit du prochain manifeste des puissances. n.p.,
1791. 22pp.
    Vol. V.

6700. Bilan ou état des biens et revenue de toute nature, dont
jouit M. d'Orléans & des dettes & charges de toute espece dont
ils sont grevés, tant celles personnelles à M. d'Orléans, que
celles provenant de la succession de feu M. d'Orléans, son
pere. n.p., n.d. 31pp.
    Bound with: Observations sur la propriété actuelle du
    palais royal (pp. 15-25) and Réflexions sur la clause
    de la donation du palais cardinal, depuis palais royal,
    portant que ce palais ne pourra être habité que par le
    roi ou l'héretier présomptif de la couronne (pp. 26-31).
    Date cannot be established.
    Vol. V.

6701. Bouillie (La) pour les chats. [Paris]: Imp. de la petite
Rosalie, 1790. 8pp.
    Royalist pamphlet. See Tourneux III, 20454.
    Vol. V.

6702. Confédérés (Les) vérolés et plaintes de leurs femmes aux pu-
tains de Paris; réponse de mademoiselle Sophie, présidente des
bordels; liste des bourgeoises qui ont gâté les députés provinciaux. Paris, n.d. 32pp.

6703. Conspiration echouée; réflections sur les avantages de la
milice parisienne, ou garde bourgeoise; Le mérite reconnu
et honoré. Paris: Imp. de Nyon, 1789. 8pp.

Signed: Mag^{xxx}.
Vol. III.

6704. Constitution (La) renouvellée des Grecs. n.p., [1792].
26pp.
 Comparison between the Greek and French constitution;
 pro-revolutionary.
 Vol. V.

6705. De par la mere Duchesne. Anathêmes très-énergiques contre
les jureurs ou Dialogue sur le serment et la nouvelle constitution du clergé entre M. Bridoye, franc parisien, soldat
patriote; M. Recto, marchand de livres, ou tout simplement
bouquiniste; M. Tournemine, chantre de paroisse; et la mère
Duchesne, négociante à Paris, autrement dit, marchande de
vieux chapeaux. n.p., [1791?]. 31pp.
 Vol. I.

6706. Derniere relation de ce qui vient de se passer à Rennes; ou
apologie des sentimens & de la conduite des gens du tiers-état
de la ville de Rennes. n.p., [1790]. 36pp.
 Vol. III.

6707. Echappé (L') du palais, ou le général Jaquot perdu. n.p.,
n.d. 16pp.
 Date cannot be established.
 Vol. XVI.

6708. Effets (Des) du transport des bureaux des traites aux frontières
extrêmes et autres vues politiques. n.p., (déc.) 1790. 34pp.
 Vol. XVI.

6709. Enterrement des feuilles volantes. De profundis, des petits
auteurs. Agonie des colporteurs. [Paris]: Imp. de Lormel,
[1789]. 8pp.
 Vol. XVI.

6710. Entretiens (Les) des Bourbons ou dialogues entre Louis XIV,
Henri IV, & Louis XVI, à Saint-Cloud. Septieme dialogue.
n.p., [1792?]. 8pp.
 Complaint of Louis XVI over the restrictions on hunting
 imposed by the National Assembly.
 Vol. XVI.

6711. Epitaphes des sieurs Foulon et Berthier, affiché & publiée au
palais-royal ou oraison funebre, suivie du récit historique de
leur mort, par M. l'abbé A.L.L. n.p., [1789]. 4pp.
 Vol. XVI.

6712. Erreurs (Les) du peuple par rapport au clergé. Par un parisien
plus patriote que ceux qui en usurpent le nom. Paris: Imp.
Crapart, 1791. 68pp.
 A pro-church view on the second oath.
 Vol. XVII.

6713. Etats (Les) généraux d'Esope. Traduction des manuscrits de
l'assemblée générale des bêtes, tenue dans l'empire d'Esope.

n.p., 1789. 24pp.
   Vol. XVII.

6714. Etrennes a la vérité ou Almanach des aristocrates orné de
deux gravures en taille-douce et allégoriques. n.p., [1790].
77pp.
   Strongly anti-aristocratic.
   Vol. XVII.

6715. Etrennes patriotiques ou recapitulation exacte et impartiale
des bienfaits de l'assemblee nationale, dédiée a tous les
citoyens...par une société vraiment patriotique. n.p., l'an
III de la libertomanie, [1792?]. 5pp.
   Satire.
   Vol. XVII.

6716. Evangile du jour. n.p., [1791?]. 4pp.
   Against the decree of the National Assembly on slavery.
   Vol. XVII.

6717. Evénemens terribles arrivés a Avignon, où le peuple a chassé
les aristocrates, brulé les armes du Pape, et élevé, sur les
portes de la ville, celles de France. [Paris]: Imp. Girard,
[1789]. 8pp.
   Vol. XVII.

6718. Expédition de Provine et aventure d'un gentilhomme enfermé dans
une cave. n.p.: Imp. de Cellot, 1789. 8pp.
   Vol. XVII.

6719. Gazette (La) des halles, dialogue, mélé de chansons, pour ceux
qui les aiment. [Paris]: Imp. Nyon. No. I, 1789. 11pp.
   Epigr. Du brave la Fayette on connoît la valeur, En
   suivant ses drapeau, on suit ceux d'un vainqueur.
   Probably the item listed in M & W, V, 497.
   Vol. XIX.

6720. Gloria (Le) in excelsis du peuple, auquel on a joint l'epitre
& l'evangile du jour, avec la reflexion et la collecte; aug-
menté d'une lettre à l'auteur du projet de souscription pour
ériger un monument à Louis XVI. n.p., 1789. 8pp.
   See no. 466, differences in content.
   Vol. XIX.

6721. Grand (Le) bilan du trésor national pour l'anné 1791. Extrait
du dernier compte de M. Dufresne, directeur général; ou le
charlatanisme des membres du comité des finances, de l'assemblée nationale, dévoilé. n.p., 1791. 19pp.
   M & W, IV², 7124.
   Vol. XIX.

6722. Grand combat des démagogues avec la vérité. [Paris]: Imp.
de Colombe, [1790]. 16pp.
   Especially directed against the Jacobins.
   Vol. XIX.

6723. Grand detail de ce qui se passer ce soir aux funérailles de

M. Mirabeau, & véritable ordre de la marche, d'apres le décret
de l'assemblée nationale. Aujourd'hui lundi 4 avril, à 4
heures du soir. [Paris?]: Imp. Tremblay, [1791]. 4pp.
    Vol. XIX.

6724. Grand plaidoyer, au tribunal de police, pour les vainqueurs de
       la Bastille contre les mouchards, avec les pieces justifica-
       tives. Audience du 19 janvier. n.p., 1791. 48pp.
           Vol. XIX.

6725. Grand (Le) specifique ou l'ordonnance de M.M. Guillotin et
       Salle, docteurs en médecine. Sur la maladie et le traitement
       de très-haut et très puissant seigneur, monseigneur le haut-
       clergé de l'église gallicane. (13 avril 1790). n.p., [1790].
       22pp.
           Vol. XIX.

6726. Grand voyage national de M. Necker de Paris en Suisse. n.p.,
       1790. 51pp.
           Apocryphal letter, addressed to Mme. de Staël.
           Vol. XIX.

6727. Grande colere de la mere Duchesne et 11e dialogue. n.p.,
       [1792?]. 32pp.
           Anti-royalist.
           Vol. XIX.

6728. Héroisme (L') nationale: Oraison funebre prononcée le mercredi
       12 août, 1789, dans l'église des P.P. de Nazareth, après le
       service solemnel consacré à la mémoire des citoyens morts
       glorieusement à la prise de la Bastille. Paris: Imp. de Char-
       don, 1789. 18pp.
           Vol. III.

6729. Histoire secrette des plus célébres prisonniers de la Bas-
       tille, et particuliérement du comte de Paradès, chargé par le
       gouvernement d'un expédition secrette sur Plimouth, &c. de
       monsieur Linguet, &c. &c....... Paris, (avril) 1790. 124pp.

6730. Huitieme lettre d'un commerçant à un cultivateur, sur les mu-
       nicipalités. (mars 1790). n.p., [1790]. 6pp.
           Complaint about the chaos in France.
           Vol. XXV.

6731. Inventaire des papiers de Me. Target, trouvés chez lui après
       décès. n.p., [1790]. 42pp.
           M & W, IV2, 7865; probably by the vicomte de Mirabeau,
           see nos. 3977-3979, 3993, 6819 and 6820.
           Vol. V.

6732. Jacobins (Les) partant en masse pour la Vendée, fait incroyable.
       [Paris]: Imp. de Guefroy, [1790]. 6pp.
           Epigr: La providence se sert quelquefois de...pour
           anéantir des scélerats.
           Vol. XXIV.

6733. Je m'en fouts, ou pensées de Jean Bart sur les affaires d'état.

[Paris]:   Imp. de Jean Bart.   Nos. II - III, V - X, XIII, LI.
[1790].
    L. M. Henriquez ed?   See Tourneux II, 11641.   See also
M & W, V, 556^c; Hatin, p. 198.
Vol. XXIV.

6734. Je ne m'en fouts, ni ne m'en contre, je me rends à la raison.
[Une societé des nobles et des prêtres "F. M. rédacteurs",
ed.].   Paris: Imp. des Augustins.   [No. 1], L'aristocrate
converti par Jean Bart.   n.d.   8pp.
    See M & W, V, 559.
Vol. XXIV.

6735. Joie (La) des français.   L'arrivée de M. Necker.   n.p.:   Imp.
de Crangé, [1789].   3pp.
Vol. XXIV.

6736. Légende (La) dorée ou les actes des martyrs, pour servir de
pendant aux actes des apôtres.   Paris: Imp. patriote françois,
[1791].   48pp.
    M & W, V, 877; Hatin, p. 213.
Vol. XXVI.

6737. Lettre a l'auteur des "Observations sur le commerce des grains".
Amsterdam, 1775.   32pp.
Vol. XXVI.

6738. Lettre a messieurs Barnave et Cazalès et a messieurs De. St.
Simon, Alex. de Lameth et De Broglio, sur leur duel du 10 aout
1790.   Paris: Imp. d'un royaliste, [1790].   22pp.
    The author considers the duel to be a crime, a violation
of the social contract.   It may deprive society of use-
ful citizens.
Vol. XXVI.

6739. Lettre a monsieur L. Grégoire, et réponse à la légitimité du
serment civique.   n.p., [1791].   38pp.
    Against the civil constitution of the clergy accusing
Grégoire of having as his goal the destruction of catholicism in France and the establishment of a civil religion.
Vol. XXV.

6740. Lettre curieuse sur la rencontre et les aveux d'un brigand
nommé Camaro, ecrite par un homme véridique à un académicien
distinqué (6 août 1790) et précédée par quelques réflexions
de M. Cérutti.   Paris, [1790].   12pp.
Vol. XXV.

6741. Lettre d'un curé de Picardie a un évêque, sur le droit des
curés d'assister aux assemblées du clergé & aux états-généraux, & sur quelques objets intéressans qui y sont relatifs.
n.p., 1789.   34pp.
Vol. XXV.

6742. Lettre de l'armée au roi.   n.p., [1790].   18pp.
    Against the national guard, the assembly and the commune

at Paris.
Vol. XXVI.

6743. Lettre intéressante de M. de La Fayette, suivie de la sep-
        tième et huitième lettres d'un commerçant à un cultivateur,
        sur les municipalités. n.p., [1789?]. 6pp.
            Attack on Lafayette, called here "le Géolier du roi."
            See nos. 6730 and 6750 for last two items.
            Vol. XXV.

6744. Liste générale et très-exacte des noms, âges, qualités et
        demeures de tous les conspirateurs qui ont été condamnés à
        mort par le tribunal revolutionnaire établi à Paris par la
        loi du 17 août 1792, et par le second tribunal établi à
        Paris par la loi du 10 mars 1793..... nos. I, II, IV-IX et
        supplement au no. IX. Paris, l'an deuxième et troisième de
        la république française (1794?-1795?).
            Not official publication.

6745. 1789. Aux enfers. Fait politique en un acte. n.p., [1789].
        22pp.
            Satire on the revolution.
            Vol. XVI.

6746. Nouvelle (La) constellation ou l'apothéose de Me Target, pere
        et mere de la constitution des ci-devant françois, conçue
        aux menus, présentée au jeu de paume et née au manége. n.p.:
        Imp. d'un royaliste, [1790]. 8pp.
            M & W, IV^2, 10801. Probably by vicomte de Mirabeau.
            See nos. 3977-3979, 3993, 6819 and 6820.
            Vol. V.

6747. Priere a l'assemblée nationale, pour les entrepreneurs de
        bâtimes, ouvriers et fournisseurs des bâtimes du roi et de la
        reine. [Paris]: Imp. Nyon, [1790]. 4pp.
            Request for financial aid.
            Vol. IV.

6748. Relation de ce qui s'est passé a Rennes en Bretagne, lors de
        la nouvelle du renvoi de M. Necker. [Paris, 1789]. 7pp.
            Different edition of 1110.
            Vol. III.

6749. Relevailles, rechûte et nouvelle conception de M^e. Target, pere
        et mere de la constitution des ci-devant françois, conçue aux
        menus, présentée au jeu de paume et née au manége. n.p., [1790?].
        14pp.
            M & W, IV^2, 15646; probably by the vicomte de Mirabeau,
            see nos. 3977-3979, 6819 and 6820.
            Vol. V.

6750. Septieme lettre d'un commerçant à un cultivateur sur les muni-
        cipalités. (février 1790). n.p., [1790]. 10pp.
            Complaint about the violence and anarchy in France.
            Vol. XXV.

6751. ADRIEN, M. S. Qu'est-ce qu'un roi? ou nouveau catéchisme des français. [n.p.]: Imp. des amis de la constitution. [1792?]. 8pp.
>   Different edition of 1377.
>   Vol. XVII.

6752. ANDRIEUX, Pierre-Marie. Essai sur la liquidation de la dette de la France et moyen de ranimer promptement la circulation. [Paris?]: Aux Deux-Ponts, chez Sanson & compagnie, 1790. 25pp. et 2 tables.
>   Vol. XVI.

6753. ATTERBURY. Eloge funèbre du duc d'Enghien assassiné par Bonaparte. Traduit de l'anglais. Paris, 1814. 16pp.
>   Vol. XVI.

6754. AUMONT, Alexandre d' et DURFORT, Amédée de. Lettre...a monsieur de La Fayette, sur l'ordre général écrit, donné par lui le 1er mars à la garde parisienne. n.p., [1791]. 13pp.
>   Vol. XXV.

6755. AURIOL DE LAURAGUEL, abbé d'. Mes adieux au collège de Louis le grand, épitre. Paris, 1788. 22pp.
>   Vol. IV.

6756. BAUMIER. Lettre a messieurs du conseil général de la ville de Nismes en Languedoc. (25 nov. 1788). n.p., [1788]. pp. 27-46.
>   Incomplete.
>   Vol. XXV.

6757. BEAULIEU, C. F. (ed.). Suite des nouvelles de Versailles. 7 et 9 juillet, 1789. Paris: Imp. de Seguy-Thiboust, [1789]. 8pp.
>   The July 7 issue has as main title: Affaire meurtrière des hussards, à Versailles. The July 9 issue has as main title: Triomphe de M. Necker à l'Assemblée nationale.
>   Vol. I and XXIV.

6758. BERGASSE, [Nicolas]. Lettre...à ses commettans, au sujet de sa protestation contre les assignats-monnoie, accompagnée d'un tableau comparatif du système de Law avec le système de la caisse d'escompte & des assignats-monnoie et suivie de quelques réflexions sur un article du Patriote François rédigée par M. Brissot de Warville. (Paris, 1 mai 1790). n.p., [1790]. 56pp.
>   The "réflexions" on the Brissot de Warville article not here; slightly different edition of no. 1709.
>   Vol. XXVI.

6759. BIEVRE, [François-Georges, maréchal, marquis de]. Les Lameth ...par feu maréchal, ci-devant marquis de Bièvre. n.p., n.d., 4pp.
>   Vol. XXVI.

6760. BLONDEL. Gare la bombe! Le roi acceptera-t-il la constitu-
tion? Vues exagérées de plusieurs partis opposés. n.p.: Imp.
Girouard, [1791]. 16pp.
  Vol. XIX.

6761. [BOISGELIN, Cucé Jean de Dieu Raymond de, cardinal, ed.]. Exposition des principes sur la constitution du clergé, par les
évêques, députés à l'assemblée nationale. n.p., 1791. 95pp.
and 31pp.
    Different edition of 1823.
    Vol. XVII.

6762. [BOISSEL, François]. Le catechisme du genre humain, que, sous
les auspices de la nature & de son véritable auteur, qui me
l'ont dicté, je mets sous les yeux & la protection de la nation françoise & de l'Europe éclairée, pour l'établissement
essentiel & indispensable du véritable ordre moral, & de l'éducation sociale des hommes, dans la connoissance, la pratique,
l'amour & l'habitude des principes & des moyens de se rendre
de se conserver heureux les uns par les autres. n.p., 1789.
206pp.
    Bound with: Extrait des minutes secretes du Vatican,
    intitulé l'Apothéose des maniaques, ou l'Univers mistifié,
    apologue, dénoncé aux Etats-Généraux de France, & à toute
    l'Europe. n.p., [1789]. 8pp.
    In verse. Barbier, I, 531^f-532^a.

6763. BONNAY, F. de (ed.). Journal en Vaudevilles. nos. VI-XII.
[Paris, 1790].
    Vol. XXIV.

6764. BOUCHE, Charles-François. A bonne interpellation, mauvais
réponse de Stannislas Clermont-Tonnerre...(10 mai, 1790).
[Paris: Imp. Nationale, 1791]. 22pp.
    Debate between Clermont-Tonnerre and Bouche over the
    Comté Venaissin and the city of Avignon. Pamphlet not
    complete, pages missing after page 22.
    Vol. IV.

6765. CALONNE, [Charles-Alexander de]. Compte rendu aux nations ou
requête au roi...Londres, 1788. 124pp and 69pp.
    With Eclaircissemens et pièces justificatives.

6766. -------- Esquisse de l'etat de la France. [Paris], 1791.
86pp.
    Vol. XVI.

6767. CARCAN, A, veuve Brachoud. (Pseud.?). La blanchisseuse de
mousseaux, ou les Amours de M. Coco, piece grivoise, en un
acte mêlée de chants; dédiée à MM. Bengala, Jordan-coupe-tête,
Saint-Huruges, Gorsas, Desmoulins, Marat, Audoin, Garat, Mar-
tel, Prud'homme, Carra, Perlet, Roederer, Sillery, d'Autun,
Syeys, d'Ormesson, Laclos, Menou, d'Aiguillon, Dubois de
Crance & Barnave, tous ci-devant compagnons & amis de ci-
devant très-haut, très-puissant, très-excellent, très-illustre
prince S.A.S. Monseigneur le duc d'Orléans, actuellement
Philippe-Capet, gentilhomme malgré lui. Paris, 1791. 43pp.

6768. CERUTTI, [Joseph-Antoine-Joachim...]. Lettre...a M.M. les
rédacteurs du Moniteur universel, au sujet de quatre scenes
scandaleuses, arrivés au palais royal (Paris, 1er août 1790).
Suivie d'un lettre a M. Cérutti, renfermant vingt-un griefs
contre M. Necker. (2 août 1790). Paris, 1790. 26pp.
Vol. XXV.

6769. -------- Lettre...à messieurs du comité des finances de l'assemblée nationale et communiquée par extrait à ladite assemblée,
servant de suite à ses idées simples et précises sur le papier-
monnoye et les assignats forcés. n.p., [1790]. 16pp.
Vol. XXV.

6770. CORANCEZ, O. de, GARAT, D. J. et ROEDERER, P. L. (eds.).
Journal de Paris. Supplement au no. 266 (23 sept. 1789).
pp. 1207-1214. [Paris, 1789].
Contents: Lettre de M. Necker, premier ministre des
finances, à M. le président de l'Assemblée nationale.
(Versailles, 11 septembre 1789). (p. 1207). Rapport
fait au roi dans son conseil, par le premier ministre
des finances. (pp. 1207-1212). District de Sainte-
Opportune. Extrait des déliberations de l'assemblée du
District de Ste. Opportune. Du 7 septembre 1789. (pp.
1212-1214).
See M & W, V, 682; Hatin, p. 76.
Vol. XIX.

6771. [COSTE D'ARNOBAT, Pierre]. Anecdotes curieuses et peu connues
sur différens personnages qui ont joué un rôle dans la révolution. Genève, 1793. 104pp.
Barbier, I, 179c; anti-Jacobin pamphlet.
Vol. II.

6772. DESMOTTES. (Aide-de-camp de La Fayette). Journée du 28
février 1791. n.p., [1791]. 8pp.
Vol. XXIV.

6773. DILLON, Arthur, abbé. Lettre à M. Cérutti, sur son dernier
ouvrage relatif aux assignats. n.p., [1790?]. pp. 3-16.
Title-page missing.
Vol. XXV.

6774. -------- Lettre a M. de Cazalès, ou compte rendu de l'état
des finances des titulaires ecclésiastiques, sous le régime
de la liberté française. n.p., 1791 (seconde édition). 28pp.
Vol. XXV.

6775. -------- Lettre...a monsieur de Lessart, ministre. Portant
dénonciation au conseil du roi, des abus introduits dans l'administration du département de Paris (8 octobre, 1791). Paris,
1791. 24pp.
Vol. XXV.

6776. -------- Me voici, monsieur, ou observations addressées a M.
de La Harpe, sur les articles qu'il a fait insérer dans la
partie ci-devant littéraire du "Mercure", nos. 15, 17, 18.
Paris, 1791. 37pp.
Vol. XXV.

6777. DUBAN, Alexandre. Lettre d'un grenadier du bataillon des petits-pères, à M. Chabot, député, sur la dénonciation qu'il a faite à l'assemblée nationale, le 28 juillet dernier, contre la garde nationale. n.p., [1792]. 7pp.
Vol. XXV.

6778. DUPERON, Anisson. Lettre du directeur de l'imprimerie royale, à MM. du comité des finances de l'assemblée nationale, sur l'impression des assignats nouvellement décrétés (21 octobre, 1790). n.p., [1790]. 7pp.
Bound with: Copie de la lettre de M. de Montesquiou à M. Anisson Duperon en réponse à celle ou celui-ci lui annonçoit qu'il venoit de découvrir un moyen de se passer de l'impression en tailledouce, en soumettant la planche gravée à la presse en lettres. (p. 7).
Vol. XXV.

6779. DU TERTRE DE VETEUIL, [Abraham-Isaac]. Adresse d'un citoyen du Faubourg S. Marcel a ses concitoyens de tous les districts. n.p., n.d. 47pp.
Plea for unity and preservation of the constitution.
Vol. I.

6780. ELLEON. Avertissement de monseigneur l'évêque de Toulon aux fidèles de son diocèse... (12 oct. 1790). n.p., [1790]. 16pp.
Vol. III.

6781. FABRE D'EGLANTINE, [Philippe-François-Nazaire...]. Portrait de Marat. Paris, 1794. 24pp.

6782. -------- Réponse du Pape a F.G.J.S. Andrieux. Epitre publiée par P.F.N. Fabre-d'Eglantine. Paris, [1791]. 16pp.
In verse.
Vol. XVI.

6783. [FERRAND, Antoine-François-Claude...]. Etat actuel de la France. Paris, (janvier) 1790. 60pp.
Slightly different edition of no. 2860.
Vol. XVII.

6784. FEYDEL (ed.). Observateur (L'). no. III. [Paris], 4pp.
M & W, V, 957; Hatin, p. 141.
Vol. III.

6785. GAMON, François-[Joseph]. Projet de décret...dans l'affaire de Louis Capet... [Paris]: Imp. Nat., [1793?]. 3pp.
Bound with no. 6846; full text of no. 2943.

6786. GAS, [Jeanne-Louise-Bertrand Vve]. Adresse a l'assemblée nationale, présentée par la veuve du sieur Jean Gas, de Nismes, & ses six enfants, contenant une relation exacte du pillage de la maison du sieur Gas, de son affreux assassinat, & des exces commis envers sa famille. n.p., 1790. 23pp.
Different edition of no. 2961.
Vol. I.

6787. GLASSON-BRISSE. A la maison d'arrêt, dite du refuge, Nancy, le 4 nivôse, l'an 2ᵉ de la république. Le maire de Nancy, indignement opprimé et injustement incarcéré, aux représentants du peuple français, à la convention nationale. n.p., [1793]. 51pp.
    Vol. XVII.

6788. [GOUDAR, Ange]. Analyse du testament politique de Madrin. n.p., 1789. 62pp.
    Sub-title: Ouvrage dans lequel cet homme extraordinaire a prédit et prouvé que le systême de la ferme-général finiroit par approuvrir et ruiner l'état et le souverain. Signed: J.E.B.D., avocat.
    Brunet, 7ᵈ.
    Vol. II.

6789. [GOUGES, Marie, dite Olympe]. Avis pressant, ou réponse a mes calomniateurs. n.p., [1789]. 8pp.
    Barbier I, 369ᶠ.
    Vol. III.

6790. [GOUPIL, P.-E.-A.]. Essais historiques sur la vie de Marie-Antoinette d'Autriche. Londres, 1789. 79pp.
    Slightly different from no. 3085.
    Vol. XVI.

6791. GREGOIRE, [Henri-Baptiste]. Adresse aux députés de la seconde législature. [Paris]: Imp. du Patriote françois, [1791]. 31pp.
    Pre-revolutionary plea for unity.
    Vol. I.

6792. GRENUS, [Jacques]. Appel a la nation ou mémoire pour les soi-disant sujets de la république de Genève. n.p.: Imp. de St. Claude, 1791. 94pp.
    Grenus was "avocat, ancien maire de Sacconex membre du grand conseil de Genève & de la Société des Amis de la constitution de Paris".
    Vol. II.

6793. GROS-JEAN, [pseud?.]. Lettre a son curé publiée par H... D.B.C.D.M.D.P. Philadelphie, 1789. 31pp.
    Vol. XXV.

6794. [GROUVELLE, Philippe-Antoine]. Adresse des habitans du ci-devant bailliage de.. a M. de ˣˣˣ, leur député à l'assemblée nationale; sur son duel et sur le préjugé du point d'honneur; publiée et mise au jour par M.G.... Paris: Imp. Moutard, 1790. 60pp.
    Barbier, I, 72ᵇ-73ᵃ.
    Vol. I.

6795. -------- Projet d'adresse a l'assemblée nationale sur le duel. Paris: Imp. Nationale, 1790. 29pp.
    Vol. I.

6796. HUMBERT, Jean-Baptiste. Journée de Jean-Baptiste Humbert,

HUMBERT, Jean-Baptiste, continued.

horloger, qui le premier, a monté sur les tours de la Bastille.
Paris: Imp. de Grangé, 1789. 16pp.
Vol. XXIV.

6797. JOSSE (ed.). Journal des Halles. no. I, (juin 1790?). [Paris]:
Imp. de Josse, [1790?]. 8pp.
M & W, V, 726; Hatin, p. 174.
Vol. XXIV.

6798. JOURGNIAC SAINT-MEARD, [François]. Mon agonie de trente-huit
heures; ou Récit de ce qui m'est arrivé, de ce que j'ai vu
et entendu, pendant ma détention dans la prison de l'Abbaye
St.-Germain, depuis le 22 août jusqu'au 4 septembre... Paris:
Imp. Desenne, 1792. 61pp.
Different edition of 3296. The author was "ci-devant
capitaine-commandant des chasseurs du régiment d'infanterie du roi". This pamphlet contains "Avis du citoyen
Desenne".

6799. JUNIUS (Pseud.). Junius a tous les ordres de l'état. Lettre
quatrieme (le premier de l'an de la persécution, 1791). n.p.,
1791. 22pp.
Vol. XXV.

6800. -------- Junius au corps collectif de la nation. Lettre
seconde (6 décembre, 1790). n.p., [1790]. 16pp.
Vol. XXV.

6801. -------- Junius au roi. Lettre troisieme (16 décembre,
1790). n.p., 1790. 22pp.
Vol. XXV.

6802. -------- Lettres de Junius a la minorité de l'assemblée (22
novembre, 1790). n.p., 1790. 15pp.
Vol. XXV.

6803. LAFAYETTE, [Marie-Joseph-Paul-Roch-Yves Gilbert du Motier,
marquis de]. Extrait d'un discours adressé par M. le marquis
de Lafayette, vers la fin d'octobre, aux officiers de la garde
national, assemblée chez lui. [Paris, 1789]. 8pp.
Vol. XVII.

6804. LA MOTTE [Jeanne de Saint-Rémy de Valois, comtesse de].
Adresse...à l'assemblée nationale, pour être declarée citoyenne
active. Londres, 1790. 14pp.
Vol. I.

6805. LA RUE, [Jean-Michel] de. Consolation au peuple français,
ou Mémoire sur l'état présent des affaires du royaume...pré-
senté à l'assemblée bailliagère de la Haute-Alsace... n.p.,
1789. 105pp.
In John Crerar collection at University of Kansas.

6806. [LAURENS, H.-J., abbé]? Les Jesuitiques, enrichies de notes
curieuses, pour servir à l'intelligence de cet ouvrage. Rome,

[LAURENS, H.-J., abbé]?, continued.

1761. 48pp.
    Anti-jesuit. See Barbier II, 994[b.c.d.]
    Vol. XXIV.

6807. LEBOIS, [René-François]. Evénemens mémorables arrivés au
fauxbourg Saint-Antoine. [Paris]: Imp. de Ballard, [1789].
8pp.
    Vol. XVII.

6808. [LEGRAND DE VILLIERS]. Aux parisiens. Observations sur l'orgine
et l'accroissement de Paris et moyens d'en prévenir l'entière
décadence, par...M.L.D.V. [Paris]: Imp. de Valleyre, [1790].
37pp.
    Tourneux, II, 5528. M & W list it as anonymous (IV^2, 2389).
    Vol. III.

6809. [LEMAIRE, Antoine-François]. Ah. Ca n'ira pas, ca n'ira
pas, si vous n'y prenez garde. Paris: Imp. de Chalon, 1790.
26pp.
    Plea for unity to protect the gains made.
    See Tourneux, II, 11487 (note); M & W list it as anonymous
    (IV^2, 943).
    Vol. I.

6810. LE PERRON. Ai-je tort? Ai-je raison? ou lettre d'un député
actuellement en Bretagne. n.p., 1790. 8pp.
    Moderate view, pro-king, anti-Marat and Danton but in
    favor of the new constitution.
    Vol. I.

6811. LOUVET [DE COUVRAY], Jean-Baptiste. A Maximilien Robespierre,
et a ses royalistes. Paris: chez les Directeurs de l'Imprimerie du Cercle Social, (1792). 55pp.
    Vol. IV.

6812. -------- A Maximilien Robespierre et a ses royalistes. Paris:
chez J. B. Louvet, an III (1794). 55pp.
    Different edition of no. 6811, printed after 9th Thermidor.
    Vol. IV.

6813. -------- Accusation intentée dans la convention nationale
contre Maximilien Robespierre...(29 oct., 1792). Paris,
[1792]. 15pp.
    Different edition from 3763.
    Vol. IV.

6814. MARAT, Jean Paul (ed.). Ami (L') du peuple, ou le publiciste
parisien, journal politique et impartial. no. 181, 4 août,
1790. [Paris: Imp. de Marat, 1790]. 8pp.
    Vol. I.

6815. -------- Appel a la nation...contre le ministre des finances,
la municipalité et le châtelet... n.p., [1790]. 67pp.
    Written while in England.
    Vol. II.

6816. [MAULTROT, Gabriel-Nicolas]. Lettre a un ami, sur l'opinion de M. Treilhard, relativement à l'organisation du clergé (20 juillet 1790). Paris, [1790]. 71pp.
    Barbier, II, 1119^a.
    Vol. XXVI.

6817. MICHEL. Lettre d'un employé aux entrées de Paris à ses con-frères. n.p., [1790]. 16pp.
    In defense of the farmers-general.
    Vol. XXV.

6818. [MIRABEAU, André-Boniface-Louis de Riqueti, vicomte de]. Lanterne magique nationale. n.p., [1789]. 38pp.
    Slightly different from 3992.
    Vol. XXVI.

6819. -------- Mort, testament et enterrement de M^e. Target. n.p., [1790]. 27pp.
    Different from no. 3993.
    Vol. V.

6820. -------- Quatrieme bulletin de coucher de M. Target, pere et mere de la constitution des ci-devant françois, conçue aux menus, présentée au jeu de paume et née au manege. n.p., [1790?]. 7pp.
    See M & W, III, 24407.
    Vol. V.

6821. -------- Réflexions...sur l'événement du 13 avril. [Paris]: Imp. de Vézard & Normant, [1790]. 7pp.
    M & W, III, 24404.
    Vol. XVI.

6822. MIRABEAU, [Honoré-Gabriel de Riqueti, comte de]. Sur la liberté de la presse, imité de l'anglois, de Milton. Lon-dres, 1788. 66pp.
    Different edition from 4011.

6823. MONTMORIN, [Armand-Marc, comte de]. Lettre écrite au nom du roi,...aux ambassadeurs et ministres résidans près les cours. (Paris, 23 avril 1791). [Paris]: Imp. nationale, [1791]. 7pp.
    Different from 4104.
    Vol. XXV.

6824. [MONTROND, Angélique-Marie Darlus de Taillis, comtesse du]. Le long parlement et ses crimes, rapprochemens faciles a faire. Paris: Imp. d'un royaliste, 1790. 143pp.
    Different edition of no. 4109.
    Vol. XXVI.

6825. NECKER, [Jacques]. Discours prononcé...à l'assemblée nationale, le 24 septembre 1789. Paris: Imp. nationale, 1789. 30pp.
    Vol. XIX.

6826. -------- Rapport...lû à l'assemblée nationale le 27 août 1789. Paris: Imp. royale, 1789. 16pp.
    Vol. XIX.

6827. ORLEANS, [Louis-Philippe-Joseph, duc d']. Exposé de la conduite de le duc d'Orléans, dans la révolution de France,
rédigée par lui même à Londres. [Paris]: Imp. d'Houry
& Debure, [1791]. 28pp.
     Different edition of no. 4250.
     Vol. XVI.

6828. PAULMIER, A. Essai sur les bois, les friches, les chemins,
et les mendians. Présentée à la societé royal d'agriculture
de Paris. Montargis: Imp. de Cl. Lequatre, 1790. 16pp.
     Paulmier was "officier municipal et cultivateur à Ne-
     mours".
     Vol. XVI.

6829. PELIGOT, André. Apologie de M. Necker, par M. Cérutti et
sa justification contre les vingt-un griefs du Palais-royal...
Paris: Imp. du Temple de la Vérité, [1790]. 49pp.
     Peligot "citoyen de Genêve, horloger, cousin de J. J.
     Rousseau."
     Vol. IV.

6830. PIUS VI, [Jean Ange Braschi, pape]. Bref...à S.E.M. le cardinal de la Rochefoucault, M. l'archevêque d'Aix, et les
autres archevêques et evêques de l'Assemblée nationale de
France, au sujet de la constitution civile du clergé, décrétée par l'Assemblée nationale. Paris, 1791. 94pp.
     Different edition of no. 4410.
     Vol. V.

6831. -------- Bref...a tous les cardinaux, archevêques, evêques,
au clergé, et au peuple du France. Revue et corrigé. Rome,
1791. 47pp.
     Different edition of 4412.
     Vol. V.

6832. -------- Breve summi pontificis...ad E.S.R. eccles. cardina-
lem de la Rochefoucault, illustriss. archiepis aqui-sextanum,
caeterosque praelatos conventûs nationalis Gallicani, de con-
stitutione civili clerigallicani. n.p., [1791]. 88pp.
     Vol. V.

6833. RABAUT [DE SAINT-ETIENNE], Jean-Paul. Adresse aux Anglois
par un représentant de la nation françoise. (18 juin 1791).
Paris: Imp. de Desenne, 1791. 16pp.
     France desires peace but it has also to fulfill a univer-
     sal mission; signed J. P. Rabaut.
     M & W, IV, 28518.
     Vol. I.

6834. RAYNAL, Guillaume-Thomas, abbé. Lettre...a l'assemblée nationale. n.p., [1791]. 14pp.
     Slightly different edition of no. 4572.

6835. [REGNAUD, Pierre-Etienne]. Adieux aux députés de la première législature ou réflexions sur leur départ. (27 sept.
1791). Paris: Imp. Girouard, 1791. 8pp.
     Signed: Regnaud de Paris.

[REGNAUD, Pierre-Etienne], continued.

M & W, IV, 28869.
Vol. I.

6836. [SAINT-ALBIN, Alexandre-Charles-Omer Rousselin, comte de Cor-
beau de]. (ed.). Correspondance originale des émigrés ou
les émigrés peints par eux-mêmes. (Cette correspondance,
déposée aux archives de la convention nationale, est celle
prise par l'avant-garde du général Kellerman à Longwy, et à
Verdun, dans le porte-feuille de Monsieur et dans celui de M.
Ostome, secrétaire de M. de Calonne). Paris, 1793. 208pp.
Barbier, I, 777a.

6837. [SEGUR, Alexandre-Joseph-Pierre de, vicomte]. Essai sur l'opinion considerée comme une des principales causes de la révolution de 1789. Paris: Imp. Vezard et Le Normant, 1790. 48pp.
Barbier, II, 235^c.
Vol. XVI.

6838. [SERVAN, Joseph-Michel-Antoine]. Avis au public et principalement au tiers-etat, de la part du commandant du chateau
des Isles de Sainte-Marguerite, et du médecin, et du chirurgien, et du même lieu. Du 10 nov. 1788. Paris, [1788?].
55pp.
Slightly different edition from no. 4821.
Vol. III.

6839. THEVENEAU-MORANDE, Ch. (ed.). Argus (L') patriote. no. 47,
[nov. 23, 1791]. pp. 569-582. [Paris, 1791].
Sub-title: Sur la nomination de M. Pétion, à la mairie,
et sa présentation à la commune par M. Bailly. [pp.
569-581]. pp. 581-582 discuss: Sur l'invasion dont
nous sommes menacés. (Incomplete).
M & W, V, 108; Hatin, p. 202.
Vol. III.

6840. THOMAS, [Jean-Jacques]. Supplément a l'opinion...sur le jugement de Louis Capet... [Paris]: Imp. Nat., [1793?]. 6pp.

6841. TOULOUSE DE LAUTREC, [Pierre-Joseph, comte de]. Récit fidèle
et exact de ce qui s'est passé entre M. (le duc de) Castries
et M. (le comte) Charles de Lameth. n.p., 1790. 16pp.
Vol. XXVI.

6842. VERRIER. Eloge civique et funèbre d'Honoré Riquetti Mirabeau,
prononcé...le lundi 18 avril en l'église Saint-Laurent, sous
l'inspection du sieur Bichebois; en présence du comité et
du bataillon de la section Poissonière. Paris: Imp. de Tras-
seux, [1791]. 8pp.
Vol. XVI.

CORPORATE PUBLICATIONS

6843. ALSACE (PROVINCE). JEWS. Adresse des juifs alsaciens au
peuple d'Alsace. n.p., [1790]. 6pp.
Demand for equal treatment.
Vol. I.

6844. FRANCE. ASSEMBLEE NATIONALE. MISCELLANEOUS PIECES. Extrait
du registre des dons patriotiques offerts à l'assemblée nationale. Seizième semaine. Du 19-24 décembre 1789. Paris:
Imp. Nat., [1789]. 18pp.
Vol. XVII.

6845. -------- Extrait d'une offre faite au sujet du bail des mes-
sageries, au contrôle-générale et au comité des finances.
Paris: Imp. Nationale, 1790. 7pp.
Vol. XVII.

6846. FRANCE. CONVENTION NATIONALE. PROCES DE LOUIS XVI. Opinions sur le jugement de Louis XVI, ci-devant roi des français.
Paris: Imp. Nat., 1792. 65pp.
Opinions of: Nioche, Vadier, Louvet, Méaulle, Revel-
lière-Lépeaux, Lavicomterie, Chenier, Levestre, Lecar-
pentier, Ribet, Milhaud.

6847. FRANCE. CONVENTION NATIONALE. MISCELLANEOUS PIECES. Premier [et second et troisième] registre des dépenses secrètes
de la cour; connu sous le nom, de Livre rouge, apporté par
des députés des corps administratifs de Versailles le 28
février 1793, 1'an deuxième de la république... Paris:
Imp. Nat., 1793. 190, 170 and 63pp. (in one volume).

6848. FRANCE. PARLEMENT OF PARIS. Arrêté du parlement du 5 décembre 1788, les pairs y séant, sur la situation actuelle de la
nation. n.p., [1788]. 8pp.
Urging the king to call the Estates-General soon.
Vol. III.

6849. -------- Arrêté du parlement du 22 décembre 1788, les pairs
y séant. n.p., [1788]. 2pp.
On the suppression of impôts.
Vol. III.

6850. FRANCE. ARMEE. GARNISON DE METZ. Adresse...au roi. [Paris]:
Imp. de Devaux, [1790]. 8pp.
Address of loyalty to the king and request for support
to the local commander.
Vol. I.

6851. FRANCE. MISCELLANEOUS BODIES. MINISTRES. Mémoire des ministres du roi, adressé à l'assemblée nationale, le 24 octobre,
1789. Paris: Imp. Nat., 1789. 11pp.
Different edition of 6308.
Vol. XIX.

6852. FRANCE. MISCELLANEOUS BODIES. COMEDIENS FRANCAIS. Comédiens (Les) français ordinaires du roi. Exposé de la conduite et des torts du sieur Talma, envers les comédiens français. Paris: Imp. de Prault, 1790. 30pp.
   Vol. XVII.

6853. FRANCE. MISCELLANEOUS BODIES. SOCIETE DES AMIS DES NOIRS. Adresse aux amis de l'humanité par la société des amis des noirs, sur le plan de ses travaux. Lue au comité, le 4 juin 1790..... n.p.: Imp. de Patriote Français, [1790]. 4pp.
   Vol. IV.

6854. MONTAUBAN (VILLE)...CITOYENS CATHOLIQUES. Adresse des citoyens catholiques de la ville de Montauban a messieurs de l'assemblée nationale. Sur le décret rendu le 13 avril 1790, concernant la religion, et sur celui concernant la vente des biens du clerge. Montauban, 1790. 12pp.
   Vol. I.

6855. PARIS (VILLE). CHATELET. Adresse du châtelet de Paris a l'assemblée nationale. [Paris]: Imp. Veuve Desaint, [1789]. 19pp.
   Attempt to refute the charges against the châtelet.
   Vol. IV.

6856. PARIS (COMMUNE). Adresse a l'assemblée nationale. n.p., [1790]. 11pp.
   Demand that the ministers, Champion, Tour de Pin and Guignard be dismissed. Signed: Sergent, président, Danton and Osselin, secrétaires.
   Vol. I.

6857. PARIS (COMMUNE). CITOYENS. Extrait du registre des délibérations des citoyens vainqueurs de la Bastille. Du 6 mars 1790. n.p., 1790. 7pp.
   Vol. XVII.

6858. PARIS (COMMUNE). REPRESENTANS. Arrêté de l'assemblée des representans de la commune de Paris, concernant la dénonciation de M. le prince de Lambesc, et autres, accusés du crime de lèse-nation. Du mercredi, 27 oct. 1789. [Paris]: Imp. de Lottin, [1790]. 4pp.
   Vol. III.

6859. PARIS. CLERGE. Adresse des prêtes non-assermentés de la ville de Paris, au roi. n.p., [1791]. 8pp.
   Against the decree that proscribed them.
   Vol. IV.

6860. -------- Adresse des religieux cordeliers du grand couvent de Paris, a l'assemblée nationale. [Paris]: Imp. Veuve Desaint, [1790?]. 8pp.
   Protest against the assembly's action abolishing the distinction between religious and non-religious beggars.
   Vol. I.

6861. PARIS. DISTRICTS. DISTRICT DES CORDELIERS. Extrait des registres des délibérations de l'assemblée du district des Cordeliers. Du 20 avril 1790. Paris: Imp. de Momoro, 1790. 19pp.

6862. -------- Extrait des registres de délibérations de l'assemblée du district des Cordeliers. Du 27 avril 1790. n.p., [1790]. 11pp.
        Vol. XXVII.

6863. PARIS. SECTIONS. Lettre des députés des sections de la commune de Paris, aux corps administratifs de départements et de districts, et aux sociétés des amis de la constitution. Paris: Imp. de Chalon, 1790. 11pp.
        Denunciation of Champion, Latour du Pin and Guignard.
        Vol. XXV.

SUPPLEMENT II

        The following items by Anacharsis Cloots were recently acquired.

6864. CLOOTS, Jean-Baptiste, baron du Val-de-Grâce, dit Anacharsis. L'Orateur du genre-humain, ou Dépêche du prussien Cloots, au prussien Hertzberg. Paris: chez Desenne, 1791. 177pp.

6865. -------- Discours prononcé a la barre de l'Assemblée nationale, le 21 avril 1792... [Paris]: Imp. Nat., [1792]. 4pp.
        Fervent address "Nous combattons pour les droits de l'homme; & nos victoires ajouteront un nouvel éclat à la dignité humaine..." etc.), at conclusion of which orator presents to Assembly a copy of his La république universelle.

6866. -------- La République universelle ou Adresse aux tyrannicides... Paris: chez les marchands de Nouveautés, [1792?]. 196pp.

6867. -------- A mon tour la parole. Réponse d'Anacharsis Cloots aux diatribes Rolando-Brissotines. [Paris]: Imp. de L. Potier de Lille, [1792]. 8pp.
        Publication of Société des Amis de la Liberté et de l'Egalité [Jacobins], authorized by extract from procès-verbal, 26 novembre 1792.

6868. -------- Ni Marat, ni Roland. Opinion... Paris: chez Desenne, 1792. 16pp.

6869. -------- Les Bataves opprimés, aux françois libérateurs. (De la Hollande, decembre 1792). [Paris]: Imp. de L. Potier de Lille, [1792]. 15pp.
        Publication of the Société des Amis de la Liberté et de l'Egalité [Jacobins], authorized by extract from procès-verbal, 10 décembre 1792.

6870. -------- Appel au genre humain... (Paris, Frimaire, l'an deuxième de la République, une, indivisible, impérissable). [Paris? 1793?]. 20pp.

CLOOTS, Jean-Baptiste, baron du Val-de-Grâce, dit Anacharsis, continued.

6871.   -------- Bases constitutionnelles de la république du genre humain... Paris: Imp. Nat., 1793. 44pp.

6872.   -------- Etrennes de l'orateur du genre-humain aux cosmopo-lites. n.p., 1793. 66pp.
          Contents: Adresse aux français [1792], pp. 1-14;
          Défi aux académies royales, impériales & gothiques, pp.
          15-20; Discours prononcé à la barre de l'Assemblée
          nationale, au nom des imprimeurs...le 9 septembre 1792
          ..., pp. 20-33; Aux plébéans du Piémont, pp. 34-42; ...
          aux assemblées primaires du Hainaut, du Brabant, de la
          Flandre, etc., pp. 42-48; Discours prononcé dans les
          comités réunis de la guerre, des finances & diploma-
          tique, en présence du conseil exécutif provisoire, &
          d'une députation d'insurgens Bataves...18 déc. 1792,
          pp. 49-55;...aux habitans des Bouches-du-Rhin, pp.
          55-64; Note, pp. 64-66.

6873.   -------- Harangue...a la convention nationale. (Procès de Louis dernier). [Paris]: Imp. Nat., [1793?]. 10pp.

6874.   -------- Un mot...sur les conférences secrètes entre quelques membres de la convention. Mars 1793...[Paris]: Imp. patrio-tique et républicaine, [1793]. 8pp.
          Publication of Société des Amis de la Liberté et de
          l'Egalité [Jacobins], authorized 20 mars 1793.

INDEX

Index

In order to reduce somewhat the excessive bulk of the index as originally planned, all references to authors and to most geographical locations as listed in Sections II and III of the bibliography have been eliminated. This index is therefore primarily concerned with names and subjects mentioned in the pamphlets or in the editorial notes. Co-authors and signatories are listed in the index. For primary authors and corporate entries the reader is requested to consult also the alphabetical listing and the cross-references in Sections II and III of the bibliography and of supplement one. In the brief identifications of persons the following abbreviations for the various national legislative bodies are used: 'Const' for Assemblée Nationale Constituante (1789-1791); 'Leg' for Assemblée Nationale Législative (1791-1792); 'Conv' for Convention Nationale (1792-1795); 'Anc' for Conseil des Anciens (1795-1799); 'C500' for Conseil des Cinq-Cents (1795-1799). Numbers refer to entries, not to pages.

Alexander the Great, 391

Aligre, Etienne-François d' (president of Parlement of Paris), 4801,
    5366-5367, 6142, 6144-6146

Allier (department), 6426
    public notaries in, 4959

Alpes (department, Hautes-) See Hautes-Alpes (department)

Alsace (province), 569, 642, 2870
    German landlords in, 736, 3800, 3949
    Jews in, 6843
    Lutherans in, 3315
    Protestants in, 3315, 4569, 4737

Altkirch (ville), seigneurie of, 2998-2999

Amar, Jean-Baptiste-André (Grenoble avocat, Conv), 3599

Amelot de Chaillou, Antoine-Léon-Anne (intendant, royal official), 979

Ami (L') du peuple (Marat's journal), 6814

Amiens (ville), 4784, 5189, 6442

Amirauté of Paris (marine court of law), officers of, 6640

Anarchists, attacks on, 825, 1985

André, Antoine-Balthazar-Joseph d' (Const, royal agent), 1780, 3870,
    3872, 4170, 4740, 5044, 6395

André, Jean-Pierre (C500), 2780, 4724

Andrieux, François-Guillaume-Jean-Stanislas (avocat, C500, professor),
    6782

Angers (ville), 328

Angoulême, Louis-Antoine de Bourbon, duc d' (grand prieur of France,
    army general) 3752-3753

Angrand d'Alleray, Louis-Alexandre (civil lieutenant at the Châtelet),
    5366, 5373

Anisson-Duperon, Etienne-Alexandre-Jacques (director of royal printing
    shop), 6605

Anson, Pierre-Hubert (receiver general, Const), 3612

Anthoinet, Charles-Victor (counsellor of prefecture of the Meurthe),
    6405

Antibes (ville), 6661

Antonelle, Pierre-Antoine, marquis d' (mayor of Arles, follower of Babeuf), 1250, 5095

Antraigues, Emmanuel-Louis-Henri de Launay, comte d' (Const, royal agent), 6694

Antwerp (ville), seige of, 1589

Apanages, 771, 2785-2786

Apt (diocese), 6590

Architecture, 4540
    rural, 4302

Archives nationales, 368, 1084, 1801, 2089-2090, 3066, 3735, 5979

Ardennes (department), electors in, 1529

Aréna, Joseph-Antoine (Corsican army officer, C500), 101, 6020

Aristocracy, 247, 293, 311, 375, 390, 441, 443, 472, 494, 531, 598, 691-692, 779, 805-806, 816-817, 865, 964, 1160, 1184, 1200, 1288, 1299, 1344, 2577, 2823, 3520-3521, 4117, 4474, 4700, 4757, 6714, 6734. See also: Counter-revolutionary pamphlets; Nobles; Royalism

Arles (ville), 2054, 2505
    citizens of, 294
    commune of, 4440
    deputies extraordinary in, 1872
    diocese of, 6590
    elections to Estates General in, 5414
    patriots of, 1550

Army, 1126, 1364, 1581-1582, 1686, 2032-2033, 3354, 3442, 3935, 4623, 4768, 5805
    administration of, 5912
    Armée de la Moselle, 1586, 2772, 3176, 5913
    Armée de la Vendée, 4705
    Armée de Rhin-et-Moselle, 2676
    Armée de Sambre-et-Meuse, 1586, 2673
    Armée des Alpes, 2605, 5896, 6272
    Armée du Nord, 1586, 1927
    Armeé du Rhin, 1584, 1586, 3176, 5913
    Armée en Italie, 2622, 2673, 2949, 3153, 3538, 4330, 4667, 6015
    artillery, 2008, 4607, 4970, 5411, 5645-5646, 5780
    artillery schools, 5122
    amôniers (alms-funds), 1796
    battalions, individual, 3031, 6276-6277
    Bureau militaire, Paris, 3383
    cavalry, headquarters, 4623
    Conseil de santé, 6273
    dependents of soldiers, 5911, 6294
    desertion from, 76, 696, 2602, 5643
    discipline in, 1954, 3953, 5554, 5571, 6272

[Army (Continued)]
    engineers, corps of, 1656, 2029, 2671, 4607
    furloughs, 3284
    grievances of soldiers, 1324
    miners, companies of, consolidation with engineers, 2671
    penal code, 5634, 5897
    pensions, 5896
    promotions, 3450
    punishments, 2706, 5641, 5653, 6272
    recruiting, 2613, 2668, 3221, 3510, 5587
    regiments, individual, 1412, 2010, 2532, 2670, 3602, 3994, 4623,
       6274-6275, 6278-6284, 6320
    re-organization of, 2033, 3527-3528, 3529, 5162, 5551, 5595, 5897
    requisition, 5905
    sub-lieutenant examination, 3360
    supplies, 250, 1795, 3361, 5574, 5912
    surgeons, salaries of, 1796
    troops of the line, 3353, 5635
    vacancies, 1385
    wages, 1793-1794, 4185, 5164
    See also: Assemblée Nationale Constituante, Comité militaire;
       Assemblée Nationale Législative, Comité militaire; Tribunals,
       military

Arras (ville), prisons in, 4424

Artillery. See Army, artillery; Navy, artillery

Artists, 4303, 5124

Artois, comte d'. See Charles-Philippe, comte d'Artois

Artois (province), 1189, 1561

Arts (and sciences), progress of, 1540

Artur de La Villarmois, Jacques-René-Jean-Baptiste (proprietor, Const),
    1374

Ashton, Jean (English conspirator against William and Mary), 5807

Asseline, Jean-René (bishop of Boulogne-sur-Mer, émigré), 3437

Assemblée des Notables (1787), 358, 592, 613, 667, 768, 900, 934, 985,
    1125, 1127, 1630, 2003, 2064, 2240, 5362-5366, 5371-5373, 5387,
    5457-5460

Assemblée des Notables (1788), 19, 412, 416, 1005, 1099, 1224, 1316,
    1410, 2017, 2320, 3699, 3750, 5452, 5460-5462

Assemblée Nationale Constituante, 54, 60, 107, 185, 199, 286, 398, 450,
    457, 482, 593, 595, 610, 767, 918, 920, 1105, 1126, 1189, 1190,
    1192, 1213, 1238, 2038, 2409, 2601, 2874, 4572, 4605, 5090, 6691,
    6715-6716
    addresses, 5508-5518
    Comité d'Agriculture, 1455-1456, 1567, 2015, 2405, 3012-3013,
       3198, 3201, 3203, 3206-3208, 3948, 3961, 3971, 4402, 5663

[Assemblée Nationale Constituante (Continued)]

Assemblée Nationale Législative, 605, 2513
    Comité autrichien, 1992, 2986
    Comité central, 5824
    Comité d'Agriculture, 2087, 2405, 3365, 3519, 3665, 4151, 4637
    Comité d'Inspection, 1749-1750
    Comité d'Instruction Publique, 2966, 4288, 4510, 4794, 5117, 5825
    Comité de Commerce, 2086-2087, 2551, 2899, 2902-2903, 2920,
        3883, 4150-4151, 4665
    Comité de Division. See references on page 491
    Comité de Législation, 5826 (and cross references)
    Comité de l'Extraordinaire des Finances. See references on page 491
    Comité de Liquidation, 5827-5828 (and cross references after 5828)
    Comité de l'Ordinaire des Finances. See references on page 491
    Comité de Marine, 2377
    Comité de police générale, proposal to establish, 1675
    Comité de Secours Public, 2362, 4945
    Comité de Surveillance, 3602, 4963, 5829
    Comité des Assignats et Monnoies, 1452, 1685, 2580-2581, 3545,
        3547, 4069, 4494, 4578-4580
    Comité des Dépenses Publiques, 3375
    Comité des Domaines, 2760, 2884, 3552, 3735, 5138-5139
    Comité des Finances, 2884, 3735
    Comité des Pétitions, 2362, 2505, 2827, 3070
    Comité Diplomatique, 1978, 2086, 2669, 2988, 3316-3317, 3801,
        4103, 4562, 4566, 5829
    Comité Féodal, 4589
    Comité Militaire, 1755, 5830 (and cross references after 5830)
    Committees, opinion on, 3211
    Committees, special, 1801, 2220, 2437, 2579, 2900, 3119, 3228,
        3838, 4927, 4929
    Decrees and Projects, 5817-5822 (and cross references after 5822)
    Deputies, 5835
    Instructions, 5823
    Meetings of, 5808-5816

Assignats, 6370
    (1789), 1178, 1480, 4357
    (1790), 441, 608, 861, 1151, 1427, 1709, 1711, 1717, 1828, 1834,
        2186, 2455, 2508, 3323-3324, 3607, 3697, 3881, 4028-4029, 4043,
        4075, 4527, 4906, 5023, 5511, 5547, 5804, 6633, 6668, 6758,
        6769, 6778
    (1791), 292-293, 1402, 1662, 1836, 1990, 2084, 2132, 2346, 2280,
        2580, 2762, 3002, 3331, 4062, 4069, 4338, 5158, 5755
    (1791-1796), 6348, 6358
    (1791-1797), 6602
    (1792), 979, 1452, 1685, 2581, 2773, 2884, 3175, 3774, 4378, 4733
    (1793), 1813, 3775, 5907
    (1794), 2522-2523, 5938
    (1796), 4246, 6029
    (1798), 4594
    See also: Comité des Assignats and Comité des Finances under the
        different legislative bodies--Assemblée Nationale Constituante,
        Assemblée Nationale Législative, etc.; Caisse de l'Extraordinaire;
        Counterfeiting; Paper Money

Atlas, national, 1475, 2676

Aude (department), civil tribunal in, 4940

Audouin, Pierre-Jean (journalist, Conv, C500), 6767

Augeard, Jacques-Mathieu (farmer general), 1378, 1803

August 4-5 (1789) decrees, 414, 490, 1095, 5111, 5438, 5521-5522, 5528

August 10 (1792), 2492, 2897, 3031, 3467, 3859, 4515, 5808, 5987

Aunts, King's (Mesdames), flight of (1791), 937, 1210, 4675, 4804

Auvergne (province), 1344

Auxerre (ville), 896

Auxonne (ville), begging in, 1407

Avesnes (ville), citizens of, 3031

Aveyron (department), 3973
    Directory of, 2310

Avignon, 309, 338, 515, 864, 1115, 1196, 1239, 1434, 1481, 1897, 1902,
    1971, 1999, 2466, 2642, 2806, 2898, 2921, 3677-3678, 3908, 3932-3934,
    4359, 4414, 5020, 5026, 5115, 5719, 6587, 6717, 6764
    (ville), clergy, 627
    (ville), officials of, 1334, 5207

Bailly, Jean-Sylvain, (academician, Const, mayor of Paris, 1789-1791),
    287, 447, 577, 1011, 1273, 1309, 4931, 6501-6502, 6839

Bailly, Louis (canon Dijon cathedral), 6081

Banks, 3332, 4024, 4904. See also: Caisse d'Escompte; Caisse de
    l'Extraordinaire; Caisses territoriales

Baour-Lormian, Pierre-Marie-François-Louis (poet, dramatist), 3570

Bar-sur-Seine (ville and bailliage), 1906, 5209, 6139

Bara, François-Joseph (revolutionary martyr), 521

Barbé-Marbois, François, marquis de (intendant, Anc), 1728

Barentin, Charles-Louis-François de Paule de (counsellor, garde des
    sceaux, 1788-1789), 4221, 5464-5465

Barère de Vieuzac, Bertrand (Toulouse avocat, Const, Conv, C500) 1894,
    2607, 2609, 3599, 4722, 5088, 5890, 5994

Barmond, abbé. See Perrotin de Barmond, Charles François

Barnave, Antoine-Pierre-Joseph-Marie (Grenoble avocat, Const), 167, 327,
    475, 485, 491, 545, 1303, 1594-1595, 4351, 4539, 6685, 6738, 6767

Barras, Paul-François-Jean-Nicolas (Conv, Director, 1795-1799), 1351

Bareau de Girac, François (bishop of Rennes), 1832

Barruel-Beauvert, Antoine-Joseph, comte de (royalist editor), 2371

Basel, treaty of (with Prussia, 1795), 5033

Basire, Claude (Dijon avocat, Leg, Conv), 213, 5980

Bas-Rhin (department), 2009, 2550, 2972, 4376, 5787
    administrators of, 4929-4930
    fugitives from, 2550, 3172
    notaries, public, in, 3857

Basses-Pyrénées (department), public notaries in, 2170

Bassville, Nicolas-Jean-Hugeu de (professor, editor, ambassador), 2375

Bastardy. See Illegitimacy

Bastille, 257, 285, 510, 557-558, 564, 567, 822, 1059, 1132, 1278, 1678,
    2062, 2212, 2353, 2831, 3532, 3662, 3722, 3894, 4274, 4284, 5011,
    6485, 6724, 6728-6729, 6796, 6857

Baudin, Pierre-Charles-Louis (mayor of Sedan, 1790, Leg, Conv, Anc), 4591

Baudot, Marc-Antoine (Charolles physician, Leg, Conv), 2978

Baudouin, François-Jean (printer), 170

Baugé (ville, district), parishes in, 4425

Bausset, Louis-François, duc de (bishop of Alais), 381

Bausset de Roquefort, Emmanuel-François-Paul-Gabriel-Hilaire de (bishop
    of Fréjus, émigré), 39

Bayeux (ville, district), directory of, 2265

Bayonne (ville), 2172, 3523

Béarn (province), estates of, 5302
    inhabitants of, 1045-1046
    nobles of, 818

Beaumarchais, Pierre-Augustin Caron de (dramatist), 343-344, 1699,
    1701-1702

Beauvais (ville), parishes of, 4390

Bécherel, François (Const, constitutional bishop of la Manche), 578

Begging, 1407, 1575, 2057, 3514-3515. See also: Assemblée Nationale
    Constituante, Comité de Mendicité

Belfort (ville), 4174
    seigneurs of, 2998-2999

Belgium, 1189, 3655, 3728, 4138, 4452
    church estates in, 1093
    clergy of, 4269
    deputies of people of, 5890
    estates of, 3730
    people of, 6679
    See also: Brabant; Brussels

Bellac (ville), 4945

Benedictines, of Saint-Claude (Franche-Comté), 5154; of Saint-Maur, 392

Bergasse, Nicolas (Lyon avocat, Const), 164, 343-344, 575, 641, 2186, 4073, 6668

Bergerac (ville), justice of peace in, 2176

Bergoeing, François (Bordeaux surgeon, Conv, C500), 5055

Berlier, Théophile, comte (Dijon avocat, Conv, C500), 5868, 5980

Bernard de Saintes,André-Antoine Bernard des Jeuzines, dit, (jurist, Leg, Conv), 5318

Berry, Charles-Ferdinand de Bourbon, duc de (son of Count of Artois), 3753

Berry (province), assembly of, 589, 3128-3129

Bertier de Sauvigny, Louis-Bénigne-François de (intendant of Paris in 1789), 102, 109, 155, 255, 345, 734, 1012, 1166, 1313, 6711

Bertin d'Antilly, Auguste-Louis (poet), 5950

Bertrand de Molleville, Antoine-François, comte de (intendant of Brittany, naval minister), 2160-2161, 4100

Besançon (ville), 828, 6330
    Parlement of. See Parlement of Besançon

Besenval, Pierre-Victor, baron de (general of Swiss regiments), 1194, 6472

Béthune-Charost, duc Armand-Joseph de (army general), 4384

Bevière, Jean-Baptiste-Pierre (notary at Paris Châtelet, Const), 4139

Béziers (ville), 2147
    officials and notables of, 4219
    Société des amis de la Constitution et de la liberté in, 2144

Bibliothèque du Roi, 5746

Bibliothèque du Tribunat, 3788

Bibliothèque Nationale, 5125

Bicameral legislature, issue of, 417, 2495, 4166, 4197, 4857

Biens communaux, 2960

Bigot de Sainte-Croix, Louis-Claude (diplomat, minister of foreign affairs in 1792), 2677-2678

Billaud-Varenne, Jacques-Nicolas (lawyer,   Conv), 1894, 3599, 4722

Billecocq, Jean-Baptiste-Louis (Paris lawyer, director of lottery), 838

Biographical sketches, 909, 5095

Biron, Armand-Louis de Gontaut, duc de Lauzun, duc de (army general, Const), 511

Birotteau, Jean-Bonaventure-Blaise-Hilarion (Perpignan avocat, Conv), 5869

Blad, Claude-Antoine-Auguste (naval commissioner, Conv, C500), 5983

Blanc-Gilli, Mathieu (Marseilles merchant, Leg), 395, 1797, 1965, 4742, 6379

Blaux, Nicolas-François (avocat, Conv, Anc), 5982

Bohan, Alain (avocat, Leg, Conv, C500), 5983

Boisgelin de Cucé, Jean de Dieu-Raymond de (archbishop of Aix, Const), 4827, 5179, 6040

Boisgelin de Cucé, Louis-Bruno, comte de (president of noble estate in Brittany), 5247

Boissy- d'Anglas, François-Antoine, comte, (Paris avocat, Const, Conv, C500), 4967

Bonaparte, Napoleon. See Napoleon Bonaparte

Bonnay, Charles-François, marquis de (army general, Const, émigré), 4662

Bonne-Savardin, Bertrand de Bonne, dit (cavalry officer), 488, 6489-6491

Bordas-Darnet, Pardoux (magistrate, Leg, Conv, C500), 1312, 3613

Bordeaux, Parlement of. See Parlement of Bordeaux

Bordeaux (sénéchaussée), third estate of, 134

Bordeaux (ville) 1265, 4784, 6414
    Bureau des Finances, 5222
    Chapitre de l'Eglise metropolitaine ... de, 6067
    Cour des Aides et Finances, 5227-5228
    deputies of, 748
    nobles of, 573
    school for deaf mutes in, 3886
    Third Estate in, 748, 1138, 2769, 5231

Borne, Laurent (C500, government official), 4724

Bosc, Joseph-Antoine-Jean (professor, C500), 3668

Botherel, René-Jean, comte de (noble syndic in Brittany), 5260, 5433, 6207

Bouche, Charles-François (Aix avocat, Const), 5026

Bouches-du-Rhone (department), 1786, 2054, 3034, 4742, 5194, 5234, 6590
     Directory of, 309, 3034, 5021

Bougon-Longrais, Jean-Charles-Hippolyte (syndic in Calvados), 4266

Bouillé, François-Claude-Amour, marquis de (army general, emigré), 2546

Bouillon, Jacques-Léopold-Charles Godefroy de la Tour, duc de (1746-1802),
     3278

Bouillon (ville, duchy), 2578

Boulogne-sur-Mer (ville), 636, 3365, 3388
     clergy of, 1463-1464

Bouquier, Gabriel (writer, artist, Conv), 5868

Bourbon family, discourse on, 2045

Bourbonnais (province), nobles of, 1082

Bourdon de la Crosnière, Louis-Jean-Joseph-Léonard (avocat, educator, Conv),
     5318, 6549, 6568

Bourgogne. See Burgundy

Bourgogne, Parlement of. See Parlement of Dijon

Brabant (region in Belgium), 571, 1354
     estates of, 617, 3728
     revolutionary movements among people of, 322, 489, 571, 3727, 5071,
        5829, 6472

Bread, 2604, 2693, 6691

Bréard, Jean-Jacques (Leg, Conv, Anc), 6557

Brémond-Julien, Antoine (Marseilles avocat), 1737, 2274

Bresse (region in Burgundy), 2653

Brest (ville), 353, 1195, 1896, 3801, 3806

Bretagne. See Brittany

Breteuil, baron de. See Le Tonnelier de Breteuil, Louis-Charles-Auguste,
     baron de Preuilly

Brienne, de. See Loménie de Brienne, Etienne Charles de

Brigandage, 2454, 3106-3107, 4865

Brissot, Jean-Pierre (Brissot de Warville) (writer , Leg, Conv,),
        1709-1710, 3307, 3085, 4106, 4337, 5056, 5381, 6758

Brittany (province, duchy), 472, 783, 1310, 2464, 5243-5245
        Chambre des Comptes in, 6599
        clergy of, 1310, 1832, 5246-5247
        clerical electors in, 126
        commission intermédiaire of estates of, 6207
        deputies to Estates General from, 440, 4318, 5248-5249
        deputies and commissioners of estates of, 3196
        estates of, 409, 1899, 5253-5260, 5408, 5432-5434, 6205, 6211.
        nobles of, 295, 314, 781, 1310, 1831-1832, 4132, 5246-5247,
            5261-5265
        Parlement of. See Parlement of Rennes
        people of, 604, 634, 662, 755, 6678
        third estate in, 127, 295, 781, 1019, 1310, 5251-5252, 5266-5267

Brival, Jacques (avocat, magistrate, Leg, Conv, C500), 5869

Broglie, Charles-Louis-Victor, prince de (army general, Const), 3016,
        6571, 6575, 6738

Broglie, Victor-François, duc de (army marshal, minister of war, 1789),
        418, 759, 6467

Brotier, André-Charles (priest, royalist agent), 6005-6007

Bruat, Joseph (Colmar avocat, Leg, magistrate), 3430

Brumaire, coup d'état of 18th, 1857, 2868, 6022

Brunswick manifesto (1792), 2023-2026

Brussels (ville), 473, 1119
        patriotic committee in, 3726
        patriotic society in, 3728
        seizure of, 1583

Bruyères (ville), 1462

Bureaux de Pusy, Jean-Xavier (army engineer, Const, prefect), 1306,
        1708, 1868, 5595, 6355

Burgundy (province), 158, 606, 1051, 6466
        national guard in departments of, 3154
        nobles of, 634, 1072, 2877
        Parlement of. See Parlement of Dijon

Burke, Edmund (British writer, statesman), 572, 3416

Buttafoco, Mathieu, comte de (Corsican general, Const), 4725

Buzot, François-Nicolas-Louis (Evreux avocat, Const, Conv), 2218

Cabre, Honoré-Auguste Sabatier de (diplomat, counsellor at Paris
    Parlement), 6105-6106, 6151, 6158

Cadoudal conspiracy (1804), 4596-4597

Caen (ville), 249, 716, 743, 1202, 2399, 4266, 4582
    clergy in, 2265, 5278
    corps administratifs of, 52
    Jacobins in, 5279

Cagliostro, Alexandre comte de (Guisseppe Balsamo), 4004

Cahier de Gerville, Bon-Claude (avocat, minister of interior, 1791),
    2766

Cahiers de doléances, 104, 5137
    facetious, 162-163
    Normandy, 94
    third estate, 164
    third estate of Paris, 4931
    third estate of Rouen, 4981

Cahors (ville), 2154

Caisse d'Escompte, 1126, 1404, 1426, 3608, 4253, 5030, 5446, 5451, 5749,
    6293

Caisse de l'Extraordinaire, 979, 1409, 1532, 2082, 2088, 3323

Caisses territoriales, 4358

Calendar, republican, 3343, 5986

Calonne, Charles-Alexandre de (controller general, 1783-1787), 487,
    555-556, 565, 583, 601, 603, 613, 683, 778, 840, 851, 921, 969,
    1042, 1415, 2126, 2182, 2531, 2543, 3312, 3634, 4200, 5363

Calvados (department), 956, 5214
    clergy in, 1806, 2494
    electors of, 2267
    public notaries in, 2175

Cambacérès, Jean-Jacques-Regis de (Conv, C500, minister of justice,
    1797-1799, consul) 1761, 4871, 6033

Cambon, Joseph (merchant, Leg, Conv), 3698, 5973

Cambray (ville), religieuses in, 2242

Cambresis (province), 5357

Camus, Armand-Gaston (avocat, Const, Conv, C500, archivist), 420, 732,
    3081, 4070, 4931, 5090, 5870

Canal du midi, 4866

Canals, 3160, 4431-4433, 4586, 4637

Cantal (department), 2838

Capblat, Jean-Baptiste (lawyer, C500), 4724

Capital punishment, 305, 2712, 4154, 5064

Capuchins, 105, 342, 1086
    Paris, 6520

Caraman, Victor-Maurice de Riquet, comte de (commander in Provence),
    11, 554, 1043

Carentoir (parish), 1395

Carnot, Lazare-Nicolas-Marguerite (army officer, Leg, Conv, Director,
    1795-1797), 3303, 4770

Caron, Philippe (writer), 224

Carpentras (ville), 1434, 5020

Carra, Jean-Louis (librarian, Conv), 1230, 5870, 6767

Carret, Michel-Claude (Lyon surgeon, C500) 6020

Carrier, Jean-Baptiste (avocat, Conv), 1894, 3269, 3272, 3922, 5978,
    5985, 6432

Casenave, Antoine, Chevalier (avocat, Conv, C500), 1888

Castellane, Boniface-Louis-André, comte de (army officer, Const), 4528

Castries, Armand-Charles-Augustin La Croix, duc de (army officer, Const),
    774, 6841

Catholic church, 497, 580, 962, 2302
    laymen in, 2742
    See also: Clergy; Monastic orders; Monks; Religious orders

Catholic religion, 325, 1170, 1437, 1858, 3256, 3931, 5491, 6040
    as state religion (decree of 13 April 1790), 5491, 5790-5791

Catholics, 132, 175, 4122

Caux (pays), assembly of clergy at, 313

Cavaignac, Jean-Baptiste (Toulouse avocat, Conv, C500), 5869

Cazales, Jacques-Antoine-Marie de (army captain, Const), 327, 832, 1083,
    3116, 6738, 6774

Cerutti, Joseph-Antoine-Joachim-Camille (writer, Leg), 840, 1415, 2072,
    3225, 3482, 4309, 6740, 6773, 6829

Chabot, François (vicar-general, Leg, Conv), 6777

Chalons-sur-Marne (ville), 6672
    academy of, 3892
    church of Saint-Eloi in, 3045

Chambre des Comptes, 181
    Brittany, 6599
    Nancy, 6428
    Paris, 677, 5110, 6255-6263
    Rennes, 6599

Chambres des Comptes, 847, 853, 1242

Chambres du commerce, plan to suppress, 5664

Champ de Mars, 311, 330, 332, 478, 562, 3486, 3690, 6502, 6688

Champion de Cicé, Adélaïde-Marie, 1684

Champion de Cicé, Jérôme-Marie (archbishop of Bordeaux, Const, garde des
    sceaux, 1789-1790), 1711, 3625, 4812, 6480, 6856, 6863

Champy, Paul-Claude (deputy extra. from Strasbourg), 4236

Character sketches of legislators (1789-1791), 2610

Charity, 5727. See also Assemblée Nationale Constituante, Comité
    de Mendicité; Assemblée Nationale Législative, Comité de Secours
    Publics; Convention Nationale, Comité de Secours

Charlemagne, 452

Charles, archduke of Austria, 6035

Charles I of England, 273

Charles IX (drama by Chenier), 787, 2241, 4273

Charles the Bad, King of Navarre, 1267-1271

Charles-Philippe, comte d'Artois (later Charles X, 1824-1830), 214,
    225, 676, 683, 810, 829, 904, 1145, 1506, 3751-3755, 3835-3836,
    4110-4112, 4221, 6271, 6670

Charleroi (Belgian village), seizure of, 1577

Charleville (ville), extraordinary deputies of, 1529

Charrier de la Roche, Louis, baron (bishop of Seine-Inférieure, 1791,
    Const), 156, 685, 777, 1164, 1614, 1618, 1623, 3035, 3502, 3898-3901

Chartres (ville), 5563

Chartres, duc de. See Louis Philippe, duc de Chartres

Chasset, Charles-Antoine, comte (avocat, Const, Conv, C500, Anc), 5787,
    6480

Chastellain, Jean-Claude (administrator, Conv, C500), 5982

Chateau-Thierry (bailliage), officers of, 6640

Chateaudun (ville), parishes of, 3657

Châteauneuf-Randon, Alexandre-Paul-Guérin, marquis de Tournel (army
    officer, Const, Conv), 3796

Châtelet of Paris, 6, 179, 198, 244, 849, 1232, 2100, 2193-2194, 4221,
    4919, 5792, 6175, 6249, 6367, 6674, 6815, 6855

Chatellerault (ville), 418

Chatillon-sur-Seine (ville), 6080

Chénier, Joseph-Marie-Blaise (author, Conv, C500), 787, 883, 3570, 6560,
    6846

Chénier, Louis (diplomat, father of preceding), funeral of, 6535

Choderlos de Laclos, Pierre-Ambroise-François (officer, writer,
    Orléans agent), 6671, 6767

Choiseul-Gouiffier, Marie-Gabriel-Auguste-Florent, comte de (diplomat),
    3194

Choiseul-Stainville, Claude-Antoine-Gabriel, duc de (army officer,
    émigré), 2268

Choisy-le-Roi (ville), discourse of curé of, 246

Church, Gallican, 34, 385, 6725

Church property, 139, 206, 376, 527, 568, 656, 749, 770, 836, 841, 919,
    957, 966-967, 990, 1027, 1049, 1062, 1092, 1164, 1226, 1330, 1568,
    1825-1826, 1942, 1986, 2186, 2279-2280, 2395, 3087, 3325, 3371,
    3460-3461, 3559, 3609, 3906, 4052, 4689, 4848, 4902-4903, 5001,
    5030, 5135, 5547, 5562, 5578, 5666-5667, 6495, 6668, 6774, 6797,
    6854
    Belgium, 1093
    Evreux, 5353
    Rouen, 6622
    See also: Assemblée Nationale Constituante, Comité des Domaines,
        Comité Ecclesiastique; Assemblée Nationale Législative,
        Comité des Domaines; Domains, national

Church reform, 132-133, 136, 156, 172-173, 175, 222-223, 371-372
    See also Church property; Clergy, civil constitution of the,
    civil oath

Church, separation of state and, 5963

Cisalpine republic, 3496, 3928

Civil servants, 3042, 3582, 4985, 5908

Clarac, Roger-Valentin de (army officer, landlord), 1116

Clavière, Etienne (banker, minister of public taxes, 1792), 1013, 2132, 4652

Clergy, 157, 212, 217, 252, 275, 319, 392, 426, 514, 532, 566, 579, 618, 625, 626, 640, 675, 719, 727, 737, 745, 756, 764, 765, 773, 841, 850, 855, 859, 875, 931, 951, 962, 970, 976, 997, 1005, 1015, 1054, 1087, 1101, 1103, 1172, 1217, 1221, 1233, 1237, 1241, 1256, 1270, 1307, 1311, 1317, 1326, 1403, 1476, 1484, 1523, 1601-1606, 1617, 1631, 1687, 1733, 1806, 1822-1827, 1829, 1864, 1984, 2009, 2106, 2213-2217, 2284-2286, 2302, 2585, 2681, 2754, 2816, 2853, 2906, 3005, 3035, 3197, 3247, 3280, 3289, 3470, 3500, 3591-3595, 3618-3619, 4172, 4277, 4287, 4399, 4489, 4563-4564, 5009, 5404-5406, 5435-5436, 5555, 5651, 5793-5794, 5796-5797
    Aire, 2075
    Aix-en-Provence, 6590
    Apt, 6590
    Arles, 6590
    Assemblée générale du, 6285-6289
    Assembly of, at Clermont-Ferrand, 675, 2573, 3111
    Avignon, 627
    Bayeux, 5213-5214
    Belgium, 4269
    Bordeaux, 6067
    Bresse, 2653
    Brittany, 126, 1310, 1832, 5246-5247
    Caen, 2265, 5278
    Cambray, 5280
    Caux, 313
    Chaunay, 5287
    Civil Constitution of the, 217, 245, 347, 436, 546, 800, 814, 859, 925, 959, 1015, 1031, 1039, 1143, 1150, 1158, 1185, 1188, 1191, 1240, 1319, 1601-1606, 1614, 1818, 1822-1827, 1829, 1835, 1880-1881, 1883-1884, 2094, 2096, 2213-2217, 2587, 2909, 3035-3036, 3082-3083, 3112, 3162, 3241, 3244, 3369-3371, 3413, 3424, 3463, 3500, 3537, 3539, 3550-3551, 3561, 3591-3594, 3620, 3874, 3880, 3897-3903, 3908, 3912, 4012, 4025, 4039-4040, 4287, 4390, 4393, 4395, 4410-4413, 4415-4416, 4425, 4455-4457, 4507, 4849, 4947, 4957, 5031, 5354, 5552, 5555, 5559, 5635, 5794, 5796-5797, 5801, 5826, 6658, 6705, 6739, 6761, 6816, 6830-6832, 6854
    Civil oath required of, 7, 87-88, 254, 256, 505, 529, 610, 646, 657, 663, 693, 783, 1033, 1085, 1090, 1104, 1139, 1141-1142, 1148, 1157-1158, 1509-1510, 1601-1606, 1616, 1620, 1622, 1807, 1822-1827, 1829, 1853, 1893, 2145, 2722, 2910, 2936, 3007, 3014, 3321, 3425, 3793, 3903, 3905, 3975, 4067, 4115, 4219, 4455-4457, 4851, 4947, 5054, 5146, 5213-5214, 5278, 5358, 5397, 5794, 6291-6292, 6413, 6523, 6577, 6705, 6712, 6739
    Concile Nationale de l'Eglise de France, 3618-3619, 6290-6292
    Constitutional (juring) clergy, 578, 693, 5801
    Dauphiny, 302, 737, 1491
    Debts of, 5547, 5748, 5776
    Deputies of, in Assemblée Nationale Constituante, 5793-5794, 5796-5797, 5801
    Dijon, 5315, 5330
    election of bishops (1790), report on, 3244
    Estates General, position of, in, 378, 625-626, 660, 5392

Collèges, 1779, 2882, 6755

Collot d'Herbois, Jean-Marie (dramatist, actor, Conv), 1693, 1894,
    3599, 4722

Colmar (ville), 4729
    Conseil souverain in, 6250
    Lutherans in, 3315
    protestants in, 4737

Colonies, 1592, 2378, 2384, 4121

Comedians, 205, 4825, 6852

Commerce, 2830, 2906, 4711
    bureaus for, proposal to create, 5664
    taxes on, 2830
    tribunals of, 3068

Committees, legislative. See various national legislative bodies--
    Assemblée Nationale Constituante, etc.

Communications (and transportation), 2970, 3519, 4559, 4568, 5752

Compagnie des Indes, 1126, 2097

Comtat-Venaissin. See Avignon

Concordat of 1801, 1624, 4418, 4448, 6038, 6040

Condé, Louis-Henri-Joseph de Bourbon, prince de (son of following,
    émigré), 2210, 3751-3753, 4021, 4110-4112, 5387

Condé, Louis-Joseph de Bourbon, prince de (governor of Burgundy,
    émigré), 293, 683, 810, 2210, 3751-3753

Condorcet, Marie-Jean-Antoine-Nicolas de Caritat, marquis de (philosophe,
    Leg, Conv), 1754, 1889, 5558, 5868

Congregations séculières, 2966, 3884, 3957, 5017

Conseil d'état, 598, 5440-5456, 6163

Conseil des Anciens (1795-1799), 1061, 6021
    Committees special, 2516, 2674, 3086, 3171, 3860, 5051

Conseil des Cinq-Cents (1795-1799), 1061, 1373, 2975, 6023-6027
    Commission d'Instruction Publique, 3283, 4145
    Commission des Canaux, 3160
    Commission des Dépenses, 5172
    Commission des Finances, 3024, 5172, 6028
    Commission des Institutions Républicains, 2450
    Commission des Onze, 1858-1859, 3295
    Commission Militaire, 3284
    Committees, special, 1677, 1760-1761, 1920, 1923-1925, 2258,
        2425, 2449, 2482-2483, 2629, 2697-2699, 2780, 2842-2846,
        2914, 3046, 3159, 3251-3252, 3673, 3766, 3809, 4265, 4453,
        4616, 4724, 4871, 4940, 4967, 5055, 5172

[Convention Nationale (Continued)]
    Comité de Commerce, 1909, 1911-1913, 3023
    Comité de Constitution, 3102, 5953-5954
    Comité de Défense Générale, 1996
    Comité de la Guerre, 2250, 2836, 3407, 4257
    Comité de la Marine et de Colonies, 1838-1839, 3407
    Comité de Législation, 5955 (and cross references)
    Comité de Liquidation, 2318, 3580
    Comité de Petitions et de Correspondence, 2857-2858
    Comité de Salut Public, 512, 5956-5967 (and cross references after
       5967)
    Comité de Secours Publics, 1671, 2318, 3797, 4123
    Comité de Sûreté Générale, 4123, 5968-5970 (and cross references
       after 5970)
    Comité des Assignats, 3491
    Comité des Décrets, 2588
    Comité des Finances, 4123, 5971-5973 (and cross references after
       5973)
    Comité des Inspecteurs, 2249
    Comité des Ponts et Chaussées, 1909
    Comité des Travaux Publics, 5974 (and cross references)
    Comité Diplomatique, 1996, 3102, 3194, 4257
    Commission d'Agriculture et des Arts, 5947
    Commission d'Instruction Publique, 4302-4304
    Commission des Onze, 1635-1636, 1843, 1848, 4485
    Commission des Vingt-un, 5977-5978
    Committees, 3071
    Committees, special, 5975-5979 (and cross references after 5979)
    Decrees and Projects, 5896-5946 (and cross references after 5946)
    Declaration of Rights, 5862-5863, 5953-5954
    Deputies, 5980, 5983, 5990-5991
    Meetings of, 5854-5859
    Règlement of, project for, 1940

Convention, Thermidorian, defense of, 1322

Corbel (de Squirio), Vincent-Claude (avocat, Leg, Conv, Anc, magistrate),
    5982

Corbigny (ville), tribunal at, 3062

Corday, Marie-Anne-Charlotte de, drama about, 196

Cordeliers, 624, 871, 6688, 6862

Corrèze (department), inhabitants of, 1997

Corsica (Corse) (department), 2220, 2902, 4058, 5294
    national domains in, 1572
    payment of former employees of suppressed offices in, 3813, 4884

Corvée, conversion of, 6115

Côte-d'Or (department), 2169, 5318
    deputies of, 5980
    electoral assembly in, 363
    National guard of, 4754
    public notaries in, 4960

Cotentin (bailliage), deputies of, 1375, 6455-6457

Côtes-du-Nord (department), public notaries in, 1398

Council of Elders. See Conseil des Anciens

Council of Five Hundred. See Conseil des Cinq-Cents

Counterfeiting, 979, 1452, 1685, 1813, 3175, 3843, 4494, 4733, 5148, 5755

Counter-Revolution. See Aristocracy; Emigrés; Royalism

Counter-revolutionary pamphlets, 248, 253, 300, 350, 382, 393, 441, 451
     483-484, 492, 499, 500, 508, 689, 707, 717, 761, 767, 806, 810,
     903, 922, 948, 952, 1036, 1055, 1197, 1201, 1264, 1266, 1274, 1288,
     1293, 1308, 1334, 1336, 1380-1381, 4094-4095, 4734, 5008, 6678,
     6701, 6745

Cour de Cassation, 1431, 2958, 3065, 3542, 3773, 4499

Cour des Aides, 851, 5418, 5421, 5423-5424
     Montauban, 6411
     Nancy, 6428
     Paris, 6264-6270 (and cross references after 6270)

Cour des Comptes, Aides et Finances
     Dauphiny, 6103
     Montpellier, 6249, 6420-6422
     Provence, 6589
     Rouen (Normandy), 6458, 6607-6608

Cour des Monnoies, 5420, 6102
     Paris, 5420, 6213, 6271, 6470

Cour plenière (1788), 131, 280, 342, 591, 650, 769, 831, 1056, 1079,
     1154, 2763-2764, 3059, 5259, 5263, 5450, 6243, 6287, 6289

Courtois, Edme-Bonaventure (Leg, Conv, Anc), 3668

Courts martial, project to re-organize, 2706

Cousin Jacques, 1678-1681 (Louis Abel Beffroy de Reigny)

Couthon, Georges-Auguste (Clermont avocat, Leg, Conv), 1590-1591, 3303,
     3796

Credit, public, opinion on means to restore, 2619

Creditors, private, 4922, 5721

Creuse (department), public notaries in, 4961

Creuzé- Latouche, Jacques-Antoine (magistrate, Const, Conv, Anc), 3861
     4444, 4591

Criminal ordinance, revision of, 1663-1664

Crown domains. See Domains, Crown

Cult of Reason, speech on, 4641

Curt, Louis, chevalier de (royal commissioner, Const), 4121

Custine, Adam-Philippe, comte de (army officer, Const), 5787

Customs. See Tariffs

Dabray, Joseph-Séraphin (Nice avocat, Conv, C500), 5983

Damas d'Antigny, Joseph-François-Louis-Charles-César, duc de (army officer, émigré), 2268

Danton, Georges-Jacques, (avocat, minister of justice, 1792, Conv), 4710, 6810, 6856

Darracq, François-Balthazar (Dax avocat, C500), 1888

Dauchez, Jean-Baptiste-François-Xavier (echevin at Arras, C500), 4388

Daunou, Pierre-Claude-François (professor, Conv, C500, archivist), 5869

Dauphiny (province), 444, 616, 818, 1071
    assemblies, provincial of, 6104
    clergy of, 302, 737
    commission intermédiare of, 1227
    deputies of, 4158
    estates, three of, 401, 819, 950, 4156-4157
    nobles of, 302, 737, 1491
    third estate of, 389, 1353
    Parlement of. See Parlement of Grenoble

D'Averhoult, Jean-Antoine (administrator, Leg), 3237

David, Jacques-Louis (painter, Conv), 3599

Dax (Acqs) (ville), administrators of, 1888

Debt, public, 237, 861, 1062, 1424, 1477, 1505, 1627, 1640, 1661, 1717, 1834, 2082, 2098, 2138, 2279-2280, 2463, 2481, 2508, 2519, 2995, 3345-3346, 3607, 3725, 4028-4029, 4076, 4083-4084, 4480, 4669, 5048, 5590-5591, 5593-5594, 5596-5599, 5602, 5604-5606, 5608-5609, 5611, 5613-5615, 5617-5620, 5622, 5626, 5630-5631, 5720-5721, 5723-5724, 5973, 6633, 6752

Declaration des droits de l'homme et du citoyen (1789), 406, 419, 995, 1175, 1833, 2149, 2393-2394, 2709, 2733, 2941, 3078, 3264, 3372, 3696, 3817, 4129, 4160, 4400, 4732, 4845-4846, 4850, 4856, 4877, 4936, 4946, 4978, 5002, 5495-5508

Declaration des droits de l'homme et du citoyen (1793), 3072, 5860-5861

Declaration des droits et des devoirs de l'homme et du citoyen (1795), 5863

Delacroix, Jacques-Vincent, 854, 3350

Delacroix, Jean-François (Anet avocat, administrator, Leg, Conv), 4710, 5892

Delambre, Charles-Guislain (farmer, Const), 5357

Delapagne, 4186 (Louis-Michel Musquinet de la Pagne)

Dentzel, Georges-Frédéric (protestant pastor, Conv, Anc, army officer),
    2363

Departments
    civil tribunals in, 2656
    financial officers in, 3377, 3606
    See also Government units, local, re-organization of

Deportation of clergy and nobles, decrees on (1794), 5942-5944

Deputies. See various national legislative bodies

Desaix, Louis-Charles-Antoine, chevalier de Veygoux (army general),
    2043, 2946

Desaugiers, Marc-Antoine (poet), 5950

Desbrugnières, Fiacre-Pancrace-Honoré (inspector of police), 725, 1279

Desmoulins, Camille (journalist, Conv), 484, 2408, 6767

Desorgues, Théodore (poet), 3570, 5950

Despaze, Joseph (pseud. Grabit) (writer), 1351

Deux-Sèvres (department), 2940

Digne (ville), diocese of, 579

Dijon (bailliage), officers of, 6093
    (commune), conseil général of, 4759, 4762-4763
    (district), 2173
    Parlement of. See Parlement of Dijon
    (ville), 125, 1051, 1072, 4764, 5272-5273, 6076, 6314
        Bureau des finances, 6089
        Corps municipal, 6084
        lawyers of, 606
        municipal officers of, 6091
        patriotic society in, 1518
        patriots of, 4771
        Royal chapter of Saint Chapelle, 6087
        sections of, 1517, 5335-5338
        third estate of, 606, 863, 1072

Dillon, Arthur, comte de, (army officer, Const), 2541, 3031

Dillon, Arthur Richard de (archbishop of Narbonne), 3750, 4417

Dîme royale (treatise by Vauban), 1630

Dinocheau (or Dinochau), Joseph-Samuel (avocat, Const), 1697, 3133

626

Directory (1795-1799), 499, 825, 1162, 1351, 1638, 2041, 2761, 2799, 2993, 6003-6020
    conspiracies, alleged, against, 1325, 1447-1448, 6004-6007
    coup d'état, 18th Fructidor, 32, 1511, 1514-1515, 1642, 1924, 3274, 3643, 6009-6011, 6023-6024
    coup d'état, 22nd Floréal, 32
    coup d'état, 30th Prairial, 259, 698, 1276, 1360, 1559, 2905, 6567
    elections under (1797), 6008, (1799), 6018

Discount Bank. See Caisse d'Escompte

Districts, financial officers in, proposals for, 3377, 3606

Divorce, laws and opinions on, 63, 913, 1064-1065, 1258, 1320, 4447, 4793, 4971, 6683

Domains, crown, 78, 1566, 1571, 4051, 5001, 5098, 6260

Domains, national, 1571-1572, 2279-2280, 2521, 2784, 3623, 4459, 5727, 5938
    alienation of, 2457, 3776, 5661
    payment for, 3384, 3508, 3567, 3615, 3617, 5669
    sale or lease of, 458, 861, 1950, 2457, 3325, 3503-3504, 3506, 3567, 3605, 3669, 4907, 5547, 5655, 5899
    See also Comité d'Alienation and Comité des Domains under various national legislative bodies

Dons patriotique, 2774, 3612, 6844

Doria, Giovanni-Pampili (cardinal), 2243

Douai (commune and district), conseil général, 6454
    Parlement of. See Parlement of Douai

Doubs (department)
    Lutherans in, 3313
    salt marshes in, 2865

Draguignan (ville), general assembly of inhabitants of, 3233

Drulhe, Philippe (curé, Conv, C500), 1061

Dubois de Craneé Edmond-Louis-Alexis (army officer, Const, Conv, C500) 3305, 5896, 6767

Dubois-Dubois, Louis-Thibault, comte (army officer, Leg, Conv, C500, Anc), 3928

Dubusc, Charles-François (manufacturer, Conv, C500), 5982

Ducastel, Jean-Baptiste-Louis (Rouen avocat, Leg), 682

Ducos, Roger (Dax avocat, Conv, Anc, Director 1799, Consul), 1996

Ducrest, Charles-Louis, marquis, 744

Dueling, opinions on, 791, 6738, 6795

Dufresne, Bernard (intendant, C500), 1555, 6721

Dugué-d'Assé, Jacques-Claude (avocat, Conv, Anc, sub-prefect), 5869

Duhem, Pierre-Joseph (physician, Leg, Conv), 1894, 3272

Dumas, Mathieu, comte (army officer, Leg, Anc), 3953

Dumouriez, Charles-François Duperrier dit (army general, minister of foreign affairs, minister of war, 1792), 4833, 5992, 6409

Dunan, Theodore. See Duverne de Presle, Thomas-Laurent-Madelaine

Dupaty, Charles-Marguerite-Jean-Baptiste, Mercier-, 958

Duplessis (prison), 1246

Duport, Adrien-Jean-François (counsellor, Const), 475, 485, 2403, 5044, 6477

Duport-Dutertre, Marguerite-Louis-François (avocat, minister of justice, 1790-1792), 1399, 2467, 2490, 3355, 4509, 4721

Duportail, Antoine-J.-Louis-Lebègue (army general, minister of war, 1790-1791), 4137

Duprat, Jean (mayor of Avignon, Conv), 3677-3678

Dupuy-Montbrun, Jean-François-Alexandre (commander of national guard, Montauban), 176

Dutch refugee patriots, 142, 742, 746, 799, 4558

Dutch Republic, 1244, 1996, 2040. See also Netherlands (Holland)

Duval, Jean-François (farmer, Leg), 3626

Duval, Jean-Pierre (Rouen avocat, Conv, C500), 1360

Duval Deprémenil . See Eprémenil , Jean-Jacques Duval d'

Duverne de Presle, Thomas-Laurent-Madelaine, dit Théodore Dunan (royalist agent), 6005-6007

Duveyrier, Honoré-Marie-Nicolas (avocat, author, magistrate), 2354, 3059

Ecole centrale des travaux publics, 2889-2890, 5960-5961

Ecole polymathique, 2042

Ecole polytechnique, 3741, 4488

Ecoles de santé, 5962

Ecoles de services publics, project for, 2888, 2891

Edict of Nantes (1598-1685), 4671

Education, public, 991, 1450, 1536, 1576, 1931, 1936, 2244, 2338, 2415, 2621, 2882-2883, 2887-2893, 2912-2913, 2976, 3064, 3410, 3481, 3588, 3627, 3875, 3956, 4032, 4367, 4369, 4372-4373, 4485, 4538, 4541, 4544, 4910, 5124, 5923-5924. See also Comité d'Instruction Publique of various national legislative bodies

Elections (1790), 123
    (1791), 5636
    (1795), 986, 3758, 4720
    (1797), 119, 1327, 2807, 3431, 6008
    (1798), 1262, 4591, 6030-6031
    (1799), 120, 1263, 5073, 6018

Elisabeth, madame (sister of Louis XVI), imaginary dialogue with, 4664

Emigrés, 84, 93, 138, 145, 428, 548, 932, 938, 1006, 1022, 1044, 1097, 1140, 1149, 1241, 1257, 1288, 1299, 1312, 1328, 1483, 1486, 1503, 1564, 1639, 1719, 1734, 1763, 1891-1892, 1935, 2196, 2252, 2269, 2396, 2416, 2453, 2468, 2472, 2665, 2681, 2697-2698, 3086, 3165, 3223-3224, 3237, 3245, 3251-3252, 3301-3302, 3328, 3466, 3613, 3616, 3766, 3848, 4097-4098, 4134, 4181, 4257, 4289, 4436, 4445-4446, 4474, 4542, 4795, 4914, 5008, 5012, 5051, 5904, 6012-6013, 6836

Emmery, Jean-Louis-Claude, comte de Grozyeulx (Metz avocat, Const, C500), 830, 4967

Empire, Holy Roman, princes of, 5635

Enghien, Louis-Antoine-Henri de Bourbon, duc d', 1122, 2210, 3751-3753, 4110-4112, 5753

Enjubault de la Roche, René- Urbain-Pierre-Charles - Félix (Const), 78

Entrevaux (ville), 3162

Epremenil, Jean-Jacques Duval d' (Paris counsellor, Const), 103, 148, 511, 1024, 1182, 2293, 2860

Eschasseriaux, Joseph, baron (avocat, Leg, Conv, C500), 3165, 4450, 6020

Essone (river), 3110, 3971

Estaing, Charles-Hector, comte de (Const), 286

Estates, provincial, 409, 2767, 4044, 4308, 4312, 4829-4830, 5756
    Béarn, 5302
    Brittany, 409, 1899, 3196, 5408, 5432-5434, 6207, 6212
    Dauphiny, 5298-5304
    Franche-Comté, 5453
    Guienne, 26, 523, 573
    Languedoc, 6245, 6352
    Lorraine, 6363
    Normandy, 94, 129
    Provence, 424, 4008, 4010, 6591

Estates General (1789). See Etats-Généraux (1789)

Etats-Généraux (1355-1358), 1267, 1271

Farmers-general, 1126, 4053, 5798, 6788, 6817

Fauchet, Claude (constitutional bishop of Calvados, Leg, Conv), 3254

Faure, Balthazar (Conv, C500), 5982

Favard de Langlade, Guillaume-Jean, baron, (avocat, C500), 1757, 1761, 4871

Favras, Caroline-Edwige d'Anhalt-Schauenbourg, marquise de (wife of following), 41

Favras, Thomas de Mahy, marquis de (conspirator in "Favras Affair," December, 1789), 308, 323, 331, 563, 4406-4407, 4972, 6488

Féderation Nationale (14 July)
    (1790), 46, 165, 180, 218, 299, 316-317, 324, 330, 332, 390, 446,
        885, 894, 1011, 1048, 1134, 1329, 2876, 2907, 4764, 6581
    (1791), 6685
    (1792), 4274, 5819, 5891
    (1799), 359, 1637
    (1800), 883

Feraud, Jean (Conv), 3764

Fête de la raison (1793), 2661, 4429

Fête de la vieillesse (1797), 2749

Fête du 10 août
    (1793), 884, 2428, 3407
    (1794), 5958
    (1795), 2418
    (1797), 3294
    (1798), 2696
    (1799), 4517

Fête du 18 fructidor
    (1797), 1921, 1928
    (1798), 2423
    (1799), 1918

Fête du 9 thermidor (1798), 365

Fête du premier vendémiaire
    (1798), 4653
    (1799), 2904

Fête du 20 prairial (1794), 3318

Fête du 21 janvier (1793)
    (1798), 4173
    (1799), 2948

Fête funèbre du 11 vendémiaire (1796), 1634

Fête patriotique (1790), 3043

Fêtes civiques (1792), 1541

Fêtes décadaires
  (1794), 5950
  (1795), 2852, 3849, 4387, 4948-4949, 4973, 5083

Fêtes nationales
  (1794), 3890, 3954
  (1795), 3891, 4550
  (1797), 3495

Fêtes publiques (1794), 1769

Feudal rights, 1124, 1906, 1908, 2221-2222, 2974, 3013, 3942, 3946,
  3948, 4260, 4589, 5039, 5041-5043, 5046, 5128, 5438, 5535, 5562,
  5573, 5578, 5588, 5600, 5659, 5720, 5725, 5737-5738, 5753,
  5777-5779, 5917. See also August 4-5 (1789) decrees

Feuillants, 3423

Finances
  (1774-1787), 2069
  (1787), 219-221, 601, 5380-5383
  (1788), 788, 2640, 5446
  (1789), 745, 1357, 2349, 2732, 4014, 4080, 4421, 4904, 5523
  (1789-1791), 3825
  (1790), 795, 1026, 1419, 1425, 1428, 2599, 3333, 4031, 4397, 5099,
    5101, 5511, 5547, 5577, 5703, 5750, 5786
  (1791) 448, 1013, 1990, 2304, 2351, 4054, 5590-5591, 5593-5594,
    5596-5599, 5601-5602, 5604-5606, 5608-5609, 5611, 5613-5615,
    5617-5620, 5622, 5626, 5630-5631, 5720, 6690, 6725
  (1792), 5833
  (1795), 1070
  (1796), 3047, 6003, 6029
  (1797), 6011-6012, 6021
  (1798), 3569
  (1799), 85, 1512
  Bureaux des finances, 3349
    Bordeaux, 5222
    Lyon, 6249, 6369
    Montauban, 6410
    Montpellier, 6249, 6419
    Toulouse, 6643
  Court, national, of finances, proposed, 853
  See also Assignats; Comité des Finances of the various national
    legislative bodies; Debt, public; Livre Rouge; Loan, compulsory;
    Money and coinage; Necker, Jacques; Treasury, public

Financial aid to departments, 5927

Flanders (Flandre) (province), three orders of, 555-556
  Parlement of. See Parlement of Douai

Flesselles, Jacques de (prévôt des marchands, lynched 1789), 109, 345,
  388, 1012

Fleury, Honoré-Marie (avocat, Conv, C500), 5983

Folleville, Antoine-Charles-Gabriel, marquis de (army officer, Const,
  émigré), 1170

Food supplies (subsistances), 1553, 2074, 2087, 4151, 4624, 5527, 5769, 5940

Foreign affairs, ministry or department of, 2687, 3734

Foreign relations. See Comité Diplomatique of various national
    legislative bodies

Forests, national, 1567
    administration of, 1596, 2486, 2562, 4402, 5616
    alienation of, 1337
    sale of, 3604

Forez (province), 6417
    proprietors in, 3866

Fouché, Joseph (professor, Conv, minister of police), 1693

Foulon, Joseph-François de (government official, lynched 22 July, 1789),
    102, 109, 154-155, 255, 891, 1012, 1166, 1280, 1313, 1347, 6711

Fouquier-Tinville, Antoine-Quentin (avocat, public accuser, 1794), 4068

Fox, Charles James (English statesman), 572, 2037

Français, Antoine, comte (Français de Nantes) (Leg, C500), 857, 1858

Franche-Comté (province), 635, 1066, 1289, 2352
    convocation of Etats Généraux in, 5413
    estates of, 5453
    nobles of, 3286, 6317
    Parlement of. See Parlement of Besançon

François de Neufchâteau, Nicolas-Louis (avocat, Leg, minister of
    interior, 1797, Director, 1797-1799), 1351, 1862, 6667

Franklin, Benjamin, speech of Mirabeau on death of, 434, 4027

Frederick-William II (king of Prussia, 1786-1797), letter of Mirabeau
    to, 4000, 4005

Freedom of the press. See Press, freedom of the

Freedom of religion. See Religious freedom

French language, 3105

Fréron, Louis-Marie-Stanislas (Conv, C500), 460, 1653, 3235, 4911, 6767

Fréteau de Saint-Just, Emmanuel-Marie-Michel-Philippe (Paris counsellor,
    Const), 6106, 6151, 6158

Gabelles, 1630, 1743, 1829, 5529, 5546, 6352

Ganges (ville), national guard of, 6320

Ganilh, Charles (Paris avocat and official), 1535

Garat, Dominique-Joseph (avocat, editor, Const, minister of justice 1792, minister of interior 1793, Anc), 6767, 6770

Garchery, Pierre-Claude-François (Montcenis avocat, procureur du roi, Leg), 6078

Gard (department)
    administrators of, 1900
    electoral body of, 6320
    national guard of, 6320

Gardes-Françaises, 469, 574, 586, 1107, 2027, 4623, 6298-6300, 6506, 6559

Gardes Nationales, 11, 50, 69, 691, 735, 835, 1657, 1666-1667, 2033, 2047, 2049, 2211, 2674, 3363, 3527, 4060, 4533, 5612, 5624, 5813, 6492, 6681-6682, 6742, 6746
    Alais, 5184
    Arpajon, 5197
    Arras, 5198
    Bioule, 1974
    Bruniquel, 2063
    Burgundy, departments of former province of, 3154
    Caylux, 5282
    Côte-d'Or (department), 4754
    Dijon, 5320
    Gard (department), 6320
    Ganges, 6320
    Lille, 6356
    Livron, 6362
    Loriol, 6362
    Maine-et-Loire (department), 2489
    Marseille, 683, 729, 1781, 1798, 2922, 3710, 6388-6390
    Mirabel, 2063
    Montauban, 333, 2728, 6415
    Montpellier, 6424-6425
    Montclar, 2063
    Montricoux, 2063
    Negrepelisse, 2063
    Nîmes, 1900
    Oath required of, 2608
    Orléans, 6464
    Paris, 1599, 2077, 3936, 5612, 5624, 5813, 6559, 6578
    Perpignan, 811
    Portiers, 6585
    Pont-de-Sorgues, 6587
    Réalville, 2063
    Rouen, 1053, 2300, 4342, 6615-6616, 6619
    Strasbourg, 6641
    Vaissac, 2063
    Var (department), 6661

Garonne (department, Haut-). See Haut-Garonne (department)

Garran de Coulon, Jean-Philippe (Paris avocat and official, Leg, Conv, C500), 6489

Gascony (Gascogne) (province), 5972

Gausserand, Jean-Joachim (curé, Const, constitutional bishop of Tarn), 1733

Gauthier des Orcières, Antoine-François (Bourg avocat, Conv, Anc), 2605, 3305

Gendarmerie, nationale, projected organization of, 3353, 3451, 5579 5677, 5782

Geneva, republic of, 6792

Genlis, Stephanie-Felicité Ducrest-de Saint-Aubin, marquise of Sillèry, comtesse de (tutor of Orléans children, émigré), 4249

Gensonné, Armand (Bordeaux avocat, Leg, Conv), 213, 585, 2940, 4106

George III (king of England, 1760-1820), 404

Germinal (1795) conspiracy, 2413, 4686

Gers (department), 3530
    electoral assembly of, 2862

Gervais de la Prise, Charles-René (curé of Caen), 421, 1141, 1158

Gilbert-Desmolieres, Jean-Louis (C500), 3134, 3590

Girardin, Stanislas-Cécile-Xavier-Louis, vicomte d'Ermenonville (army officer, Leg), 3051

Girault, Claude-Joseph (mayor of Dinan, Conv, Anc), 5868

Girondins, 216, 1114, 5981, 6555. See also June 2 (1793), coup d'état of.

Girot de Pouzol, Jean-Baptiste (Riom avocat, Const, Conv, Anc, C500), 6560

Givet (ville), Société des Amis de la Constitution in, 2308

Givors (canal), 3828, 4432

Gobel, Jean-Baptiste-Joseph (Const, constitutional bishop of Paris), 346, 718

Gonchon, Clément (lawyer, popular orator), 2886, 3926, 6533

Gorsas, Antoine-Joseph (educator, journalist, Conv), 1230, 6767

Gossuin, Louis-Marie-Joseph (avocat, Const), 3031

Goupil de Préfelne, Guillaume-François-Charles (magistrate, Const, Anc), 1375

Gourlay, Jean-Marie (administrator of Loire-Inférieur, C500), 6358

Gouy d'Arcy, Louis-Henry-Marthe, marquis de (army officer, Const), 2809

Government units, local, re-organization of, 813, 1471-1473, 1475,
    2031, 2226, 2731, 2820, 2963, 3067, 3621, 4038, 4311, 4401,
    4534-4535, 4996-4998, 5085, 5572, 5678

Grabit (pseud. of Joseph Despaze), 1351

Grain and grain trade, 826, 901, 1753, 4150, 4665, 5541, 5558, 5935,
    5964-5965, 5967, 6737

Grave, Pierre-Marie, marquis de (minister of war, 1792), 2281

Gray (ville), 3602

Grégoire, Henri-Baptiste (Const, constitutional bishop of Loir-et-Cher,
    Conv, C500), 5889, 6739

Grenoble (ville), 1046, 5305, 5309
    clergy of, 6327
    nobles of, 364, 6327
    Parlement of. See Parlement of Grenoble
    three orders of, 6332

Guadet, Marguerite-Elie (avocat, Leg, Conv), 2984, 4723

Guard, national. See Gardes Nationales

Guards, King's body -, 40, 282, 3097, 3266, 6297

Guards, Swiss, 511, 574

Guffroy, Armand-Benoit-Joseph (avocat, Conv, printer), 957, 4726

Guiana deportees, 4552, 5050

Guienne (province), 2518, 5173
    assemblies, provincial, creation of in, 5389
    citizens of, 757
    convocation of Etats-Généraux in, 6334
    communes of, 26
    Cour des Aides et Finances in, 5227
    estates of, 26, 523, 573, 3704, 5228
    regiment of, 6280, 6320
    See also Haut-Guyenne

Guienne (sénéchaussée)
    nobles of, 3373
    third estate deputies, 1727

Guillotin, Joseph-Ignace (physician, Const), 642, 4931, 6725

Guiot, Florent (avocat, Const, Conv, Anc, C500), 406

Gustavus III (king of Sweden, 1771-1792), assassination of, 1458

Guyton de Morveau, Louis-Bernard (Dijon avocat, Leg, Conv, C500), 5980

Guzman, André-Marie (political agitator), 6562

Haguenau (ville), 112
    bailliages of, 2870
    commune of, 5151

Hardy, Thomas (secretary of British reform societies), 5888

Haut-Garonne (department), 4332
    electoral body of, 663

Haut-Guyenne (province), 405, 3541

Haut-Rhin (department), 2009, 2551, 2972, 4376, 5787
    fugitives of, 2550, 3172
    public notaries in, 2174

Haute-Cour-Nationale, proposals for, 2400-2402, 2520, 3327, 3861,
    4262, 5016

Haute-Loire (department), 2165, 2838, 4389, 6033

Haute-Marne (department), 2837

Haute-Saône (department)
    Lutherans in, 3313
    salt marshes in, 2865

Hautes-Alpes (department), public notaries in, 2576

Hecquet, Charles-Robert (mayor of Caudebec, Conv, Anc), 5983

Hemp and flax, culture and refining of, 1451, 4471

Henry IV (king of France, 1589-1610), 391, 706, 725, 972, 989,
    1045-1046, 6710

Herbouville, Charles-Joseph-Fortuné, marquis d' (officer and administrator,
    suspect), 3736

Hesse-Cassel, treaty with (1795), 5999

Hoche, Lazare (army general), speech at funeral of, 2414

Hohenlinden, battle of (1800), 6035

Hospitals
    civilian, 2057
    military, 4230, 4837-4838, 5640
    Paris, 3513

Hôtel des Invalides (Paris), 2062, 2812, 6302-6303

Huninque (ville)
    aristocrats of, 3520-3521
    food supplies for, 3382

Ichon, Pierre-Louis (priest, Leg, Conv), 5869

Illegitimacy (bastardy), 917, 1721-1722, 1757, 2631, 3028, 3222,
    3651-3652, 4182, 4261, 4438, 4549, 4615, 4797. See also
    Inheritance, rights of

Imbert-Colomès, Jacques-Pierre (chemist, royalist agent, C500), 6012

Indre (department), 1907

Inheritance, rights of, 704, 1760, 1935, 2196, 2530, 2533-2538, 2645,
    2697-2698, 2770, 2842-2846, 3434, 4034-4035, 4375, 4548, 4595, 4712

Institute (Institut Nationale des Sciences et des Arts), 3483, 4296

Instruction, public. See Education, public

Invalides. See Hôtel des Invalides (Paris); Veterans, disabled

Irish soldiers in French service, 839

Isère (department)
    cash account (caisse) of, 2920
    public notaries in, 2575

Italy, 3522
    patriot refugees from, 1983

Jacobins (Société des Amis de la Constitution), 186, 194, 303, 318,
    394, 460, 476, 484, 493, 499, 838, 887, 1130, 1229, 1293, 1295,
    1391, 1545-1548, 1723, 1855, 1895, 1959, 2208, 2597-2598, 2704,
    2759, 3118, 3270, 3273, 3448, 3534, 3628, 3862-3863, 3867-3868,
    4237, 4673-4674, 4678, 4748, 4750-4751, 4784-4785, 4875, 5131,
    5519, 6313, 6400, 6722, 6732, 6771
    Beziers, 2144
    Caen, 5279
    Lyon, 6373
    Montauban, 3257
    Nîmes, 1732, 6451
    Paris, 476, 1763-1765, 3303, 6565-6567
    Rouen, 1620, 2735

Jacqueminot, Jean-Ignace-Jacques, comte de Ham (Nancy avocat, C500),
    1760

Jalès (hamlet), camp fédératif at, 4861, 6665

Jews, 897, 4825, 6693
    Alsace, 6843

Jodrillat, Louis-Clément-Bonnaventure (lieutenant general at Sens), 6640

Joseph II (Holy Roman Emperor, 1780-1790), 201, 227-228, 571, 1354,
    3727, 3730

Joubert, Barthélemy-Catherine (army general, killed at Novi 1799),
    speeches on death of, 1919, 2341, 2945, 2951

Judiciary
    election of judges in Paris, 1029
    judicial offices, 4128, 5827-5828
    opposition to reform of, 427
    reform of, 131, 161, 232, 427, 439, 526, 550, 591, 612, 658, 745,
        751, 782, 818, 858, 874, 906, 984, 1009-1010, 1025, 1028, 1043,
        1092, 1100, 1186, 1283, 1304, 1353, 1368, 1431, 1468, 1500,
        1638, 1663-1664, 1696, 1715, 1875-1877, 2191-2192, 2296, 2233,
        2238, 2400-2402, 2567-2569, 2711-2712, 2714-2716, 2796, 2813,
        3065, 3144, 3146, 3213, 3297, 3429, 3633, 3809, 3910, 3962,
        4295, 4844, 4943, 4988-4995, 5003, 5036-5037, 5040, 5132,
        5156, 5255-5256, 5258, 5269, 5556, 5560-5561, 5672-5674, 5679,
        5686, 5692-5697, 5827-5828, 6316, 6369, 6417
    See also Assemblée Nationale Constituante, Comité de Judicature,
        Comité de Jurisprudence criminelle; Cour plenière

Juigné, Antoine-Eleanor-Léon-Leclerc, comte de (archbishop of Paris),
    229, 6576

Juine (river), 3110, 3971

Julien, Jean (protestant pastor, Conv), 5869

July (1789), events of, 530, 607, 684, 4496

June 2 (1793), coup d'état of, 1767, 2556-2557, 3060, 3473, 3716,
    4366, 4719, 5857

Jura (department), 6462
    salt marshes in, 2865

Jurisprudence, criminal, reform of (1789), 5532-5533

Justice, High court of, 4443

Justice, seigneurial, compensation for former officers of, 3297

Justices of the peace, 526, 1638, 2483, 4518, 5003, 6027

Kaiserlautern (ville), seizure of (1794), 1587

Kaunitz-Rictberg, Anton Wenzel von, prince (Austrian statesman), 3680

Kellermann, François-Etienne de (army general), 6836

Kleber, Jean-Baptiste (army general, assassinated 1800), eulogy of, 2946

Kornmann, Guillaume, 575, 641, 741, 1699, 1701-1702, 1704-1705

Labat, Jacques-Arnaud de (Marseilles merchant, Const), 3636-3637

La Boissière, Jean-Baptiste (avocat, Leg, Conv, Anc), 5869

Lacoste, Jean-Baptiste (avocat, Conv), 3404

Lacratelle, Charles-Jean-Dominique de (1e jeune), 6560

La Fare, Anne-Louis-Henri de, cardinal (bishop of Nancy, Const, émigré), 5366

La Fayette, Marie-Joseph-Paul-Roch-Yves-Gilbert de Motier, marquis de, 1011, 1309, 1329, 2596, 3183, 4249, 6467, 6497, 6719, 6743, 6754

La Force (prison), 1246

La Grange, Joseph-Louis (mathematician, savant), 1889

La Harpe, Jean-François de (literary and dramatic critic of Mercure), 6776

Lakanal, Joseph (professor, Conv, C500), 5869

La Lande, Jérome Le François (astronomer, director of observatory), 1430

Lalande, Luc-François (constitutional bishop of la Meurthe, Conv, C500), 6405

Lally-Tolendal, Trophime-Gérard, marquis de (Const, émigré), 1438, 6477

Laloy, Pierre-Antoine (avocat, Leg, Conv, C500), 4450

La Luzerne, César-Guillaume, duc de (bishop of Langres, Const, émigré), 1125

La Luzerne, César-Henri, comte de (army officer, minister of navy, 1787-1790), 1134

Lambert, Charles (lawyer, Leg, Conv), 5980

Lambert, Claude-Guillaume, baron de Chémerolles (Paris counseller, controller general of finances, 1787-1788), 4220

Lambesc, Charles-Eugène de Lorraine, prince de (army officer, émigré), 199, 724, 971, 998, 1216

Lameth, Alexandre-Théodore-Victor, baron de (army officer, Const, émigré), 461, 475, 485, 545, 678, 1303, 4539, 6738, 6759

Lameth, Charles-Malo-François, comte de (army officer, Const, émigré), 461, 475, 485, 545, 661, 678, 774, 1303, 2708, 3351, 6616, 6759, 6841

Lamoignon, Chrétien-François de (garde des sceaux,1787-1788), 643, 650, 721, 725, 977, 1121, 5366-5367, 5369, 5371, 5373, 5383, 6047, 6115, 6149-6150, 6169, 6182, 6184, 6242-6243, 6249, 6252, 6367, 6461, 6662-6663

Landau (ville), decree commending citizens of, 5913
    Lutherans in, 3315
    protestants in, 4737

Landrecies (ville), 1585, 2637

Langres (bailliage), officers of, 6640

Languedoc (province), 56, 115, 680
    estates of, 1444, 1446, 6245, 6352
    inhabitants of, 6695
    Parlement of. See Parlement of Toulouse

Laplace, Pierre-Simon, marquis de (mathematician, professor), 1889, 6033

Laporte, de (intendant of the civil list), 5841-5852, 5874

Laporte, Marie-François-Sébastian de (solicitor, Leg, Conv), 3430

La Révellière-Lépeaux, Louis-Marie de (Const, Conv, Anc, Director, 1795-1798), 224, 259, 1351, 1360, 2501, 4782, 6846

La Rochefoucauld, Dominique de, cardinal (archbishop of Rouen, Const, émigré), 4410, 6830

La Rochefoucauld d'Enville, Louis-Alexandre, duc de (army officer, Const), 6477

La Rochefoucauld-Liancourt, François-Alexandre-Frédéric de (grand master of King's wardrobe, Const, émigré), 1136, 4101, 4697-4699

La Rochelle (ville), roads to, 4568

Lasource, Marc-David-Alba (protestant pastor, Conv), 2548

La Tour (intendant of Aix), 39, 3130, 4654, 6386

La Tour-du-Pin Gouvernet, Jean-Frédéric de Paulin, comte de (army officer, Const, minister of war, 1789), 909, 1134, 2766, 3625, 4812, 6493, 6856, 6863

Latour-Maubourg, Marie-Charles-César de Fay, comte de (army officer, Const), 4351

Launay, Bernard-René-Jourdan, marquis de (governor of Bastille, 1789), 102, 109, 257, 345, 388, 734, 1012, 1278

Laurence-Villedieu, André-François (avocat, Conv, C500), 5983

Laurent de Villedeuil, Pierre-Charles (counsellor, minister of finances, 1788-1789), 5455

Laval (ville), parishes of, 4395

Lavater, Johann-Caspar (Swiss writer), 4004

Lavenue, Raymond (avocat, economist, Const), 4030

Lavicomtérie de Saint-Samson, Louis-Thomas-Hébert (writer, Conv), 6846

La Villeurnoy, Charles-Honoré-Berthelot de (royalist agent, deportee), 6005-6007

Le Bas, Philippe-François-Joseph (avocat, Conv), 1590

Le Berthon, André- Benoit-Hyacinthe (president of Parlement of Bordeaux, Const), 3790

Lebois, René-François (journalist), 101, 6559

Lebreton, Roch-Pierre-François (lawyer, Leg, Conv, Anc), 5982

Lebrun, Charles-François (avocat, writer, Const), 1361

Le Carpentier, Jean-Baptiste (government official, Conv), 6846

Le Chapelier, Isaac-René-Guy (avocat, Const), 195, 1349, 3998, 4102, 5394

Leclerc, Jean-Baptiste (avocat, Const, Conv, C500), 5870

Lecointre, Laurent (merchant, Leg, Conv), 2476, 2751, 3921, 4135, 6637

Le Couteulx de Canteleu, Jean-Barthélemy, comte (financier, Const, C500), 655, 2675

Le Coz, Claude (procurer-syndic at Quimper, bishop, Leg), 436

Leczinski, Stanislas (duke of Bar and Lorraine, d. 1766), 4553

Le Franc de Pompignan, Jean-Georges (archbishop of Vienne, Const, minister of state, 1789), 1800, 3059, 6330

Le Gendre, François-César (Rouen avocat, Leg), 4982

Legendre (ville), 3622

Legion of Honor, speech on, 1860

Legislative Assembly. See Assemblée Nationale Législative

Le Noir, Jean-Charles-Pierre (lt. gen. of police, royal librarian, émigré), 4894

Léopold II (Holy Roman Emperor, 1790-1792), 3317

Le Pelletier, Louis (prevôt des marchands, 1787), 5366, 5373

Le Pelletier de Saint-Fargeau, Ferdinand-Louis-Félix (aide de camp to prince of Lambesc, implicated in Babeuf conspiracy, brother of following), 5994, 6477

Le Pelletier de Saint-Fargeau, Louis-Michel (pres. of Paris Parlement, Const, Conv, assassinated 20 January, 1793), 97, 2249, 2887, 5200, 6558, 6636, 6666-6667

Lescalier, Daniel (counsellor of state, civil commissioner of Guiana), 6524

Lessart, Claude-Antoine Valdec de (avocat, controller general of finances, minister of interior, minister of foreign affairs, 1791-1792), 659, 2403, 5207, 6775

Le Tonnelier de Breteuil, Louis-Charles-Auguste, baron de Preuilly (ambassador, minister of state), 1069, 1298

Letourneux, François-Sébastien (avocat, minister of interior, 1797, Anc), 6358

Lettres de cachet, 687, 4017, 5429, 6068, 6108, 6116, 6188

Levasseur, René (obstetrician, Conv, supporter of Robespierre), 1894

Lévis-Mirepoix, Charles-Philibert-Marie-Gaston, comte de (army officer, Const), 6477

Liancourt, duc de. See La Rochefoucauld-Liancourt, François-Alexandre-Frédéric de

Liberty trees, decree on, 5918

Libourne (ville)
    deputies to Etats-Généraux, 6353
    three orders, 366

Libraries, public, decree on establishing, 5929

Liège (Belgian province), 4138

Liège (Belgian city), revolution in, 1198, 2001

Lieutaud, Jean-François (commander of National Guard in Marseilles), 144, 1781, 1798, 4739, 6392

Lille (ville), 1044
    commune of, 3580
    district of, wool industry in, 3023
    national guard of, 594

Lindet, Jean-Baptiste-Robert (avocat, Leg, Conv, member of Committee of Public Safety, 1793-1794, C500), 5088

Linear measures, 1889, 5823

Linguet, Simon-Nicolas-Henri (avocat, journalist), 130, 2558, 6601, 6729

Liquidation, 2386, 2648, 3471, 4883, 5786. See also Comité de Liquidation of various national legislative bodies

Lisieux (ville), citizens of, 417

List, civil, 4574
    bureau of, 3042
    See also Laporte, de; Pensions

Lits de justice, 3659, 4801, 6169-6171

Livre rouge, 263-264, 266, 380, 701-702, 1136, 4054, 4198, 5762, 5764, 5766-5768, 6847

Loan, compulsory
    (1793), 5973, 6446
    (1795-1796), 3366, 3614

[Louis XVI (Continued)]
　　[Trial and execution of (Continued)]
　　　2127-2128, 2139-2141, 2156, 2197-2198, 2223, 2237, 2247-2248,
　　　2263, 2283, 2301, 2309, 2328-2329, 2333-2334, 2337, 2339, 2348,
　　　2360, 2365, 2407, 2410-2412, 2417, 2419-2420, 2429, 2439-2440,
　　　2451, 2496-2499, 2502-2503, 2526, 2529, 2542, 2559-2560, 2586,
　　　2589-2591, 2593, 2618, 2627, 2633, 2635-2636, 2649-2651, 2660,
　　　2682-2683, 2703, 2736-2737, 2750, 2756-2757, 2781, 2790, 2822,
　　　2826, 2833, 2835, 2839-2840, 2849, 2856, 2864, 2869, 2871, 2894, 2908,
　　　2942-2943, 2953, 2955-2956, 2959, 2965, 2967, 2978, 2981-2982,
　　　2991, 3003, 3019, 3026, 3029, 3033, 3077, 3094, 3101, 3120,
　　　3124-3126, 3135-3136, 3142, 3148-3149, 3151, 3158, 3169-3170,
　　　3190-3191, 3195, 3227, 3240, 3255, 3258, 3285, 3290, 3300, 3304,
　　　3309-3311, 3329, 3337, 3341, 3387, 3389, 3406, 3443-3445, 3474,
　　　3480, 3497-3498, 3544, 3564, 3578-3579, 3587, 3589, 3596-3597,
　　　3603, 3631, 3639, 3644, 3666-3667, 3687, 3714-3715, 3720, 3737,
　　　3746-3749, 3756-3757, 3765, 3777, 3802, 3837, 3841-3842, 3850-
　　　3852, 3855, 3882, 3885, 3889, 3904, 3918-3919, 3927, 3929-3930,
　　　3937, 3950, 3952, 3958-3959, 3964, 3974, 4049, 4056, 4061, 4090-
　　　4093, 4120, 4140-4142, 4189, 4218, 4223-4224, 4255-4256, 4258,
　　　4263, 4270, 4305-4306, 4314, 4319-4320, 4323, 4326, 4345, 4361-
　　　4363, 4370-4371, 4374, 4382, 4396, 4422-4423, 4434, 4437, 4451,
　　　4454, 4461-4462, 4467, 4469, 4475, 4483, 4491-4492, 4500, 4503-
　　　4504, 4512-4514, 4519-4520, 4536, 4545, 4551, 4561, 4602, 4604,
　　　4612-4613, 4620, 4625-4627, 4672, 4677, 4680-4682, 4687, 4690,
　　　4713-4714, 4730, 4735, 4747, 4749, 4779, 4789, 4790, 4803,
　　　4810-4811, 4817-4818, 4835, 4839-4840, 4888-4889, 4899, 4912-
　　　4913, 4944, 4964-4965, 4968, 4974, 4976-4977, 5005, 5012, 5059,
　　　5062, 5065-5066, 5075, 5091, 5097, 5142, 5160, 5864-5878 (and
　　　cross references after 5878), 5884, 6785, 6840, 6846
　　Varennes, flight to, 17, 65, 383, 474, 477, 481, 712, 837, 877,
　　　3830, 4176, 4728, 5022, 5288, 5361, 5398, 5603, 5795
　　See also　Royal Family

Louis XVIII.　See Louis-Stanislas-Xavier, comte de Provence

Louis-Philippe, duc de Chartres (later Louis-Philippe, king of the
　　French, 1830-1848), 4249, 4608, 4954

Louis-Stanislas-Xavier, comte de Provence (later Louis XVIII, 1814/15-
　　1824), 306, 380, 422, 459, 584, 909, 1079, 1506, 1861, 2243,
　　3266, 4221-4222, 4823, 5366, 5373, 6836.　See also　Royal Family

Louise-Marie de France, 3911

Louvet, Pierre-Florent (avocat, Leg, Conv, C500), 6846

Louvois, Michel Le Tellier, marquis de (French marshal under Louis
　　XIV), 2200

Louvre (palace), 3441

Lozère (department), 3262

Luckner, Nicolas, baron de (army marshal), 2667, 3119, 3253

Ludot, Antonin-Baptiste-Nicolas (lawyer, Conv, C500), 3668

Luminais, Michel-Pierre (avocat, C500), 2976

Lunéville, treaty of (1801), text, 6037

Lutherans
    Alsace (province), cities in, 3315
    Doubs (department), 3313
    Haute-Saône (department), 3313

Luxembourg, Anne-Charles-Sigismond, duc de Montmorency (Const, émigré),
    103, 816-817, 1306

Lyon (ville), 639, 1050, 2253, 2434, 3622, 4225, 4963, 5147, 6012,
    6426
    administration of, 3305
    Bureau des finances in, 6249, 6369
    camp fédératif at, 1117
    citizens of, 351, 2051, 4013
    commune of, 3914
    creditors of, 2777
    deputies to Etats Généraux from, 6376
    grand-bailliage of, 1088
    municipality of, 3913, 4573
    seige of, 1693
    third estate in, 25
    three orders of, 1050

Mably, Gabriel Bonnot de, abbé (publicist), 4688

Macaye, Pierre-Nicolas-Haraneder, vicomte de (proprietor, Const,
    émigré), 5730

Maine-et-Loire (department)
    administrators of, 2345
    national guard in, 2489

Malesherbes, Guillaume-Chrétien de Lamoignon de (minister, later
    defense counsel of Louis XVI), 20

Malibran, Jean-Baptiste-Antoine-Marie (Hérault administrator, C500),
    4450

Mallet-du-Pan, Jacques (Swiss journalist), 928, 3522

Malouet, Pierre-Victor (Toulon naval intendant, Const), 2293

Malta, Order of, 420, 967, 2092-2093, 2370, 2398, 4070

Manche (department), 3642
    central administration of, 3772
    clergy of, 4957
    deputies of, 1374

Manchester (England), Constitutional (Reform) Society of, 5888

Mandats territoriaux, 6003

Manuel, Louis-Pierre (procureur of Paris commune, Conv), 5870

Marat, Jean-Paul (physician, journalist), 484, 1204, 1215, 1972,
     2624, 3143, 4760, 4763, 5984, 6767, 6781, 6810

Marbeuf, Yves-Alexandre de (archbishop of Lyon), 3090

Marc d'argent (eligibility requirement for members of legislature),
     1273, 3893

Marceau-Desgraviers, François-Séverin (army officer), 3291, 4145, 4450

Maréchaussée (constabulary), 5677, 5680, 6305, 6456-6457
     prèvots of, 4022

Marey-Monge, Nicolas-Joseph (Nuits merchant, Conv), 5980

Marie-Antoinette (queen of France, 1774-1792), 213, 463, 495, 575, 712,
     1183, 1206, 1366, 1522, 1945, 2028, 3458, 3833-3834, 4249, 4664,
     4899, 6000-6001, 6790. See also: Royal Family

Marie-Thérèse-Charlotte de Bourbon (daughter of Louis XVI), 1658

Mariette, Jacques-Christophe-Luc (Rouen justice of peace, Conv, C500),
     5055

Market women of Paris, 1365, 6575

Marne (department, Haute-). See Haute-Marne (department)

Marriage laws, 1258, 2738-2740

Marseille, 377, 395, 621, 633, 728-730, 1048, 1653, 1782-1783, 1787,
     1789, 1969-1970, 1977, 2729, 5406
     citizens of, 1453, 2260, 2271-2272, 2275, 2803, 4152
     commune
          general council of, 1454, 3869
          deputies of, 3636-3637
          extraordinary deputies, 1550
     council of representatives, 3711
     council of the three orders, 1785, 1788, 3386
     deputies of, 607
     diocese of, 6590
     district
          administrators of, 1687
          tribunal, 3713
     masonic lodge in, 6401
     mayor and municipal officers of, 1778, 3710, 4045, 4420, 4676
     municipal officers of, 1413-1414
     municipality, 6384
     national guard of, 11, 683, 729, 1781, 1798, 2922, 3712
     parishes in, 2157
     port of, 3961
     procédure prévotale of, 4026
     prud' hommes pêcheurs in, 2167
     revolution in, 649
     sénéchaussée, 2262
     soap industry in, 3232
     societies (clubs) in, 144, 4740
     third estate, commissioners of, 4006
     tribunals of, 144

Marshes, draining of, 3201-3202, 3206

Martin, Etienne (mayor of Marseilles, Leg), 1413, 6399

Matthieu-Mirampal, Jean-Baptiste-Charles (publicist, Conv, C500), 3673

Maupeou, René-Nicolas-Charles-Augustin de (chancellor under Louis XV), 1181

Maury, Jean-Sifrein, cardinal (Const, émigré), 249, 415, 447, 507, 754, 865, 875, 1220, 1273, 1362, 1420-1421, 6685

Maximum, law of, 5932

Mazade-Percin, Julien-Bernard-Dorothée de (Leg, Conv, Anc), 5869

Mazarin, Guilio, cardinal (first minister, 1642-1661), 2998

Méaudre, Charles-Adrien (C500), 2652

Measurements, new system of. See Weights and Measures; Linear measures

Méaulle, Jean-Nicolas (avocat, Conv, C500), 6846

Mellinet, François (Nantes merchant, Conv), 5870

Melun, municipality of, 6342

Mennesier, Joseph-Louis (C500), 3668

Menou, Jacques-François de Boussay, baron de (army officer, Const), 897, 2796, 6509, 6767

Merlin de Douai, Philippe-Antoine (Flanders avocat, Const, Conv, Anc, Director, 1797-1799), 224, 259, 1351, 1360, 1374, 2863, 4138, 4782, 5357

Méry-sur-Seine (bailliage), officers of, 6640

Messageries (messenger coaches), 1411, 6845

Metz
    commune, 830
    Parlement of. See Parlement of Metz
    regiment of artillery of, 6282
    ville, 418
        Chambre des comptes, 6119
        Cour des aides, 6119
        garrison of, 6850

Meurthe (department), 2837
    deputation from, 3640
    salt marshes in, 2865

Meuse (department), 2551, 4088
    deputies of, 6407
    public notaries in, 3044

Mezières (ville), extraordinary deputies, 1529

Milan, Napoleon's address to curés of, 1861

Milhaud, Edouard-Jean-Baptiste (army officer, Conv), 6846

Militia, national, project for establishing of, 2613

Military punishments. See Army, penal code; Army, punishments

Military honors and rewards, 5028, 5117

Millau (ville), 6412

Mines, 1179, 2015, 3204, 4033, 4584-4585
    department of, 4701

Ministerial offices, liquidation of, 869, 4128, 5682, 5688, 5827-5828

Ministers, 970, 987, 1068-1069, 1079, 1098, 1126, 1134-1135, 1137,
    1173, 1176, 1290, 1423, 2162, 3130, 3157, 3193, 3320, 5114, 5144,
    5159, 6308, 6851

Ministry, plans for organization of, 2509, 2511

Mirabeau, André-Boniface-Louis de Riqueti, vicomte de (brother of
    following, Const, émigré), 683, 790, 811, 1363, 1367, 6731,
    6746, 6749

Mirabeau, Honoré-Gabriel de Riqueti, comte de, 28, 51, 215, 251, 260,
    286, 297, 386, 396, 434, 448, 464, 545, 612, 621, 678, 718, 776,
    780, 796, 861, 930-931, 941, 982, 1133, 1156, 1220, 1232, 1273,
    1296-1297, 1309, 1348, 1350, 1516, 1713, 1943, 1969, 1981, 2048,
    2072, 2109, 2183-2185, 2729, 2755, 3167-3168, 3414, 3492, 4253,
    4405, 4663, 4826, 4882, 4896, 4952, 5493, 5644, 6723, 6842

Miromesnil, Armand-Thomas Hue de (garde des sceaux, 1774-1787), 251

Mobs, law against (1789), 5534

Monaco (independent principality), 2564, 2566

Monastic orders, 230, 276, 798, 1172, 1829, 3540

Monetary terms, 5803

Money and coinage, 1419, 2388, 3380, 3970, 3972, 4019, 4074, 4196,
    4578-4579, 4882, 4905, 4923, 4925, 5145, 5900, 5903. See also:
    Assemblée Nationale Constituante, Comité des Monnoies; Assignats;
    Paper money

Monge, Gaspard (professor, minister of navy, 1792-1793), 1889

Monks, 766
    Paris, 6521-6523

Monmayou, Hugues-Guillaume-Bernard-Joseph (Conv, C500, Anc), 5869

Mons (Belgian commune), 2669, 5992

Monsabert, Anne-Louis-Goislard, comte de (counsellor of Parlement), 511

Monsieur. See Louis-Stanislas-Xavier, comte de Provence

Montaigne, Michel Eyquem de (1533-1592), facetiously mentioned, 3184

Montauban (ville), 176, 518, 622, 1049, 1060, 1120, 2154, 3368, 3856,
 4299
 Bureau des finances in, 6410
 Catholic citizens of, 6854
 municipal officers of, 1243
 national guard of, 622, 1383, 2728
 religious troubles in, 1049

Mont-Blanc, salt marshes in, 2865

Montbossier, Philippe-Claude, comte de (army officer, émigré), 2209

Montesquieu, Charles de Secondat, baron de, 1302, 3117, 3184

Montesquiou-Fézensac, Anne-Pierre, marquis de (army officer, Const),
 776, 2595, 6477, 6778

Montesquiou-Fézensac, François-Xavier-Marc-Antoine de, abbé (Const), 60

Montlosier, François-Dominique de Reynaud, comte de (Const, émigré),
 1442, 2186, 5790

Montmorency-Laval, Mathieu-Jean-Felicité, duc de (army officer, Const,
 émigré), 2644

Montmorency (ville), citizens of, 3016

Montmorin-Saint-Hérem, Armand-Marc, comte de (minister of foreign
 affairs, 1787-1791), 118, 1134, 1992, 2543, 4697, 4699, 5764,
 5842, 6823

Montpellier (ville), 740
 Bureau of finances in, 6249, 6419
 Cour des comptes, aides et finances in, 6249, 6475
 école de santé in, 5962
 généralité of, 6352
 national guard of, 6320

Monuments, national around Paris, 1578, 3442

Morande, Charles-Theveneau de (journalist, police spy), 1988

Morbihan (department), public notaries in, 1396

Moreau, Jean-Victor-Marie (army general), 6035

Moreau de Saint-Méry, Médéric-Louis-Elie (avocat, Const, minister-
 counseller of state, 1800), 4384

Moreau de Vormes, Jacob-Augustin-Antoine (Sens avocat, Anc), 1560

Moreton-Chabrillant, Jacques-Henri-Sébastien-César, comte de (army officer), 2718, 5306

Morges de Roux, Pierre-François de Sales-Déagut, comte de (deputy from Dauphiny, Const), 5306

Morteau (in Franche-Comté), 2352

Mortier, Antoine-Charles-Joseph (Const), 5357

Mortmain, 4589, 5001

Moselle (department), 2551, 2837

Mounier, Jean-Joseph (Grenoble avocat, Const), 3422, 4197, 6507

Muguet de Nanthou, François-Félix-Yacinthe (avocat, Const), 485

Mulhouse (Swiss republic), treaty with, 2086

Mulot, François-Valentin, abbé (commissioner-mediator to Avignon, 1791, Leg), 4684, 6587

Municipalities, 2512, 3621, 4787, 5536, 5538, 5540, 5545, 5656, 6730, 6750
    assemblies in, 1966-1967
    provisional nomination of administrators in (1795), 1638

Munster (ville), Lutherans in, 3315

Muraire, Honoré (Leg, Anc), 4444

Murat, Joachim (army marshal, king of Naples, 1808-1815), 4596

Muséum nationale d'histoire naturelle, report on, 4966

Namur (ville), capture of, (1794), 1587

Nancy (ville), 1106, 2354, 2766, 2934
    commune of, 6278
    Cour des aides in, 6428
    municipal officers of, 1779
    Parlement of. See Parlement of Nancy
    Royal college of physicians in, 1779

Nantes (ville), 8, 857
    bourgeois troop of, 509
    gendarmerie nationale in, 3215
    jeunes-gens of, 379, 4247
    municipal officers of, 1159
    popular society of, 6432
    revolutionary committee in, 5133

Nantua (district), 2827

Naples, 1762, 2799, 3153, 3538, 4593, 4667, 6017

Napoleon Bonaparte, 325, 2119, 2376, 4285, 4751, 5107, 6023

Narbonne-Lara, Louis-Marie-Jacques-Amalric, comte de (minister of war, 1791-1792), 3601, 3838

National Assembly. See Assemblée Nationale Constituante

National Convention. See Convention Nationale

National Guard. See Gardes Nationales

Navarre
    Parlement of. See Parlement of Pau
    students of collège of (Paris), 6581

Navigation taxes, 3011

Navy, 1582, 1744, 1747, 2383-2384, 2465, 2808, 3822, 4063, 4606,
    4853-4855, 4862, 5589, 5638, 5642, 5647-5648, 5652, 5710-5718,
    5806, 5822, 6306-6307
    administration of ports and arsenals, 1838
    apprentice gunners, 1839
    artillery, 5006
    civil officers of administration, 3096
    department of, 307, 2878
    disabled veterans (invalides), 1682
    extraordinary funds, 2384
    gunners, corps of, 3806
    penal code, 5712-5713, 5557, 5710-5711
    squadron at Brest, 1896
    war navy (marine militaire), plans for organization of, 2937,
        3084, 3347, 3394, 3820-3821, 4858, 5713, 5718
    See also: Comité de Marine of various national legislative bodies

Necker, Jacques (dir. gen. of finances. 1777-1781, minister of finances,
    1788-1790), 13, 118, 210, 258, 281, 285, 348, 412, 447, 457, 574, 598,
    601, 619, 659, 772, 785, 796, 803-804, 909, 947, 969-970, 1011,
    1023, 1076, 1110, 1205, 1212, 1282, 1335, 1711, 1968, 2068-2069,
    2074, 3015, 3093, 3634, 3968, 4007, 4014, 4044, 4079, 4093, 4101,
    4309, 4524, 4526, 4693-4694, 5300, 5371, 5402, 5455, 5464-5465,
    5764, 6315, 6669, 6692, 6726, 6735, 6748, 6757, 6768, 6770, 6815,
    6825-6826, 6829

Negrepelisse (ville), 446
    municipality of, 2063
    national guard of, 2063

Netherlands ("Holland"), 4452, 5859, 5894. See also: Dutch Republic

Neuf-Brisach (ville), provisioning of, 3382

Nice (ville), 6661
    émigrés in, 1288

Nieuport (ville), capture of (1794), 1588

Nièvre (department), public notaries in, 4962

Nîmes (ville), 434, 944, 1118, 1406, 2873
    catholic citizens of, 9
    district administrators, 1900
    garrison of, 6280
    general council of, 1648, 6756
    national guard of, 1900

Nioche, Pierre-Claude (avocat, Const, Conv, Anc), 6846

Nivernais (province), assemblies of, 5412

Noailles, Louis-Marie, vicomte de (Const), 3680, 4106, 4529

Nobles, 18, 79, 90, 114, 122, 277, 299, 312, 315, 320, 349, 426, 496,
    532, 542, 596, 647, 651, 662, 678, 688, 705, 737, 773, 816, 875,
    915, 952, 970, 976, 988, 1005-1006, 1018, 1062, 1066, 1075,
    1159, 1217, 1221, 1237, 1248, 1256, 1307, 1311, 1326, 1330, 1343,
    1370-1371, 1435-1436, 1438-1443, 1476, 1608, 1703, 1920, 1948,
    2012-2013, 2802, 3092, 3163, 3306, 3438, 3815, 3966, 4096, 4184,
    4419, 4592, 5025
    Aix, 5182-5183
    Alençon, 5186
    Bas-Vivarais, 1435
    Béarn, 818, 5216
    Bordeaux, 573
    Bourbonnais, 1082
    Bresse, 2653
    Brittany, 295, 314, 367, 781, 1310, 1831-1832, 4132, 5246-5247,
        5261-5265
    Burgundy, 634, 1072, 2877, 5272-5274
    Dauphiny, 302, 737, 1491, 5305-5309
    deputies in Etats Généraux, 5392-5393, 5463, 5797
    election to Etats Généraux, 6317
    Franche-Comté, 3286, 6315-6317
    Grenoble, 364, 6327
    Guienne, 3373, 6337-6341
    Haute-Guienne, 3541
    Languedoc, 6351
    Libourne, 366
    Lorraine, 5
    Normandy, 609
    Paris, 6476-6477
    Provence, 1163, 6592
    Rennes, 321
    Rouen, 38, 274, 6611-6613
    Roussillon, 1046, 6625
    Toulouse, 6644, 6654
    See also: Aristocracy

Noirmoutier (island), 3827

Nolf, Pierre-Louis-Joseph (Const), 5357

Non-juring clergy. See Clergy, non-juring clergy

Nootka Sound controversy, 924

Nord (department), 2972

Normandy (province), 610, 615, 671, 773, 955
    bailliages, assemblies of, 4983
    clergy of, 4886
    counter-revolution in, 249
    Cour des comptes, aides et finances in, 6607-6608, 6458
    estates of, 94, 129, 2500
        assemblies of, 2473
    nobles of, 609
    Parlement of. See Parlement of Rouen
    third estate of, 1286

Norwich (England) Revolution Society, 5888

Nostradamus, Michel (16th century astrologer), alleged prophecies of,
    86, 491, 3132

Notables, Assembly of. See Assemblée des Notables

Notaries, public, 1874, 2168, 2170, 2174-2175, 2575-2576, 3268,
    5632, 5687
    Allier, 4959
    Bas-Rhin, 3857
    Calvados, 2175
    Côte-d'Or, 4960
    Creuze, 4961
    Eure-et-Loire, 4391
    Haut-Alpes, 2576
    Isère, 2575
    Meuse, 3044
    Nièvre, 4962
    Seine-et-Marne, 4394
    Seine-et-Oise, 4392
    Vendée; 4426
    Vosges, 3858

Nuns (religieuses), 236, 946, 997, 1139, 1611, 1854
    Cambrae, 2242
    Paris, 870, 6519
    Rouen, 1818
    Toulon, 2152
    Tours, 2343-2344

Oath
    army officers', 2163, 2298
    civic, 243, 333, 783, 1235, 2145, 2406, 4178
    civil of clergy. See Clergy, civil oath required of
    of hate against royalty, 381, 385
    national guards', 2608
    of 19th Fructidor, an V, 646, 1021
    See also: Tennis Court Oath

Obelin de Kergal, Mathurin-Jean-François (Conv, C500), 5983

October Days (1789), 160, 356, 374, 541, 557, 631, 1294, 2259,
    2755, 6674

Orange (diocese), 6590

Orbec (bailliage), 43

Orléans, Louis-Philippe-Joseph, duc d' (Philippe-Egalité), 457, 475,
    576, 744, 796, 822, 920, 1232, 1292, 1298, 1341, 1345, 2305,
    2540, 2639, 2755, 3000, 3079, 4603, 5007, 5789, 6106, 6151,
    6671, 6685, 6696, 6700, 6767, 6827

Orléans faction, 3759, 3762

Orléans family, banishment of, 2540

Orléans (ville)
    national guard of, 6464
    regiment of, 6279

Ormesson de Noyseau, Louis-François-de-Paul-Lefévre d' (first president
    of Paris Parlement), 3795, 5373, 6175

Ornans (bailliage), 6466

Orne (department), administrators of, 3693

Osselin, Charles-Nicolas (counseller of Paris commune, Const), 6856

Oudot, Charles-François (Dijon avocat, Leg, Conv, C500, Anc), 4871,
    5868, 5980

Paganel, Pierre (Leg, Conv), 5870

Palais-royal, 55, 200, 378, 443, 480, 597, 789, 890, 6700, 6768, 6829
    club de, 1069

Palatinate, 1673
    troops of, 322

Palloy, Pierre-François (the "Patriot", architect in charge of
    demolition of Bastille), 5011

Pamiers (ville), 5061

Panckoucke, Charles-Joseph (editor, bookseller, founder of Moniteur),
    printers in shop of, 5810

Pange, François de (collaborator in Journal de Paris), 852

Panthéon français, 3016, 3376, 4508

Paoli, Pascal (Corsican general and patriot), 4725

Paper money, 138, 2186, 3027, 4244-4246, 4327-4328, 4594, 6003, 6021,
    6346, 6602. See also: Assignats; Finances

Paris, 15, 45, 288, 298, 326, 340, 610, 632, 784, 998, 1055, 1121,
    1189, 1844, 2510, 5070, 6310, 6808
    archbishop's palace, 5784
    bailliage, third estate, 3350
    begging in, 3514
    citizens, 6485-6487, 6857
    clergy, 449, 693, 870, 6474, 6519-6525, 6859-6860

[Paris (Continued)]
    commune, 935, 1525, 2924, 2995, 3374, 4526, 6488-6491, 6742, 6858
        commission of public instruction, 4301-4304
        general council of, 6545
        mayor and procuror, 4254
        representatives, 1986, 2832, 6858
    Compagnie des eaux, 1626
    department, 2171, 4849, 4909, 5683, 6515, 6541, 6775
        aid to needy in, 5728
        citizens of, 6515
        commissioners of, 6513
        directory of, 3058, 6498, 6519, 6541
        electoral body of, 1029, 4741
        general council of, 4254
    deputies to Etats Généraux from, 823
    diocese, 16
    disorders in (1789), 35, 67
    districts, 624, 2241, 2995
        Cordelier, 6488, 6861-6862
        Place royale (first district of), third estate, 6527
        Saint-Germain-des-Près, 2004
        Saint-Gervais, 33
        Saint-Nicolas-du-Chardonnet, 3686
        Sainte-Opportune, 6770
    école républicaine, prospectus of, 6568
    école-royale-militaire, 6483
    école de santé, 5962
    école vétérinaire, 3392
    faculty of theology, 6576
    fauxbourg,
        Saint-Antoine, 567, 603, 3050-3054, 6807
        Saint-Marcel, 3053-3054
    food supplies, 6308
    grain supplies (1789), 6483
    hospitals, 3513
    Hôtel-de-ville, 516, 2019
        electors of, 1814
    Hôtel des invalides, 6302-6303
    Jacobins, 476, 1763-1765, 3303, 6565-6567
    judges, election of, 1029
    market women, 1365
    militia, 1814, 6703
    Montmartre, 326
    monuments in and around, 1578, 3442
    municipality, 577, 2510, 2939, 3325, 3893, 4086, 4301, 4575,
        5550, 6495, 6815
        comité de recherches, 4259
        council, officers of, 3166
        municipal officers, 4254
    national guard, 159, 1599, 2077, 3936, 5612, 5624, 5813, 6540
    officers of the peace, 1268
    parishes, 5583
    Parlement of. See Parlement of Paris
    peers, assembly of, 6311
    police, 581, 1268
    porteurs de quittances d'actions des eaux, 4324
    public buildings, 5788
    Saint-Germain (des Près), abbey, 1107

[Paris (Continued)]
    sections, 238, 397, 1014, 2027, 2584, 3299, 6359, 6382, 6624
        Bibliothèque, 2314
        Bonne-Nouvelle, 3052
        deputies of, 6863
        Lombards, 3760
        maison commune, 6570
        Oratoire, 6537
        Panthéon français, 3299
        Quinze-vingts, 3052, 3056
        Tuilleries, 3302
        Unité, 3356
    societies (clubs), popular, 301, 623, 668, 1339
    third estate, 233, 722, 982, 1030, 4931
    tradesmen (marchands), corps of, 1648
    vicomté, third estate, 3350

Parlement of
    Aix, 579, 6045-6050, 6249
        avocats, 4441
    Besançon, 6051-6057, 6249
    Bordeaux, 867, 923, 4099, 6058-6071 (and cross references after
        6071), 6105-6106, 6181
    Dijon, 1051, 1063, 5014, 6072-6098, 6249
        avocats, 6091, 6096-6098
    Douai, 6099, 6100
    Grenoble, 616, 1594, 6101-6118
    Metz, 6119-6122
    Nancy, 6048, 6123-6125, 6249
        officers, 1949
    Paris, 187, 270, 304, 370, 379, 511, 611-612, 677, 721, 851,
        960, 1056, 1068-1069, 1074, 1153, 1253, 1316, 1562, 2199,
        3216, 4065, 4221, 4590, 5370, 5388, 6106, 6126-6179 (and
        cross references after 6179), 6367, 6469-6470, 6580,
        6848-6849
        avocats, 290, 874, 906
    Pau, 1109, 6180-6197, 6249, 6441
    Rennes, 509, 1310, 1315, 3998, 5265, 5368, 5420, 6102, 6136,
        6198-6213, 6249
        avocats, 6210
        nobles, 367
        procureurs, 1863
    Rouen, 232, 269, 614, 1739, 6052, 6136, 6167, 6213-6227
        avocats, 614, 682, 4482, 6226
    Toulouse, 2007, 5493, 6054, 6228-6248, 6447
        avocats, 6243

Parlements, 54, 174, 226, 290, 482, 533, 590, 637, 665, 827, 868,
    958, 1077, 1126, 1128-1129, 1330, 1353, 3073, 3674, 4051, 4279,
    4283, 4828, 6249
    reform of, 3, 4, 5, 6, 100, 116, 121, 599, 802, 905, 933, 5263-5265.
    See also: Judiciary, reform of

Pastoret, Claude-Emmanuel-Joseph-Pierre, marquis de (Paris avocat,
    Leg, C500), 2491, 4967

Patentes (tax), 4618, 5586, 5731

Patents on inventions, 2814

Pau (ville), 1045-1047, 1108-1109
    Parlement of. See Parlement of Pau

Payan, Claude-François (agent of Paris commune), 6505

Payeurs et contrôleurs des rentes (Paris), suppression of, 1505

Paymasters-general, 3377, 5836

Peloux, Pierre (Marseille merchant, Const), 3636-3637

Penal code, 2111, 2195, 5627, 5689

Penières-Delzors, Jean-Augustin (avocat, Conv, C500), 5869

Pensions, 263-264, 742, 746, 799, 1126, 1252, 1505, 1556, 2318, 2433,
    3249-3250, 3335, 3367, 4071, 4557, 4874, 4885, 5553, 5709, 5786,
    5798-5800, 5928. See also: Assemblée Nationale Constituante,
    Comité des Pensions; Livre Rouge

Perlet, Charles-Frédéric (editor of Journal de Perlet), 6767

Perpignan (ville), 3257, 3994, 4175, 6052, 6251-6252
    national guard of, 811

Perrotin de Barmond, Charles-François, abbé, 488, 2930, 5150

Pétion (de Villeneuve), Jérôme (Chartres avocat, Const, mayor of
    Paris, 1791-1793, Conv), 1314, 2705, 4016, 4950, 6839

Petit, Michel Edme (surgeon, Conv), 1723, 5869

Petition, right of, 3058

Peyre, André-Pacifique (Avignon avocat), 3677-3678

Pflieger, Jean-Adam (Alsace deputy), 3521

Philippe Egalité. See Orléans, Louis-Philippe-Joseph, duc d'

Philippeaux, Pierre (avocat, Conv), 2408, 4710

Phocion (Athenian statesman and general), 1790

Picardy (province), 1770, 6442
    canal of, 4433

Pichegru, Jean-Charles (army general, C500, leader in Cadoudal
    conspiracy), 4089

Pikes, manufacture and use of, 1683, 2113

Pillnitz, Declaration of (1791), 3751

Pitt, William (British prime minister during French Revolution), 572,
    4891

Pius VI, Pope (1775-1799) [Giovanni Angelo Braschi], 515, 672, 1150, 1417, 1897, 2095, 2202, 2243, 2375, 3035, 3081, 3186, 4758, 5793, 6782, 6830-6832

Pius VII, Pope (1800-1823) [Gregorio Barnaba Luigi Chiaramonti], 1681
    See also: Concordat of 1801

Pointe, Noël (Conv), 5869

Police, 1500, 1952, 4711, 5607, 5629, 5717, 5943-5945
    de sûreté générale, 1675, 1718, 2716, 3039, 3563, 4292
    des cultes, 3955
    forestière, 2562

Polignac, Yolande-Martine-Gabrielle de Polastron, duchesse de, 1144

Pont-Audemer (vicomté), 6227

Pont-de-Sorgues (ville), national guard of, 6587

Ponts et chaussées, 2970, 3519, 4559

Poor relief. See Relief of poverty

Port-Louis (ville), 1392

Port-Vendres (ville), garrison at, 3973

Ports, administration and service of, 4819, 5638

Postal service, 3446-3447, 3562, 3812, 5754

Potato, cultivation of, 5915

Pottier, Pierre-Claude, abbé (superior of seminary in Rouen), 245

Poullain de Grandprey, Joseph-Clément (avocat, Conv, Anc, C500), 5868

Poultier (d'Elmotte), François-Martin (Conv), 5870

Powder and saltpeter, 1386, 1579, 3379, 3811, 5628, 5926

Pradt, Dominique-Georges-Frédéric Dufour, abbé de (grand vicaire, Const), 313

Prairial, coup d'état of 30th. See Directory (1795-1799), coup d'état, 30th Prairial

Précy, Louis-François-Perrin, comte de (general of rebellious troops at Lyon, 1793), 1693

Press, freedom of the, 1076, 1300, 1323, 1646, 1741, 1850, 2146, 2224, 2255, 2257, 2425, 2441, 2583, 2727, 2952, 3225, 3399, 3402, 3479, 3646, 3923-3924, 4011, 4293, 4364, 4444, 4864, 5057-5058, 5675, 6822

Prévôté de l'hôtel (law court), plan for suppression of, 1657

Prévôts royaux (royal judges), 3701

Princes, foreign, 3524, 3800, 3949, 4290

Princes of the blood, 665, 1311, 1949, 4859
    memoirs of, 679, 738, 1314, 2002, 2210, 3752, 4133, 4348

Prisoners of war
    project for treatment of, 4562
    French in England, 4616

Prisons, opinion on sale of state, 4051

Procureurs au grand-conseil, liquidation of, 3069

Procureurs du roi, origin and history of, 3701

Procureurs aux parlements, reimbursements of, 1816

Property, confiscated, administration and sale of, 5909

Property right in scientific and literary productions, 3182

Property titles, registration of, 5565-5566, 5706

Property transfer through right of substitution, 4430

Proportional representation, 5670

Prost, Claude-Charles (Besançon avocat, Conv, C500), 5870

Protestants, 2875, 4233, 4495, 4671, 5384
    Alsace, 3315, 4569, 4737
    See also: Lutherans

Provence, comte de. See Louis-Stanislas-Xavier, comte de Provence
    (later Louis XVIII)

Provence (province), 152, 554, 5385
    communes in, 3905, 4379
    cours souveraines in, 427
    judicial reform in 1043
    nobles of, 1163, 6048, 6592, 6594-6596
    Parlement of. See Parlement of Aix

Provinces, 541, 807, 1055, 1126

Provincial administrations (1781?), 653

Provincial assemblies, 1966-1967

Provins (bailliage), officers of, 6640

Prudhomme, Louis-Marie (editor of Revolutions de Paris), 484, 638, 6767

Prud'hommes-pêcheurs, 2167

Prugnon, Louis-Pierre-Joseph (Nancy avocat, Const), 1779

Puy-de-Dôme (department)
    battalion of national volontiers, 1554
    electors of, 1851

Pyrénées (department, Basses-). See Basses-Pyrénées (department)

Queinnec, Jacques (Conv, C500), 5983

Quercy (pays d'états), 2154

Quiberon Bay, defeat of émigrés at (1795), 4914

Quimper (district), 436

Rabelais, François (1490?-1553), 664

Rameau de la Cérée, Just (Conv), 5980

Ramel de Nogaret, Dominique-Vincent (Carcasonne avocat, Const, Conv,
    C500, minister of finances, 1796-1799), 224, 5973

Rastatt, Congress of (1797-1799), 1513, 2118, 2448, 2623, 2950,
    4234, 5170

Ratisbon, Diet of (1793), 410

Raynal, Guillaume-Thomas-François, abbé (author of Histoire . . . des
    Européens dans les deux Indes), 1147, 1840, 2109, 2371, 3127, 3767

Réalville (ville), national guard of, 2063

Recall of representatives and government officials, argument for, 3439

Receivers of stolen goods (recéleurs), ecclesiastical, subject to
    deportation, 5942

Receivers of consignments, 3188, 5690

Receveurs des districts, 2134, 3377

Receveurs-généraux des finances, plan for suppression of, 4053

Regency, discussion of (1791), 4985, 4999, 5004

Regiments. See Army, regiments, individual

Regnier, Claude-Ambroise, duc de Massa (Nancy avocat, Const, Anc),
    4444, 5151, 5787

Reims (ville), 498

Relief of poverty, 1352, 1671, 2318, 2330, 3095, 3517-3518, 3797, 3813,
    4554, 5104, 5172, 5911, 5928, 6650, 6747. See also: Comité de
    Mendicité, Comité des Pensions, Comité des Secours of various
    national legislative bodies

Religious freedom, 1849, 2148, 2906, 3108, 4171-4172, 4294, 4528, 4849, 5906, 5963

Religious orders, 62, 89, 235, 392, 420, 506-507, 940, 967, 997, 1139, 3001, 3242, 3370, 4052, 5032, 5093, 5141, 5571, 5773.
  Paris, property of, 449

Remard (river), navigation of, 3110, 3971

Rennes, 355, 357, 509, 553, 674, 974-975, 1017, 1019, 1110-1111, 5244, 6433, 6706, 6748
  clergy, 543
  grand-bailliage, 974-975, 1228
  nobles, 321
  Parlement of. See Parlement of Rennes
  people of, 509, 6211
  third estate, 509, 6706

Rentes, payeurs et controleurs des (Paris), suppression of, 1505

Rentes emphitéothiques, 1953

Rentes foncières, 1094, 5567

Rentes viagères, 4594, 5933-5934, 5936-5937

Rentiers, 4245

Reserve, national military, project for, 3362

Rétif de la Bretonne, Nicolas-Edme (writer), 754

Reubell, Jean-François (Colmar avocat, Const, Conv, Director, 1796-1799), 259, 1351, 2117, 3521

Revision of Constitution of 1791, right of, 2927-2928, 5691

Reynaud, Marc-Antoine (Avignon curé), 627

Rhin (department, Bas-). See Bas-Rhin (department)

Rhin (department, Haut-). See Haut-Rhin (department)

Rhine river, 3009, 3665, 4587
  departments on left bank of, 3405

Rhône (department)
  central administration of, 3229
  directory of, 3914

Rhône river, 3665, 4587

Rhône-et-Loire (department), 2165, 4963, 6602
  directory, deputy administrators, 3913
  electors, 2387, 6603

Ribet, Bon-Jacques-Gabriel-Bernardin (Conv), 6846

662

Richelieu, Armand-Jean Du Plessis, cardinal de (first minister under
    Louis XIII), 725

Ricord, Jean-François (avocat and mayor of Grasse, Conv), 5870

Riotord (commune), 2165

Riou Kersalaun, François-Marie-Joseph (Brest avocat, author of
    patriotic work, C500), 2829

Rivarol (Rivaroli), Antoine, comte de (counter-revolutionary journalist
    and pamphleteer), 805, 2040

Robespierre, Augustin-Bon-Joseph (Arras avocat, Conv, brother of
    Maximilien), 5868

Robespierre, Maximilien-Marie-Isidore, 387, 1204, 1546, 1590-1591,
    2355, 2747, 2938, 3448, 3598, 3600, 3763, 3865, 3920, 3923,
    4325, 4356, 4477, 4617, 4716, 4939, 5092, 5196, 6811-6813

Rochambeau, Jean-Baptiste-Donatien de Vimeur, marquis de (army
    general, commander of French troops in America, 1780), 2667

Rochechouart, Aimery-Louis-Roger, comte de (Paris deputy to Const),
    6477

Rochefort-sur-Mer (ville), 3322

Rochester (England) society for the propagation of the rights of man,
    3576

Roederer, Pierre-Louis, comte (Metz counsellor, Const, professor),
    2752, 6767, 6770

Rohan-Guémené, Louis-René-Edouard, prince de, cardinal (bishop of
    Strasbourg, Const, émigré), 2009, 2431, 2817

Rohan (usement), domains congéable in, 2034

Roland de la Platière, Jean-Marie (minister of interior, 1792-1793),
    2281, 2316, 2963, 3080, 6518

Romans (ville), 5300, 5445

Rome, entry of French troops into (1799), 2799

Rouen, 59, 246, 329, 470, 637, 735, 820, 972, 1031, 1053, 1067, 2936
    bailliage, 682
        nobles, 274
        third estate, 135, 4981
    bureau intermediare, 3968
    chamber of commerce, 6633
    clergy, 249, 666, 1622, 1818, 2474
    commissioners, 6619
    commune, 682, 6482
        general council, 6633
        municipal and electoral body, 862

663

[Rouen (Continued)]
    Cour des monnoies, 6213
    district
      directory, 6633
      tribunal, 581, 1819
    election of bishop of, 1319
    general assembly, 6616
    general council, 6633
    Hôtel de ville, 845, 1053, 3648
    Jacobins (Société des Amis de la Constitution), 1620, 1818, 2735
    municipal body, 6618
    municipal officers, 4980
    municipality, 6616, 6620
    national guard, 1053, 4342, 6615-6616
    nobles, 38
    Parlement of. See Parlement of Rouen
    provincial administration at, 655
    public notaries in, 274
    religious reform in, 1101
    sections, 2911, 6623
    third estate, 6462
    three orders, 6586

Rouergue (province), 6412

Rouph de Varicourt, Pierre-Marin (Gex curé, Const), 1094

Rousseau, Jean-Jacques, 1003, 2624, 2818, 3016, 3409, 4299, 4763, 6568
    widow of, 1003

Rousselin, Alexandre (commissaire of National Convention at Troyes) 512

Roussilon (province)
    conseil souverain, 6052, 6251-6254
    gentilshommes, 1046

Roux, Charles-Benoît (constitutional bishop of Bouches-du-Rhône), 6590

Rouzet, Jacques-Marie, comte de Folmon (Toulouse avocat and professor, Conv, C500), 4724, 5869

Rovère de Fonvielle, Stanislas-Joseph-François-Xavier, marquis de (Leg, Conv, Anc), 3622

Royal Family, 495, 1366, 2045, 2099, 2301, 3309, 4396, 4859

Royal sanction, 265, 2004, 2851, 2944, 2968-2969, 3100, 3509, 3960, 4023, 4162, 4276, 4309, 4428, 4605, 4727, 4857, 4987, 5016

Royal session (June 23, 1789), 64, 3976, 5478-5481

Royal veto, 522, 539, 852, 878, 927, 1030, 1137, 1214, 2180, 3960, 4334, 4428, 4847, 6600

Royalism, 285, 310, 480, 504, 654, 711, 889, 892, 908, 942, 1032, 1199, 1325, 1334, 1846, 2416. See also: Aristocracy; Counter-revolutionary pamphlets

Roye (ville), 1770

Royou-Guermeur, Claude-Michel (commissioner of Paris commune, agent of representatives on mission to Brest), 2654

Ruault, Alexandre-Jean (constitutional curé at Yvetot, Conv, C500), 5983

Ruhe, Philippe-Jacques (protestant pastor at Strasbourg, Leg, Conv), 2363

Sabatier (de Castres), Antoine (author, royalist journalist), 678

Saillans, François-Louis, comte de (royalist conspirator), 5834

Saint-Claude (abbey in Franche-Comté), Benedictine monks of, 5154

Saint-Cloud, 552, 707, 1038
    coup d'état of 18th Brumaire, 6022

Saint-Denis (ville), parish of, 2964

Saint-Ferréol (d'Auroure), commune, 2165

Saint-Hilaire (commune), 3772

Saint-Huruge, Victor-Amédée de la Fage, marquis de (revolutionary propagandist in Paris), 6767

Saint-Just, Louis-Antoine de (Conv, member Committee of Public Safety), 1590-1591

Saint-Priest, François-Emmanuel Guignard, comte de (minister of interior, 1789-1791), 492, 3414, 4044, 4812, 6491, 6856, 6863

Saint-Vivant (commune), 2173

Sainte-Geneviève (Paris), transfer of Voltaire's ashes to, 3063

Saladin, Jean-Baptiste-Michel (Amiens avocat, Leg, Conv), 5982

Salle, Jean-Baptiste (physician, Const, Conv), 3136, 6725

Salm-Salm, Emmanuel-Henri-Oswald-Nicolas-Léopold, prince de (colonel-proprietor of infantry regiment), 4622

Salt, 384, 2276, 4053

Salt marshes, 2865

Salt taxes. See Gabelles

Salt warehouse (Paris), 6301

Saltpeter, 1386, 1579, 3379, 3811, 4486, 5628, 5903

Sancerre (ville et comté), 846, 2805, 2925

Saône (department, Haute-). See Haute-Saône (department)

Saône-et-Loire canal, 3160

Sans-culottes, 1929, 2155, 2545, 2886, 3844

Sardinia, 1762, 4593, 6017

Savoy (duchy)
    communes of, 5893
    refugees from, 916, 5892
    reunion with France, 3102

Schlestadt (Selestat) (ville en Alsace), 3187

Scheppers, Louis-Joseph-Leclerq (Lille deputy), 5357

Schérer, Barthélemy-Louis-Joseph (army general, minister of war,
    1797-1799), 224, 1360, 2863, 2992, 4463, 4628, 4782

Schmits, Louis-Joseph, baron (Const), 2180

Sciences and arts, progress of, 1540

Sedillez, Mathurin-Louis-Etienne (Leg, Anc), 3779

Sedan (district), general assembly, 2578

Segrois (commune), 2173

Séguier, Antoine-Louis (avocat at Paris Parlement), 775

Seine (department), 6021
    émigré debt, 1719
    public notaries in, 2244

Seine river, 4586, 4637

Seine-et-Marne (department), 5113
    public notaries in, 4394

Seine-et-Oise (department), 2171, 5197
    general council, 3080
    public notaries in, 4392

Seine-Inférieure (department), 2216, 2475
    electors of, 1031, 2936

Sénéchaux d'épée, origin of, 3701

Senez (ville), clergy, 1880-1884

Senonche, forest of, 2789

Sens (ville), 896
    canton, 1560
    religious reform in, 1249

Spain, 4041, 4566, 5971
    Constitution of 1812, 3526

Speculation, treatise of Mirabeau on, 3167

Speech, freedom of, 2603

Staël-Holstein, Anne-Louise-Germaine Necker, baronne de, 6726

Staël-Holstein, Eric-Magnus, baron de (Swedish ambassador to France),
    3150

Stamp taxes. See Taxes, stamp

Statistics, vital. See Vital statistics

Strasbourg (ville), 290, 4787
    bishopric of, 2431
    commune, 4930
    Ecole de santé, 5962
    Lutherans in, 3315
    municipality, 521

Struensee, von, Johann-Friedrich, comte (Danish statesman, assassinated,
    1772), 2828

Subdélégués (of intendants), suppression of, 4051

Subsistances. See Food supplies

Suzor, Pierre (curé of Ecueilly, constitutional bishop of Indres-et-
    Loir), 4238

Switzerland, 1197, 4893
    cantons of, 4666

Syphilis, treatment of, 2201, 4050

Talleyrand-Périgord, Charles-Maurice de (bishop of Autun, Const, minister
    of foreign affairs 1796-1806), 139, 376, 441, 1165, 1333, 2279,
    3995, 4034, 5234, 6767

Talma, François-Joseph (celebrated actor), 2743, 6852

Tanbark of Champagny and Planchebas, 2903

Tandeau, abbé, report on government loan (1787), 5383, 6149

Tanning industry, 5665

Target, Guy-Jean-Baptiste (Paris avocat, Const), 573

Tariffs, 2312, 2630, 3011, 3075-3076, 3198, 3961, 5662
    on gold, 6310
    on oil, 3231, 6573

Tarn (department), electors of, 1733

Tax collectors of land and personal taxes, proposal to establish, 3606

Tax, land, 2653, 3721, 4055, 5380-5381, 6256, 6267

Tax, registration, on various documents, 856, 2954, 3352, 4139, 5568,
5592, 5702, 5706

Taxes (in general), 124, 1066, 1259, 1565, 1630, 2458, 2701, 3205,
3209, 4114, 4560, 4599, 4601, 5380-5382, 5515
(1787), 1630, 5420, 6135
(1788), 1379, 6849
(1789), 642, 2022, 2611, 5473, 5529-5530
(1790), 1425, 2458, 2995, 3164, 3745, 5099, 5562
(1791), 1474
(1795), 250
(1799), 1743
commercial and industrial, 2830, 4956
on soap, 3232
stamp, 4221-4222, 4805, 5381, 5582, 5585, 5707, 6267
See also Contribution; Gabelles; Vingtièmes

Temple (parish), 1395

Temple (prison of royal family), 2301

Tennis Court Oath, 2606, 4656, 5475-5477

Testation, law of, 4155, 4360, 5038

Thann (ville), seigneurie of, 2998-2999

Theaters, 758, 1641, 3896

Theophilanthropy, attack on, 1858

Théot, Catherine ("prophetess," leader of cult), 5063

Thermidor (1794), 1389-1390, 1457, 4368, 5121

Thibaudeau, Antoine-Claire (Poitiers avocat, Conv, C500), 2780, 3847,
5872, 6560

Third Estate, 30, 110, 277-278, 312, 426, 432, 455, 496, 538, 540,
598, 614, 620, 647, 654, 662, 679, 700, 705, 722, 726, 731,
739, 745, 773, 812, 833, 898-899, 963, 988, 1004-1005, 1018,
1023, 1037, 1056-1057, 1080, 1137, 1231, 1250, 1307, 1314-1316,
1318, 1321, 1326, 1340, 1358, 1433, 1700, 2105, 2225, 2230, 2675,
3218, 3688-3689, 4055, 4522-4524, 4822
Albret, 6443
Bordeaux, 748, 1138, 2769, 5231, 6838
Brittany, 127, 295, 781, 5252, 5266-5267
Burgundy, 1072
Dauphiny, 389, 1353
Dijon, 606
Nantes, 6438-6440
Paris, 233, 722, 982, 1030, 3350, 4931, 6527
Pont-de-l'Arche, 6586

[Third Estate (Continued)]
    Rennes, 509, 6706
    Rouen, 4981
    Toulouse, 1301

Third Estate (1614), assembly of, 1099

Thoumin-Desvauspons (vicar-general, diocese of Dol), 4409

Thouret, Jacques-Guillaume (Rouen avocat, Const), 655, 1223, 1338, 2675

Thuriot (de la Rozière), Jacques-Alexis, chevalier (Reims avocat, Leg, Conv), 3924, 5094

Three Orders, 81, 143, 241, 366, 403, 442, 452, 467, 538, 593, 792, 950, 1002, 1040, 1080, 1307, 1331, 3217, 3732, 6651
    Aix, 211
    Berry, 3129
    Dauphiny, 401, 819, 950, 4156-4157
    Flanders, 555-556
    Marseille, 3386

Tissot, Louis-Guillaume (procureur of Avignon commune), 3677-3678

Tithes, suppression of, 1102, 2351, 3873, 4055, 5659, 5722-5723, 5725, 5753. See also: Assemblée National Constituante, Comité des Dîmes, Comité Féodal; Feudal Rights

Tobacco, cultivation and sale of, 4053, 5584

Tontines, 3089

Toulon (ville), 1384, 1653, 3260, 3818, 6661
    clergy, 2153
    fugitives, 5053
    nuns, 2152

Toulouse (ville), 2011, 4784, 6445
    Bureau des finances et domaines, 6643
    communal elections, (1797), 4724
    Parlement of. See Parlement of Toulouse
    republicans of, 4331
    Saint-Etienne, metropolitan church of, 6649
    Saint-Pierre, parish of, 2166
    third estate, 1301
    tribunaux d'exception, 6655

Toulouse-Lautrec, Pierre-Joseph, comte de (army officer, Const), 5077

Touraine (province), clergy of, 4238

Tours (ville)
    diocese, nuns, 2343-2344
    district, directory, 2335

Transportation. See Communications (and transportation)

Trauttmansdorf, comte de (minister of Joseph II to Netherlands, 1787-1789), 3729, 3731, 3854

Treasurers, department, plan to establish, 3606

Treasury, public, 1081, 2083, 3568, 4077, 4081, 4087, 4125, 4969, 5102, 5577, 5601, 5749-5750, 5836, 5972

Treasury, royal, 3335, 5799-5800

Treilhard, Jean-Baptiste (Paris avocat, Const, Conv, C500, Director 1798-1799), 6500, 6816

Tribunal, Revolutionary, 697, 1842, 4878, 6000-6002, 6744

Tribunals, civil, procedure in, 3809

Tribunals, criminal, 1982, 2133, 3789, 4928

Tribunals, military, 2779, 5897

Tribunate, library of the, 3788

Tripstat, capture of, 1585

Tronchet, François-Denis (Paris avocat, Const, defense counsel of Louis XVI, Anc), 1908, 3808

Troyes (ville), 296, 512, 1104

Tuileries palace and gardens, 55, 462, 1786, 3467, 4800, 5875

Turgot, Anne-Robert-Jacques, baron de l'Aulne (intendant of Limoges, 1761-1774, minister 1774-1776), 1476

Turin, 488, 683

"Two-thirds" decree (1795), 986

United Provinces. See Netherlands; Dutch Republic

University of Paris, 6580-6582

Uzès (ville)
    district, religious reform in, 6658
    municipality, 939

Vadier, Marc-Guillaume-Albert (Const, Conv, member Committee of General Security), 2408, 3599, 4722

Vaissac (commune), national guard of, 2063

Vannes (diocese), 6333

Var (department), national guard of, 6661

Vardon, Louis-Alexandre-Jacques (Leg, Conv, member Committee of General Security), 3743

Varennes. See Louis XVI (king of France, 1774-1792), Varennes, flight to

Varlet, Charles-Zachée-Joseph (mayor of Hesdin, alternate deputy to
    Conv, Anc), 5982

Vatan (ville), clergy, 2164

Vaucluse (department), organization of districts of, 4577

Vauvilliers, Jean-François (professor, lieutenant to mayor of Paris,
    C500), 1030, 5072

Vendée (department), 2130, 2374, 2940, 4381, 4490
    public notaries in, 4426

Vendémiaire, events of 13th-14th (1795), 3951, 4576, 4916

Venice, revolution in, 3522

Verchère de Reffye, Hugues-François (lawyer, Const), 485

Verdun (ville), 418

Vergniaud, Pierre-Victurnien (Bordeaux avocat, Leg, Conv), 2663, 2984,
    3136, 5994

Vergy (commune), 2173

Verlac, Bertrand (Vannes avocat), 1361

Vernier, Théodore, comte de Montorient (avocat, Const, Conv, Anc),
    2720, 4324

Verninac de Saint-Maur, Raymond de (commissioner in Comtat Venaissin
    1791), 2720

Versailles (ville), 435, 607, 816, 820-821
    troops in, 5487

Veterans, disabled, 2297, 2615-2616, 3358-3359, 5781, 6273. See also
    Hôtel des Invalides (Paris)

Veterinary schools, 3210
    at Alfort, 3391
    at Paris, 3392

Veto. See Royal veto

Viala, Joseph-Agricol (commander of company of young patriots of
    Avignon, killed in battle 1793), 521

Vienna, court of, 5201

Vienne (department), 3230

Vienot de Vaublanc, Vincent-Marie (Leg, C500), 4967

Villette, Charles-Michel, marquis de (army officer, Conv), 483

Vincent, Pierre-Charles-Victor (Conv, Anc), 5983

Vingtièmes (tax), 4065, 5380-5382, 6117, 6163, 6214, 6231, 6234, 6268,
    6411

Virieu, François-Henri, comte de (army officer, Const), 3612

Visconti (minister of Cisalpine Republic 1797), 3496

Vital statistics, 1376, 2738, 3041, 3277, 3888, 4180, 4261, 4291, 6500

Vitry-le-François (ville), organization of parishes of, 1393

Vivarais (province), 6588
    nobles of, 1435

Vizille (ville), 425

Voire river, use in canal, 4586, 4637

Volney, Constantin-François Chasseboeuf, comte de (traveller and
    author, Const), 3997

Voltaire, François-Marie Arouet, 2219, 2241, 3063, 3184, 6487

Vosges (department), 2837, 5787
    public notaries in, 3858

Voulland, Jean-Henri (Uzès avocat, Const, Conv, member Committee of
    General Security), 3599

War bureaus, organization of, 5831

War commissioners, 5625, 5650

War councils, 1468

War department, 2691, 2719, 4193, 6295-6296

War materiel, 5921

War ministry, 5912

War weapons, manufacture of, 3364

War and peace, right to declare, 408, 1692, 3907, 4036

Water resources, 5621

Waters and forests
    officers of, 6309
    project for administration of, 1596

Weights and measures, 1868, 4487, 4908, 5975. See also Linear measures

Wheat, methods of using spotted, 537